# 中国医药卫生科技发展报告

（2005）

中国医学科学院

中国疾病预防控制中心

中国人民解放军军事医学科学院

中国中医科学院

联合主编

中国协和医科大学出版社

**图书在版编目（C I P）数据**

中国医药卫生科技发展报告. 2005 / 中国医学科学院等主编. —北京：中国协和医科大学出版社，2006.2

ISBN 7 - 81072 - 768 - 0

Ⅰ. 中… Ⅱ. 中… Ⅲ. 医药学 - 科学技术 - 技术发展 - 研究报告 - 中国 - 2005 Ⅳ. R - 12

中国版本图书馆 CIP 数据核字（2006）第 012634 号

**中国医药卫生科技发展报告（2005）**

---

**联合主编：** 中国医学科学院
中国疾病预防控制中心
中国人民解放军军事医学科学院
中国中医科学院

**责任编辑：** 左 谦 谢 冰 吴 磊

---

**出版发行：** 中国协和医科大学出版社
（北京东单三条九号 邮编 100730 电话 65260378）

**网 址：** www.pumcp.com

**经 销：** 新华书店总店北京发行所

**印 刷：** 北京丽源印刷厂

---

**开 本：** 787×1092 毫米 1/16 开

**印 张：** 24.75

**字 数：** 365 千字

**版 次：** 2006 年 3 月第一版 2006 年 3 月第一次印刷

**印 数：** 1—3000

**定 价：** 58.00 元

---

ISBN 7 - 81072 - 768 - 0/R·761

---

## 《中国医药卫生科技发展报告（2005）》
## 编委会成员名单

泛地应用于农业、医药、轻工食品、海洋开发及环境保护等多个领域。

我国生物技术起步于20世纪80年代初。经过20多年的发展，我国生物技术及其产业也得到了快速发展，在原始创新方面获得了一批具有自主知识产权的成果，拥有一批具有产业化前景的核心技术，生物技术的总体水平与国外的差距相对较小，已有了一定的技术储备，各类学科齐全且都有相当的积累，特别是系统化的研发能力，在发展中国家中已具有优势。

但是，我国生物技术产业的发展相比先进国家还存在相当的差距，具体表现生产线落后，规模尚小、产品质量难以稳定；技术源头创新力薄弱，力量比较分散，加之低水平重复，国际竞争能力还不够强，风险投资体系不完善，从机制体制以及投入上尚没有足够的政策和措施鼓励企业向生物技术产业投资，这都给我国生物技术产业带来较大的竞争压力。

生物技术是当今高技术中发展最快的领域已成为不争的事实。医药生物技术作为生物技术最主要的应用领域，是生物技术研究开发的热点。随着医学科技的迅速发展，生物技术正在从根本上改变目前的医学模式，不仅会影响对疾病的诊断，还会对治疗产生重大影响。疾病控制、定制药物、基因疗法、延缓衰老、记忆药物、修复医学、再生医学、仿生学移植、动物移植等诸多领域的进展，将继续改善人类的生命质量并延长人类的寿命。

2005年中国医药生物技术方面的进展主要体现在以下几个方面。

## （一）中国参加的“HapMap”计划初战告捷

人类基因组拥有大约30亿对碱基，不同人的基因组中碱基对排列顺序的99.9%都是一模一样的，只有不到千分之一左右的排序有所不同。这些不同处，就叫SNP，全称是“单核苷酸多态性”，即DNA链上单一碱基对差异。

“国际人类基因组单体型图计划（HapMap）”与“曼哈顿原子弹研制计划”、“阿波罗登月计划”并称为人类科学史上的“三大计划”。HapMap计划是为了确定人类遗传的相似性和差异性，建立一个帮助研究者发现人类疾病及其对药物反应相关基因的公众资源。2002年10月28日在美国华盛顿宣布正式启动，由美国、中国、日本等6个国家的200多位科学家参与，其中，美国完成31%，日本完成25%，英国完成24%，加拿大完成10%，中

# 概 述

## 一、医药生物技术稳步发展

生物技术是利用生命科学、信息科学等手段，研究、设计、改造生命系统、改良生物乃至创造新的生物品种，以及利用生物体系与工程学手段相结合，生产人们所需的产品和为人类提供服务的一类高技术。

自1973年DNA重组技术诞生以来，生物技术得到了迅速发展，并成为多国政府优先发展的战略高技术。生物技术作为21世纪高新技术的核心，将是21世纪的主导技术之一，对人类解决面临的食物、资源、健康、环境等重大问题将发挥越来越大的作用。世界各国高度重视生物技术及其产业的发展，普遍将其列为本国科技及经济发展计划重点扶持的领域，采取各种措施，积极支持本国的生物技术及产业的发展。

美国政府在生物技术上的研发费用高达380多亿美元，仅次于国防领域；欧盟在大量投资的基础上，又批准了160亿美元的生物技术投资计划，并加快了生物技术产品的审批；日本政府则提出了“生物产业立国”的目标，并发布了《开创生物技术产业的基本方针》等纲领性文件；澳大利亚、马来西亚、印度、新加坡等国政府都相继制定和出台了相关政策，发展本国的生物技术产业；我国台湾地区也正在加速发展生物技术，以使生物技术成为其未来经济的增长点。

经过半个世纪的孕育和发展，生物技术及生物产业进入了一个全新的发展阶段，其发展势头十分迅猛，已经成为当今高技术群体中最富有活力的领域之一。近10多年是世界生物技术迅速发展时期，无论在基础研究方面还是在应用开发方面，都取得了令人瞩目的成就，生物技术的研究成果越来越广

## 中 医 药 学



## 军 事 医 学

# 目 录

国大陆、香港和台湾合作完成10%。整个计划分为两个阶段，第一阶段是SNP分型测定，把30亿个碱基对以每5000个为一组进行测定。第二阶段就是在前一阶段的基础上进行更高密度的分型测定和后期数据的分析。

2005年，来自六个国家的科学家宣布已经初步绘制出首张人类DNA序列中变异基因片段的遗传图谱。“HapMap”计划组绘制的图谱显示，任意两个不同的人类个体之间，在其各自特有的DNA序列中，有99.9%以上的基因是基本一致的。在剩余不到0．1%的基因序列中，还有数百万条基因片段是有所差异的，这些基因就是构成不同个体人群之间遗传变异的内因，为研究疾病与致病基因之间的关系打下了关键基础。

中国承担10%的研究任务，具体就是3号、21号和8号染色体短臂单体型图的绘制，同时，还提供一半的亚裔样品。在北京成立了中国单体型图协作组，一共收集了180个北京师范大学在校汉族大学生样本，进行了分型测定和分析；建立了一些国际领先的技术，如成熟高通量基因分型平台、单碱基延伸荧光偏振检测系统、微珠芯片检测系统和飞行时间质谱监测系统等SNP分型体系，日通量可稳定达到30万个分型反应；按照国际质量控制标准，上交数据的准确率超过99.95%。

HapMap就像一张数学用表一样，任何人想用都可以查。通过SNP排列中已经注明的“标签”，将患者与健康人的SNP进行比较，就可以更高效地寻找到与疾病相关的基因变异。研究结果不但会进一步改变人们对生物学和人类进化的理解，更重要的是将帮助科研人员更方便地找出与人类主要疾病密切相关的变异基因，以此改进人们对疾病的预防、诊断和治疗技术。如原来有研究表明，像心脏病、癌症、哮喘、高血压这些病都跟变异的基因有关，借助“HapMap”的数据，就可以找到其中的变异基因序列，排查出其可能存在差异的位点，总结出其中的遗传规律，达到预测、诊断、治疗的目的。

### （二）基因治疗步入理性发展阶段

基因治疗始于20世纪90年代，是指用基因工程的技术方法，通过控制目的基因的表达，抑制替代或补偿缺陷基因，从而恢复受体细胞、组织或器官的生理功能，达到治疗疾病的一种方法。被认为是医学史上的一大革命，是近年来医学上热闹的研究领域，分为性细胞基因治疗（germline gene therapy）和体细胞基因治疗（somatic gene therapy）两种类型，体细胞基因治疗是当前基因治疗研究的主流。

基因治疗经过15年充满希望而又十分艰难的道路，已经获得了大量宝贵的临床资料，其发展已经度过了初期阶段的浮躁，进入了理性发展阶段，已从基础研究步入了临床试验阶段，基因治疗的范围已从过去单基因疾病扩展到多基因疾病；已从治疗遗传性疾病扩展至恶性肿瘤、心血管疾病、神经系统疾病、自身免疫性疾病和感染性疾病的治疗。

全世界有20多个不同国家近100家基因治疗公司正在进行研究，基因治疗的临床方案超过600个，已进行了约5000个病例的临床试验，已获批准的基因治疗临床方案918个，其中以病毒为载体的基因治疗占很大比例。

我国是世界上较早开展基因治疗研究的国家之一，也是世界上较早开展基因治疗临床试验的国家，基因治疗的基础研究和临床试验基本与世界同步。20世纪70年代就提出对遗传性疾病进行基因治疗的问题，1985年提出基因治疗的重要目标是肿瘤，1987年开展了血友病B的基因治疗研究，1991年对两例血友病B患者进行基因治疗特殊临床试验，这是我国第一个基因治疗临床试验方案；之后，对单基因遗传病、恶性肿瘤、心血管疾病、神经性疾病、艾滋病等多种人类重大疾病开展了基因治疗基础和临床试验研究，包括利用TK基因转移治疗脑恶性胶质瘤、VEGF治疗梗塞性心血管病、用人肝细胞生长因子基因治疗病理性瘢痕等；1998年开始将重组人p53腺病毒注射液进行临床试验，用于治疗恶性肿瘤，2003年获得新药证书，2004年1月获得国家食品药品监督管理局（SFDA）的准字号生产批文，成为世界上第一个批准的基因治疗药物，也使我国成为世界上惟一将肿瘤基因治疗用于临床的国家。

目前，我国已有7～8项基因治疗方案经SFDA批准进入了临床试验阶段，20多个具有自主知识产权的基因治疗方案将于近2～3年进入临床阶段，并建立了国家“863”计划生物领域病毒载体研发基地，主要开展腺病毒载体研发和产业化。另外，还有5～6项基因治疗临床方案正在向国家SF-

DA 申请临床试验批文，20～30 项研究已完成或正在进行临床前试验，20 个左右的项目进入了中试研究阶段。

重组腺病毒－p53 抗癌注射液已在全国 22 个省市约 150 多家三甲医院用于临床，国内外 3100 多名病人接受了药物治疗，治疗的恶性肿瘤有 43 种，包括晚期肝癌、肺癌和骨癌等。北京同仁医院对参加Ⅰ期临床试验的 12 例中晚期喉癌病人进行随访，基因治疗 6 年多来，11 人无复发，相比之下，中晚期喉癌常规手术治疗后三年的复发率达 30.2%。基因治疗与化疗、放疗联合应用具有协同抗癌的作用，优于原先单一治疗手段。

在深圳召开的 2005 年国际肿瘤基因治疗学会上，年会主席美国南卡罗莱纳医科大学免疫系主任诺理斯教授指出，中国在基因治疗领域取得的成绩令人骄傲，目前世界上仅有的肿瘤基因治疗药物出现在中国，肿瘤基因治疗效果明显，前景可观。

对基因治疗领域中存在的根本性问题——有效性和安全性已基本达成共识：首先就是基因治疗载体的安全性和有效性问题，基因导入系统缺乏靶向性，效率也较低，而目前针对遗传性疾病的基因治疗方案大多采用逆转录病毒载体，其插入或整合到染色体的位置是随机的，有引起插入突变及细胞恶性转化的潜在危险；其次是导入基因的表达调控问题，理想的基因治疗应能根据病变的性质和严重程度不同，调控治疗基因在适当的组织器官内和以适当的水平或方式表达。但目前还达不到这一目标，其主要原因是：现有的基因导入载体容量有限，不能包容全基因或完整的调控顺序，同时人们对导入的基因在体内的转录调控机制的认识有限；再者，多基因缺陷病的早期诊断还有困难。

这些问题的核心就在于基因治疗的靶向性。针对这些问题，目前全世界范围内的科学家都在不同层面上进行深入研究。基因治疗将以改善和优化基因导入系统的靶向性和效率，构建新的基因定点整合载体，提高原位纠错效率，以及分离克隆新的表达调控元件和构建可控性表达载体为切入点，研究和解决这些关键问题。这些研究不仅将大幅度地提高基因治疗的疗效，还为基因治疗的最后成功铺平道路。

我国基因治疗研究工作虽然总体上进展缓慢，但已基本跨入世界先进行列，加上具有临床试验研究空间，加强基因治疗基础研究，找准切入点和突破口，利用好我国特有的优势，应有很好的发展空间。

## （三）人类重要功能基因研究展现硕果

我国在人类新功能基因与疾病相关基因应用研究领域取得突破性进展，十五期间，对具有重要生物功能及与疾病相关的 1500 个进行了分离鉴定和功能分析新基因，其中发现功能明确并具有潜在开发前景的功能基因 160 个，用于新产品研制与开发的新基因 24 个，拥有自主知识产权、并已与企业或药物研发单位合作，开展药物靶标或生物技术药物前期开发的新基因 8 个。

在肝癌研究方面，已研发出 ELISA 检测试剂盒，正在通过临床扩大样本验证；已完成脯氨酸异构酶 CYP－J 作为药物靶标的验证和筛选，共获得 15 个有相互作用的先导化合物，其中 YCZ001 具有明显的体外肝癌抑制效应。这是我国第一个从克隆基因、功能研究到药靶验证，并最终筛选出有效先导化合物的实例。

在白血病致病基因的识别和发病机制研究方面，发现了 3 种新的白血病染色体易位及其受累基因，首次阐明了慢粒急变的“二次打击”学说；首创了应用全反式维甲酸和三氧化二砷治疗急性早幼粒细胞白血病的方案，已用于 20 例患者，使急性早幼粒细胞白血病成为第一个有可能被治愈的成人白血病。

在胃癌、肺癌和食管癌相关基因研究方面，发现了 2 个新的潜在抑癌基因，证明了 8 个肿瘤易感基因的变异位点或甲基化修饰的异常，进一步验证了 p16 甲基化失活在癌前病变恶变潜能识别中的作用。

在鼻咽癌相关基因研究方面，发现湖南鼻咽癌易感基因可能定位于 3p21 区段约 16.4cM 范围内，并发现 RASSF1A 基因在鼻咽癌中存在广泛的体细胞突变，并且存在无功能的剪接体转录形式。

在高血压研究方面，发现了四个与高血压相关的基因。

### （四）生物技术药物增添四员新兵

近年来生物医药产业发展呈现以下特点及趋势：首先，产业化进程明显加快，市场规模迅速扩张，正在逐步进入投资收获期，全球研制中的生物技术药物超过2200种，其中1700余种进入临床试验。其次，少数发达国家在全球生物医药市场中占有绝对比重，处于产业主导地位，如欧美生物技术公司占全球总数的76%，欧美公司的销售额占全球生物技术公司销售额的93%，而亚太地区的销售额仅占全球的3%左右；大的跨国公司主导了世界专利药品市场。第三，发达国家形成了比较完善的生物医药产业链和产业集群，如美国的旧金山、波士顿、华盛顿、北卡、圣迭戈五大生物技术产业区，英国的剑桥基因组园，法国巴黎南郊的基因谷，德国的生物技术示范区，印度班加罗尔生物园等。第四，高新技术和生物技术将越来越多的应用于天然药材的种质改良，天然药物将获得更为快速的增长。第五，为提高抢占市场、垄断技术、获取超额利润的能力，全球范围内的兼并重组不断，研发投入强度不断加大（著名生物技术公司的研发投入已占销售额比重的20%以上），并形成战略性技术同盟。第六，政府高度重视生物产业发展，许多国家都把发展生物技术产业作为提高本国竞争力的重要手段，采取了制定优先发展计划，加大政策扶持与资金投入，网罗人才等措施，如美国制定了“生物技术产业激励政策”，日本确定了“生物产业立国”战略，英国成立了“生物技术协调指导委员会”，新加坡制定了“五年跻身生物技术顶尖行列”规划，古巴实施了“生物技术投资计划”，欧盟科技发展第六个框架将45%的研究开发经费用于生物技术及相关领域等。

生物产业中最重要的成员就是生物技术药物。生物技术药物是利用DNA重组技术或其它生物技术研制的蛋白质或核酸类药物。属于人体内蛋白质、激素或活性肽、一般副作用小，与生产化学合成药物不同，一般不需要庞大的厂房，污染问题易解决，新药开发周期较短五大优点。

1982年美国Lilly公司首先将重组胰岛素投放市场，标志着世界第一个基因工程药物的诞生。迄今为止，全球已能生产针对200多种疾病的500多种生物药物，近700个生物药正在临床试验阶段，每年平均有3～4个新药或疫苗问世。已开发和正在开发的基因工程药物包括细胞因子类产品、酶类、重组疫苗和重组多价疫苗、重组融合蛋白等几大类。已有 50 多种基因工程药物上市，广泛应用于治疗癌症、肝炎、发育不良、糖尿病、囊纤维变性和一些遗传病，在很多领域特别是疑难病症上，起到了传统化学药物难以达到的作用。全世界已有 3.25 亿人从利用生物技术制造出的药物和疫苗中受益，形成一个巨大的高新技术产业，产生了不可估量的社会效益和经济效益。

美国作为世界生物技术产业的龙头，专利数量、创新能力、产业化程度及投资规模等各项指标，生物技术实力在世界上居绝对领先水平，新药开发也是所有研发项目中密集程度最大的领域之一。已批准的生物技术药物广泛用于多种疾病的治疗或预防，如心绞痛、中风、多发性硬化、白血病、肝炎、类风湿、乳腺癌、糖尿病、充血性心力衰竭、淋巴瘤、肾癌、囊性纤维化等。

德国生物技术公司也已改变最初只重视技术服务而忽视药品研发的倾向，在过去 3 年中，德国政府每年为生物技术项目提供 1.25 亿欧元的研发经费；为促进生物技术和药品研发的紧密合作，拨款 1.8 亿欧元，建立了德国生物医药研究中心。

丹麦虽是一个小国，但凭借鉴定出的 350 个关键性药物靶基因，并成功申请专利，在世界药品市场上亮出了基因药物。

印度重视发展基础性研究工作，采用国际化的 GMP 标准对设施进行改造，采取战略联合的新药开发新策略，研发针对本国高发病率疾病的新药，并利用临床费用低的优势，积极参与国际市场的竞争。

我国生物技术药物和疫苗研究在国家的大力支持和企业的热情参与下，通过 863、973、国家科技攻关等计划以及自然基金项目的支持，打下了比较好的基础，经过近 20 年努力，已初步实现了由跟踪仿制向创新的转变，从实验室研究向产业化迈进的转化，呈现仿制产品已步入工业化生产阶段（如 HGH、rHUIFNα2b、EPO 等）、重复研制产品也将进入试生产（如 rHUIFNα2a、rHUIL－2 等）、重复引进产品不断涌入（如 G－SCF、GM－CSF、EPO、rHUIFNα2b 等）的特点。已研制成功或正在研制的疫苗有新型乙肝疫苗和流行性出血热疫苗等 7 种；已研制成功或正在研制的生物技术药物有基因工程干扰素、白细胞介素、心钠素等近 20 种多肽药物；另外，还应用酶工程技术，研制出了一批相应的诊断、试剂盒、酶电极以及诊断测试仪器。

2005 年又有四个拥有自主知识产权的生物制品一类新药获得 SFDA 的批准。第一个是治疗心衰的基因药物，重组人脑利钠肽，该药的研发成功，填补了国内治疗心衰一类新药的空白；第二个是碘$^{131}$美妥昔单抗注射液，这是全球第一个专门用于治疗原发性肝癌的单抗导向放射性核素药物，也是我国具有自主知识产权的抗体类药物；第三个是重组人血管内皮抑制剂，Ⅲ期临床研究显示，该药与化疗联合使用，可使非小细胞肺癌患者生存率提高 1 倍；第四个是重组人 5 型腺病毒注射液，此药可特异地杀伤癌细胞，避免常规放疗、化疗等由于选择性差而引起的不良反应，如造血功能抑制、脱发、肝肾功能损害等。

## （五）加强基础研究，迎接生物经济时代的到来

生物技术不仅有助于人类认识自身，达到新的科学境界，更重要的是它们可能引发大的技术革命，进而带动新的产业革命。随着生命科学、生物技术的不断发展和创新，从全球生物医药产业发展趋势来看，医药生物技术正处于大规模产业化的开始阶段，预计 2020 年之后将进入快速发展期，并逐步成为世界经济的主导产业，生物经济时代已开始从概念趋向现实。面对即将到来的生物经济时代，中国也提出要通过“三步走”战略，到 2020 年实现生物技术强国和生物产业大国的目标，第一步为技术积累阶段，第二步为产业崛起阶段，第三步为持续发展阶段。并确定了以医药生物技术推动第四次医学革命，促进中华民族平均寿命进一步提高；形成中西医有机结合的医疗保健体系，构筑中医药产业；建立健全生物安全保障体系等 9 大发展重点。

综观科学技术的发展历程，每一次的转折都离不开基础研究的突破，都离不开多学科思路和研究手段的综合，如重组 DNA 技术和细胞融合技术促成了生物技术的产生与发展；物理学的介入促成了心电图、放射免疫、CT 等检测与影像学技术；化学的交叉揭示了生物氧化、三羧酸循环等代谢

研究的基础；细胞生物学从体液免疫、细胞免疫、补体结合、信号转导等方面促进了生物各学科的发展；分子生物学的进展导致了对遗传病与肿瘤等重大疾病发病机制认识的突破性进展等。

大量的事实说明，基础科学是科学技术发展的内在动力，是生物技术及其产业持续发展的源泉。基础学科和工程技术的飞速发展，源源不断地向生命科学和生物医学提供新的概念、新的手段、新的方法和新的技术。基础医学研究是人类战胜疾病保护自身的动力，是医学科技与经济发展的后盾，是医药新技术、医学新发明的先导，也是培养造就医学科技人才的摇篮，具有继承性、创造性、交叉整合性。基础医学的进步是医药生物技术持续稳步发展的内在动力，同样，医药生物技术的发展也会影响基础医学的发展。没有基础医学的突破，要解决生命科学和生物医学的问题是不可能的。

我国已确立了未来 15 ~ 20 年的基础医学新理论新技术研究的总体目标，即以创新和国家目标为主导，以能力建设和科研管理体制改革为重点，建立和完善一批基础医学研究的国家级研究中心和基地，基础医学的理论研究和技术创新水平明显提高，使我国的基础医学研究从跟踪、模仿和低水平重复转变为自主创新，全面提高我国基础医学理论研究水平和技术创新能力，部分具有我国特色和优势的领域取得国际领先的一批重大成果，提出新理论、建立新技术，得到国际同行的承认。一批基础医学研究的成果在重大疾病的预防、诊断、治疗等方面得到应用，为保障人民健康做出贡献。并在基因组医学、疾病蛋白质组学、重大疾病防治基础研究等领域进行了战略布局。

基因组医学可以明确揭示人类疾病可能的直接或间接的基因机制，甚至可能发现特定的致病或易感基因，并由此衍生出从基因角度对重大疾病进行预防、诊断和治疗的新概念、新技术、新方法，发展相应的高新技术企业，从而产生巨大的社会与经济效益。同样，基因组医学将突破传统疾病观，改变基础医学研究格局，并将为认识生老病死等重大生命现象提供新的突破口和共同的科学基础。

我国基因组学研究与临床医学紧密结合，加强与临床流行病学、生物信息学、群体遗传学及蛋白组学等多学科的交叉，基本建立了现代研究的新体系，为复杂性状疾病的防治开辟新途径；丰富了遗传病分子病理学的理论认识，包括对同一个基因的不同序列变异可导致不同的疾病或同一疾病的不同表型，而不同的基因突变可能引起相同的疾病的认识，这对于理解人类基因组结构多样性和功能变化的生物学意义及其临床应用具有重要价值，为将来的个体化诊疗提供了理论基础；建立了我国医学基因组和一系列蛋白质功能研究的技术体系，为我国医学基因组学的发展奠定了坚实的基础；人类遗传病家系收集、保藏、致病基因定位、克隆和基因功能研究对于了解人类疾病的分子基础、发展新型防治手段具有重要的意义。

蛋白质是人类生命活动的关键执行者，与人类功能基因组密切相关的蛋白质组学研究是解析人体奥妙的关键研究方向。蛋白质组是所有生命活动的执行体，造就了生命的纷繁多姿，是基础研究与应用研究、生命科学与医药产业及生物经济的纽带和桥梁，蛋白质组学研究已经成为当今生命科学领域的前沿，是新世纪生物技术和生物医药产业的战略制高点。蛋白质组学的特点是采用高分辨率的蛋白质分离技术，高效率的蛋白质鉴定技术，全景式地研究在各种特定情况下的蛋白质谱及其变化规律，研究蛋白质与其它分子的相互作用。利用蛋白质组学技术可以在正常和疾病状态下全面检测机体蛋白质的表达情况和相互作用机理，为了解人类生命活动的基本规律及疾病诊断和治疗提供基础。

我国疾病蛋白质组学研究将目标定位在改进和完善蛋白质组学研究系列技术平台，全面整合已有基因组、蛋白质组信息，实现蛋白质组多重数据整合、交叉检索、序列分析、图谱分析、差异表达分析；以人胎肝组织或 $CD34^+$ 造血干/祖细胞为切入点，建立细胞调控网络和蛋白质谱、蛋白质功能连锁图；规模化确认数百种新型人源蛋白质，并发现一批具有重要医学应用前景的新型蛋白质，建立肝病等病变和癌变器官有关的功能蛋白质组群，为肝病诊治提供新的诊断标志物和新的药物靶标。

重大疾病防治始终是医药卫生工作的重点之一。重大疾病防治研究的突破，将会明显带动常见病多发病的防治工作，不但可以迅速提高我国医药卫生领域的科技水平，而且还能彻底改变目前传染病应急防治、慢性病过晚治疗的被动局面，从根本上建立具有我国特色的疾病防治新模式，极大地提高人民的健康水平，为全面建设小康社会提供重要保证。在这方面我们面临的主要瓶颈问题包括：抗病毒药物以及疫苗研究严重滞后，疾病监测、早期发现、早期诊断以及早期治疗认识不够，研究薄弱、技术落后；相关基础研究与防控应用研究脱节，技术共享平台缺乏，成果转化缓慢，临床应用滞后；疾病诊治主要以中晚期病人为主，缺乏有效的规范化诊疗技术及措施；农村卫生人才匮乏，适宜诊治技术研究、推广应用乏力。

针对重大疾病防治中的瓶颈问题，973 计划、863 计划等均设立了相关研究项目，有些项目已取得重大进展，如揭示了细胞复制性衰老新基因及调控机制，提出了生物活性多肽功能多样性的“分子内调控”模式等，为心脑血管疾病、老年病防治提供了理论基础。

尽管我国医药生物技术已取得一些重大进展，总体上在发展中国家处于领先水平，局部领域居于世界先进水平，生物产业已初具规模，但与世界先进水平相比，无论是产业规模，还是自主创新能力等方面都还存在着很大差距。首先是产业规模小，目前国内比较大的两家生物技术公司的销售收入均不到 2 亿元，而美国 Amengen 公司一家的销售收入已达到 80 亿美元；其次是产品缺乏创新，目前我国生产的基因药物，90%以上都是仿制外国的品种，我国已批准上市的 13 类 25 种 382 个不同规格的基因工程药物和基因工程疫苗产品中，只有 6 类 9 种 21 个不同规格的产品属于自己原创研制，其余 7 类 16 种 361 个产品大多为跟踪和模仿国外的仿制品；第三是生物医药园区分散，低水平重复严重，有限资源难以有效整合；第四是科技成果转化率不高，据研究显示，我国生物产业基础研究与发达国家差距在 5 年左右，但在产业化方面的差距却在 15 年以上，全国生物科技成果转化率普遍不到 15%，有的地方甚至不到 5%；第五是投融资渠道单一，企业税负偏重，缺乏优惠政策支持。

未来 20 年是我国生物产业发展的关键时期，也意味着我国生物产业发展正处在一个重要关口，我们应该抓住这次生物科技革命和产业革命的机遇，实现我国生物产业的跨越式发展，缩小与发达国家先进水平的差距，带动我国经济社会的全面发展，实现中华民族的伟大复兴。为此，我们应站在产业发展的高度，综观全局，审时度势，把握时机，统一协调，加强基础研究，为促进生物产业发展奠定坚实的后续动力。

## 二、再生医学展示出诱人前景

再生医学原指体内组织再生的理论、技术和外科操作，随着科技的发展以及干细胞技术等的突破，现在它的内涵已不断扩大。目前，其所包含的内容主要包括干细胞与克隆技术、组织工程、组织器官代用品、异种器官移植、细胞和细胞因子治疗、基因治疗、微生态治疗等。就再生医学本身来说，国际上还没有被所有人认可与界定，且还有许多不同的提法，但它确会给人类社会带来很大改变。

随着细胞生物学、分子生物学、免疫学以及遗传学等基础学科的迅猛发展，以及干细胞和组织工程技术在现代医学基础和临床方面的应用，现代再生医学在血液病、肌萎缩、脑萎缩等神经性疾病的治疗方面初步显示出良好的发展前景。在国际上，再生医学已经成为当今生物学和医学关注的焦点和研究的热点。以干细胞研究为基础，可以开发用于替代、修复、改善或再生人体各种损伤组织或器官的技术和产品，医学从此将走出组织器官匮乏的困境和以牺牲健康组织为代价的“拆借”模式，步入制造、再生、重建组织和器官的“再生医学”新时代。

目前我国已进入老龄化社会，呈现“未富先老”的特征，医疗费用居高不下，医疗资源配置不合理，医疗服务公平性不理想，人民群众对医疗服务的满意度不高的状态。如何提升人们的健康质量、如何延缓人体生物性的衰老、如何治疗各种急慢性疾病，已经不再是一个个人话题，而是关系到国家可持续性发展的问题。随着再生医学的不断发展，中国将成为最大的受益国家之一。

### （一）干细胞点燃组织再生希望

干细胞是一种能够分裂成与自身一致的细胞或几种特殊分化的细胞型的细胞。动物体内干细胞的正常作用是在发育的过程中可提供不同的细胞型，以生长成不同的组织和器官。它们也提供替代细胞以修复身体不同部分的损伤。干细胞疗法就是利用已特殊分化的干细胞，通过特殊的途径提供细胞去替代那些在退行性过程和损伤中失去的细胞。

干细胞可以根据其分化潜能进行分类，就人类干细胞而言，可以分为多能干细胞、专能干细胞、单能干细胞。目前人干细胞的主要来源或者潜在来源如下：胚泡（可提供多能干细胞）、胎儿组织（可提供多能或者专能干细胞）、脐带血（可提供专能干细胞）、成人组织（可提供专能干细胞或者单能干细胞）。

干细胞是近年来生命科学基础研究与临床应用中进展最为迅速的领域之一，干细胞在细胞治疗、组织器官修复、发育生物学、药物学等方面都显示出了巨大的发展潜力，应用干细胞治疗疾病不仅有着广泛的前景，引起传统治疗方式的重大变革，还将改进药品研制和进行安全性实验的方法，已成为继基因工程之后，现代生物技术又一新兴的前沿技术领域，也是继人类基因组测序之后最具活力、最有影响的生命前沿学科，并将成为21世纪具有巨大潜力的高科技产业之一。

各国政府、科学界、企业界以及普通百姓对此寄予了极大的关注。美国、日本、韩国、以色列、澳大利亚、欧洲各国政府和大型生物医药企业纷纷投入巨资参与这一领域的研究和开发。在这些国家中，美国处于领先地位；欧盟的实力也很强，尤其是英国，建立了第一个南Mimms胚胎干细胞库，2003年8月，伦敦皇家学院获得了英国第一株胚胎干细胞簇，开始用于开发帕金森病、糖尿病、脊髓损伤及过敏症等新的治疗方法；法国、德国等国家虽然都有很强的实力，但由于受到政策法规的限制，干细胞研究的发展受到了很大的阻力。

干细胞研究不断取得突破，如干细胞作为细胞治疗或组织器官替代治疗的种子细胞，显示出了良好的发展前景，人们已经成功利用骨髓间充质干细胞在体内外能分化为肌肉细胞和神经细胞的特点，为治疗肌萎缩、脑萎缩、帕金森病等退行性疾病带来希望；现在，科学家还能从发育中、甚至成年胚胎干细胞组织中分离出神经干细胞，体外扩增培养后植入损伤部位，定向分化为神经元、星形胶质细胞、少突胶质细胞，为神经组织修复提供了新希望。目前，全球干细胞专利申请，五年已突破三千。

我国干细胞研究与国外相比起步虽然稍晚，但国家对干细胞研究给予了高度重视并逐步加大研究经费的投入强度，1999年以后，政府科研基金直接或间接投入干细胞研究的经费明显增加，累计经费已超过亿元。自然科学基金委对这些项目的支持年年上升；“十五”期间，国家973计划重点支持了干细胞和组织工程的相关基础研究，而863计划则启动了组织器官工程的重大专项，涵盖了所有支撑的关键技术。这些举措使我国在干细胞领域的研究工作具有了一定规模，并呈迅速发展的趋势，与国际上相比差距相对较小，个别领域还具有一定优势，尤其具有资源优势，以致国外一些顶级杂志上出现过“今后做干细胞研究，就到东方去，到中国去”的字眼。

近年来，我国在干细胞研究领域取得了一系列具有重大意义的突破和原创性成果，例如从胰腺、骨髓、肝脏、皮肤、骨骼肌和肺等多种人胚胎组织中分离出具有多系分化潜能的原始干细胞，具有向成骨、软骨、脂肪、肌肉和神经分化的能力。解决了一系列干细胞体外获得、临床移植等关键技术问题；制定了我国第一个干细胞新药质量控制标准；在国际上首先提出亚全能干细胞新学说，认为人体各组织内存在一种具有多系分化潜能的亚全能干细胞，能在特定条件下分化为各种成熟的组织细胞；建立了若干重要的技术平台；建立了灵长类体细胞重编程技术，在世界上首先证明了人体细胞核是可以被重编程的，重编程分子机理在哺乳类的很多物种之间是保守的，从重编程人体细胞中可以分离出ES细胞；扩大了组织工程种子细胞来源，基本解决了组织构建中种子细胞来源不足这一瓶颈性问题；证实应用组织工程技术能够从结构与功能等方面进行组织缺损的修复，为组织工程临床应用奠定了基础。

研究组织可谓遍地开花，如北京主要有中国科学院动物研究所、北京大学干细胞研究中心、军事医学科学院等几个较知名的胚胎干细胞研究机构；上海有上海交通大学、第二军医大学以及中国科学院上海生命科学研究院，也都设有干细胞研究实验室和研究中心；此外，湖南的湘雅医学院、广州中山大学第二附属医院等也都有胚胎干细胞研究队伍。

2005年，我国在干细胞基础理论研究、临床应用、基地建设等多方面取得重要成果：

在生物人工肝研究中，通过对肝衰竭的定义和分型、体外生物人工肝支持系统及肝脏干细胞移植的实验和临床研究，阐明生物人工肝在治疗肝衰竭中的地位和作用，研发出具有自主知识产权、功能多样化、智能化、微型化、实用性强、价格低廉等优点的生物人工肝支持装置，在国内率先系统使用混合生物人工肝进行了临床肝衰竭治疗，为肝衰竭患者的救治提供新途径；利用从捐献眼球的视网膜组织获取的人视网膜色素上皮（hRPE）细胞，通过脑立体定向技术，将32.5万个hRPE细胞移植到7位帕金森病患者脑内纹状体区，经过特异性分化为可分泌多巴胺的神经细胞，能持久、显著地改善晚期帕金森病病人的运动功能；“原始间充质干细胞”注射液——治疗白血病的药物进入I期临床，这是我国第一个获准进入临床研究的干细胞治疗药物产品，标志着我国干细胞治疗产品已由实验室研究迈向临床研究阶段；完成了200例干细胞移植治疗心衰技术，最长追踪超过2年，使心衰的年死亡率由20%～40%下降为0.5%；发现了潜能再生细胞的再生修复，形成了独具特色的再生医学理论和体系。

在天津建立了我国最大、亚洲领先的干细胞产品研发和产业化基地，该基地具备干细胞药品生产GMP生产管理标准的技术平台体系，是第一个干细胞治疗产品研究、开发、生产、市场营销和治疗一体化的综合经济实体，将成为再生医学研究的综合性科技产业平台；在国际上率先开展外周血干细胞移植治疗下肢缺血性疾病研究，在国内已有800名患者接受干细胞治疗；发现脐血细胞在合适条件下能够分化为典型的神经细胞，为神经系统疾病的细胞移植替代治疗带来希望；证实干细胞移植可促使心肌再生，全国已相继有近400名心肌梗死等终末期冠心病患者接受了干细胞移植治疗；在第2届世界再生医学大会上，我国科学家裴雪涛获得最佳科学贡献奖，这是我国科学家在再生医学领域获得的最高奖项。

加强国际合作，签署了创建中法哺乳动物胚胎细胞生物学联合实验室（简称LABIOCEM）的协议，明确了双方学术交流、生物材料交流、谈判和完成研究合同的法定框架及共同准则。双方一致同意在中法双方法律法规允许的范畴内，就双方共同感兴趣的合作项目，开展与克隆和治疗性克隆相关的基础研究/应用基础研究工作，致力于推动基础研究向临床应用的转化，通过联合实验室的工作促进中法双方在胚胎干细胞与发育生物学领域的合作，为人的治疗性克隆的研究和人类疾病相关模型的工作打好基础，为提高人类健康水平服务。

另外，在成都召开了“干细胞与组织工程临床——基础研究学组”学术研讨会，交流干细胞研究进展情况，总结经验教训，展望未来发展前景。

作为再生医学的重要组成部分，干细胞技术几乎涉及人体所有的重要组织和器官，也涉及人类面临的多数医学难题，如疾病的治疗问题，伦理学问题，神学问题，对生命的认识问题，宗教、信仰、习俗、社会文化问题，安全性问题等各个方面。我国在干细胞研究的基础理论等方面还有一定的差距，未来的路还很长，也很艰辛，还有很多伦理和社会学问题都需要进行深入探讨，还需要多方面的共同努力。

### （二）干细胞研究等伦理学问题

2005年干细胞研究领域不得不提的是韩国首尔大学黄禹锡事件带给我们的警示，科学是严肃的，是法制的，是道德的，任何人都不能违背。

干细胞研究涉及的伦理学问题主要包括三个方面，第一是关于胚胎干细胞来源的伦理问题，第二是人类胚胎的伦理地位，第三是治疗性克隆与生殖性克隆的伦理问题。针对干细胞研究的伦理学问题，国内外都制定或出台了相应的政策或管理规定。如1999年12月2日，NIH就发布了关于人类多能干细胞研究指导准则的草案；2001年8月9日美国组建了由知名科学家，生命伦理学家和律师等组成的总统委员会，监督干细胞研究，2005年4月26日美国国家科学院又发布了有关人体胚胎干细胞研究的道德指南；2002年3月加拿大联邦政府公布了干细胞研究指南，2004年3月通过了禁止克隆人的法案；2001年1月英国政府第一个在世界上将克隆研究合法化；2004年7月法国议会通过生物伦理法案，对生殖性克隆和治疗性克隆都予以禁止；德国在1991年就颁布了《胚胎保护法》，严格禁止人类胚胎干细胞研究及克隆胚胎干细胞；日本政府2001年7月通过了干细胞研究指南；2005年3月2日巴西众议院通过了《生物安全法》，允许科研人员利用从人类胚胎中提取的干细胞进行科研和医疗等。

2005年2月18日，第59届联合国大会法律委员会以71票赞成、35票反对、43票弃权的表决结果，以决议的形式通过一项政治宣言——《联合国关于人的克隆宣言》，要求各国禁止有违人类尊严的任何形式的克隆人。

我国对生命伦理学也很重视，国家卫生部建立了专门的医学伦理专家委员会，2001年就对胚胎干细胞研究的伦理问题开展过全国性的大讨论，2004年1月还在北京成功的主办了国际生命伦理学学术会议。对于生殖性克隆的人类胚胎干细胞研究，我国政府在1998年就表示了不赞成，不支持，不允许，不接受任何克隆人的态度，至今我国政府反对克隆人的态度仍旧没有改变。2003年12月24日，我国科学技术部，卫生部正式颁布了《人胚胎干细胞研究伦理指导原则》。这是我国第一次以书面形式，出台政策明确禁止生殖性克隆人研究。

韩国干细胞研究风波提示我们，在现代社会中，要避免科学技术给社会带来的风险与危害，仅仅依靠科学系统内部的自我控制是远远不够的，对风险的监督、控制与管理还需要通过制定和实施相关政策和法律法规来实现。

## （三）组织工程又呈现一些亮点

组织工程是应用生命科学和工程学的原理与技术，在正确认识哺乳动物的正常及病理两种状态下结构与功能关系的基础上，研究、开发用于修复、维护、促进人体各种组织或器官损伤后的功能和形态生物替代物的科学。组织工程是继细胞生物学和分子生物学之后，生命科学发展史上的又一新的里程碑，它标志着医学将走出器官移植的范畴，步入制造组织和器官的新时代。组织工程学作为一门多学科交叉的边缘学科，将带动和促进相关高技术领域的交叉、渗透和发展，并由此演化出新的高技术产业。组织工程将是21世纪具有巨大潜能的高技术产业，必将产生巨大的社会和经济效益。

组织工程的核心就是建立细胞与生物材料的三维空间复合体，即具有生命力的活体组织，用以对病损组织进行形态、结构和功能的重建并达到永久性替代。共基本原理和方法是将体外培养扩增的正常组织细胞，吸附于一种生物相容性良好并可被机体吸收的生物材料上形成复合物，将细胞-生物材料复合物植入机体组织、器官的病损病分，细胞在生物材料逐渐被机体降解吸收的过程中形成新的在形态和功能方面与相应器官、组织相一致的组织，而达到修复创伤和重建功能的目的。

组织工程的科学意义不仅在于提出了一个新的治疗手段，更主要的是提出了复制组织、器官的新理念，使再生医学面临重大机遇与挑战。组织工程的概念一提出，就受到各国学者的广泛关注，美国在1988年就以基金和资助的形式建立了一系列实验室，目前已有相当数量的研究机构和大学都参与了组织工程的研究。

组织工程研究主要涉及种子细胞研究、细胞外基质的研究、组织器官的构建、组织工程临床应用四个方面。

种子细胞的培养是组织工程的基本要素，细胞主要来源于自体、同种异体、异种组织细胞等，其中自体组织细胞应为首选。要建立适于组织工程需要的种子细胞，需要解决增加细胞的增殖能力；延长细胞的生命期；提高细胞的分泌能力；优选不同组织来源的同一功能的最佳细胞；建立标准细胞系，使研究工作有更好的可比性和科学性；同种异体与异种移植的免疫学；细胞与人工细胞外基质的相互作用及影响因素等问题。现在的研究多集中于载体等技术用于细胞的快速增殖、干细胞工程、采用各种生长因子和断粒酶调节与延缓细胞的老化、采用各种方法诱导细胞发生转化，使其倍增时间减少，永生化或生命期延长。

细胞外基质（ECM）包括均质状态的基质和细丝状的胶原纤维。理想的ECM应具有以下特点：首先，生物相容性好，在体内不引起炎症反应和毒性反应；其次，有可吸收性，能彻底地被自身组织所取代；再者，有可塑性，可塑为任意的三维结构，植入后在体内仍可保持特定形状；另外，表面化学特性和表面微结构利于细胞的粘附和生长；以及降解速率可根据不同细胞的组织再生速率而进行调整。目前组织工程所应用的材料很多，包括天然ECM、人工ECM、天然高分子同合成高分子的复合物、有机材料同无机材料的复合物几大类。

组织器官的构建由于应用方面的不同，所采用的方法也不相同，但本质都是把种子细胞与支架材料结合，得到设计的组织或器官。组织工程临床应用是在组织构建完成了动物试验之后，在人体上的应用，这也是组织工程的最后一步。目前，组织工程的研究只有活性皮肤达到了这一步。

在组织工程学研究领域，我国也取得一些可喜的成绩。有学者表示，中国人有“构建”和“临床”两个强项。中国专家通过找到合适的“细胞”加上合适的“材料”，“造”出所需的“器官组织”，如1994年让老鼠的背上“长”出了人的“耳朵”，轰动了国际学术界；之后相继在大动物身上“再造”并修补某些部位的骨头、血管、角膜、肌腱、皮肤等，其中一些组织工程科研成果，在临床实践中也使患者获得满意疗效。

在种子细胞研究方面，成功地建立了软骨、骨、皮肤、肌腱、血管、神经、角膜等多种组织细胞的体外培养与扩增技术，系统地研究了软骨细胞功能老化规律及延缓细胞老化的方法；在干细胞研究领域成功地分离培养出骨髓基质干细胞、脂肪干细胞、表皮干细胞、真皮多潜能干细胞、角膜缘干细胞等多种成体干细胞，并对这些细胞分别进行了全面的表型鉴定及多向分化或定向分化潜能证实；胚胎干细胞建系及定向诱导分化研究方面，在完成小鼠胚胎干细胞建系并证实其具有成骨、软骨、神经、内皮等多胚层细胞分化潜能后，又成功地建立了人胚胎干细胞系并进行了标准全面的人胚胎干细胞特异性鉴定，这些研究使ES细胞有望用于组织工程化组织构建及组织器官功能障碍的细胞治疗。

组织构建及缺损修复研究方面，已成功地修复了多种骨缺损、关节软骨缺损、气管软骨缺损、肌腱缺损、全层皮肤缺损、角膜上皮或基质层缺损以及神经缺损等多种组织缺损动物模型，而且在体外已成功地构建出软骨、皮肤、肌腱、血管壁等多种组织工程化组织并均研制了与之相应的生物反应器；在血管构建中应用了骨髓基质干细胞和胚胎干细胞等。

在组织工程化组织的临床应用方面，采用体外诱导骨髓基质干细胞分化，相继在大型哺乳动物身上构建了骨骼、软骨、血管、肌腱、神经、皮肤等；从兔子的眼内分离出角膜缘干细胞和角膜基质细胞，在体外构建出有活性眼角膜组织后，移植修复兔角膜缺损，使失明的兔子重见光明；率先采用人体自身骨髓基质干细胞为“种子”，通过体外诱导、扩增为成骨细胞，培养成组织工程化人体骨，临床应用修复40例头盖骨、齿槽裂、手臂长干骨缺损等病例，80%以上者获得满意疗效。

组织、器官的丧失或功能障碍是人类所面临的主要危害之一，也是人类疾病和死亡的最主要原因。针对在组织工程器官研究方面的重大需求，我国加大科研投入，针对组织工程研究中最为核心的基本要素——种子细胞、可降解生物材料等组织构建开展研究，2005年又呈现一些亮点：如开发出的可以应用于临床的“组织工程化骨技术”－生物材料制成的支架，已经成功救治了20多名颅骨缺损病人；应用组织工程构建技术修复兔尿道缺损获得成功；成功设计出“BMP－2基因转染技术”；国家组织工程研究中心正式启动建设，这将推动中国在短时间内实现组织工程的规模化、产业化，生产出更多的人造骨头、血管、角膜、肌腱、皮肤等“产品”，造福于人类，惠及于患者；在上海召开了第八届国际组织工程协会年会。

## 三、纳米医学崭露头角

纳米一词源自于希腊，意指“侏儒”，现作为微观世界里的长度单位，一纳米等于十亿分之一米，大约是三、四个碳原子的宽度。美国物理学家、两次诺贝尔奖得主费恩曼教授（R. Feynman）早在1950年末就指出，人类若能控制物体微小规模上的排序，将可获得许多具有特殊性能的物质，这是对纳米技术最早的构想。纳米技术一词始见于1974年，出自科学家谷口纪南（Norio Taniguchi）对精密机械加工的描述。

1982年扫描隧道显微镜（STM）的发明，使得纳米科技迅速发展。近年来，在STM基础上又发明了原子力显微镜（AFM），AFM克服了STM只适用于具导电性样品的不足之处，为纳米科技的发展开辟了大道。纳米粒子是指尺寸在100纳米以下的超微颗粒，由纳米粒子组成的材料称为纳米材料；而纳米科技是直接运用单个原子或分子，通过使其重新排列组合，来产生新的物质或制造出具有特定功能的产物；真正的纳米技术必须具备两个条件，一是纳米尺寸，二是自然界里所没有的新物性。纳米材料的性能和结构特殊，使其具有小尺寸效应、表面效应、量子效应三大特性。纳米医学则是利用纳米技术和人体的分子知识和分子工具，进行诊断、医疗和保健，从而改善身体健康状况。纳米技术将给医学界带来一场深刻的革命。

## （一）纳米生物芯片

纳米生物芯片是一门融会分子生物学、化学、医学、计算机、自动化等多学科交叉的产物。利用一颗米粒大小的纳米芯片，附着或植入人体皮肤表层，通过纳米机电技术进行人体呼吸、心跳、血液等感应及检测功能，甚至还可以通过无线传输等系统整合，将病人的监测资料传输至远端的手机或电脑资料平台上，一旦病人心跳不正常或血液出现异常而有危险时，便可以提早诊断并提出预警。如对糖尿病患者，用纳米芯片，即可发挥检测、无线网路传输、医疗监控等功能，患者安坐家中便能让医生在远端进行诊断，提供合适的居家照顾，亦能针对心脏病的发病危险指标解读病人的生理反应，直接撷取检测标的并进行分析；再如对肝炎患者，用纳米芯片检测，几分钟即可获得检验结果，还可通过纳米放大技术的可视化基因诊断芯片，为肝炎临床诊断提供崭新的方法。

由于纳米技术可在微小尺度里重新排列遗传密码，纳米基因芯片结合纳米科技和基因工程技术，小小的纳米基因芯片能容纳上百万个人类基因片段，可用来开发新药、改进疾病诊断和治疗方法。人类可以利用纳米基因芯片查出自己遗传密码中的错误，并迅速利用纳米技术进行修正，使各种遗传性疾病或缺陷得以改善。

## （二）纳米药物

在药学方面，将常规治疗药物纳米化，可大大增加药物颗粒的表面积，使之与组织的接触面积增大，从而提高药效，并能减少用量及降低副作用。另外，纳米化药物容易透过血管和组织屏障，易被巨噬细胞吞噬，故亦能增强药物的靶向性。近年来，美国发明了携带纳米药物的芯片，把它放入人体，可在外部加以导向，使药物集中到患处，提高药物疗效。

中国科学家已成功开发出一种直径只有 25 纳米的广谱速效抗菌颗粒，对大肠杆菌、金黄色葡萄球菌等致病微生物有强烈抑制和杀灭作用。这种纯天然抗感染原料药，性能远远优于现有的抗感染药，将广泛用于人体皮肤和黏膜组织的抗菌治疗。目前以这种抗菌颗粒为原料药的创伤贴、溃疡贴和烧烫伤敷料等纳米医药产品，已进入规模化生产阶段，并开始陆续投放市场。

### （三）纳米医疗器件

分子马达是目前纳米医疗器件的重点研究项目。分子马达是分子水平的复合体，能够作为机械部件的最小实体，通过外部刺激（如采用化学、电化学、光化学等方法改变环境）使分子结构发生变化。美国科学家正研制可以进入人体细胞的分子马达，该设备包括两个金属推进器和一个金属杆，由生物分子组件将人体的腺苷三磷酸转化为机械能量，驱使金属推进器运转。这种纳米机电设备仍处于研制初期，将来有望能应用在人体细胞内发放药物等医疗任务上。此外，还在尝试把新型的纳米诊断仪器植入人体，根据不同的诊断和监测目的，定位于体内不同部位，或随血液运行，随时将体内各种生物信息反馈于体外记录装置。

### （四）纳米医用材料

将磁性纳米粒子表面涂覆高分子材料后与蛋白质结合，作为药物载体注入人体，在外磁场作用下，通过纳米磁性粒子的导向性，使其向病变部位移动，从而达到靶向治疗的目的。美国已利用树形聚合物作为药物载体，制成纳米陷阱，其超小分子能在病毒进入细胞致病前与病毒结合，使其丧失致病能力。中国科学家正在研制一种让针剂长“眼”的纳米级脂质颗粒，它能带领药物向肝脏聚集，通过肝脏代谢，不仅提高了药效，还大大降低了药物副作用，有望能成为中国一个具有自主知识产权的抗乙肝西药。

纳米骨材料具有很好的生物兼容性和重塑性，把它植入体内填充各类型的骨缺损，其网状结构可生长出很多新生的骨细胞，所有充填的纳米骨材料最后会降解消失，骨缺损部能完全被新生骨取代。应用纳米技术还可以制出只有几毫米的“人造手”，植入病人体内，医生在体外控制操作，进行精细的手术，此研究仍在模型阶段。

### （五）在诊疗上的应用

目前，纳米技术已用于恶性肿瘤、心血管疾病和糖尿病的诊治，并已初见成效。如把磁性纳米粒子结合抗癌药物注入人体内用作肿瘤的靶向治疗；结晶纳米氧化镐可以清除心脏动脉中的脂肪沉积物，疏通脑血管中的血栓；中国研制的“纳米鼻”为糖尿病的早期诊断和大面积普查带来了希望；运用超顺磁性氧化铁纳米粒子脂质体，则可以诊断直径3毫米以下的肝肿瘤利用具有纳米级大小孔洞的半透膜或特殊的合成纳米管等，可把胎儿细胞分离出来进行诊断，以判断胎儿是否有遗传缺陷，比往常采用的羊水诊断技术更简便安全。目前美国已将此项技术应用于临床诊断中。

# 疾病预防控制

# 传染病标准制定工作全面展开

## 一、我国传染病领域标准的现状分析

1990年8月卫生部颁布实施了《中华人民共和国传染病防治法规定管理的传染病诊断标准（试行)》。传染病标准委员会建立以后，又先后制修订了传染病领域的国家和行业标准，并由国家质检总局和卫生部发布实施。这些标准的颁布实施，成为进行传染病诊断、报告和防治的重要技术支柱。2004年9月1日，我国颁布了新修订的《中华人民共和国传染病防治法》，对原有法定传染病病种以及诊断、监测和报告等内容进行了调整。为适应法律提出的新要求，卫生部向国标委申请废止了现有的34种法定传染病的诊断标准和处理原则的国家标准，并委托中国疾病预防控制中心和全国传染病标准委员会在2005年上半年对现有的37种法定传染病的诊断标准进行重新制订，最终将制订后的诊断标准统一申报为卫生行业标准。随着近年来科学技术日新月异的发展，知识更新越来越快，这就对传染病领域标准的制订提出了更高的要求。因此，中国疾病预防控制中心和传染病标委会将加强传染病尤其是重点传染病的检测诊断标准的研究工作，并根据各传染病研究进展情况，对相应的标准进行及时的修订，以充分保证各传染病标准的科学性、权威性和实用性。

## 二、2005年度传染病卫生标准主要工作进展

### (一) 法定传染病诊断标准的制修订工作

按照卫生部统一工作部署，2005年中国疾控中心对《中华人民共和国

传染病防治法》规定管理的37种传染病诊断标准进行制订或修订。

该项工作整体进展顺利，2005年底，包虫病、丝虫病、黑热病、血吸虫病、疟疾共5种地方病的诊断标准作为强制性行业标准，已完成向卫生部的报批工作。

2005年7月5日组织召开肺结核等10种法定传染病诊断标准评审会。根据与会专家意见，10个标准的制订负责人对送审稿进行了进一步调整和修改。8月下旬，再次提交了修后送审稿。中国疾控中心于9月再次组织委员对修后送审稿进行了函审。根据各委员的评审结果，肺结核、布鲁氏菌病、梅毒、淋病、流行性腮腺炎、新生儿破伤风以及感染性腹泻共7个传染病诊断标准满足了3/4委员通过的原则。目前，以上7个传染病诊断标准的报批材料已上报卫生部。

白喉、百日咳、登革热、风疹、钩端螺旋体病、霍乱、急性出血性结膜炎、脊髓灰质炎、狂犬病、细菌性和阿米巴痢疾、流行性脑脊髓膜炎、流行性和地方性斑疹伤寒、麻疹、麻风病、伤寒和副伤寒、鼠疫、炭疽、猩红热、流行性乙型脑炎、病毒性肝炎等24种传染病诊断标准的编制负责人已分别向标委会提交了修后送审稿，标委会将于近期组织委员对修后的送审稿进行函审。

### （二）撰写《传染病卫生标准体系建设研究报告》

2005年1~5月，中国疾控中心组织专家撰写了《传染病卫生标准体系建设研究报告》，并于5月底向卫生标准委员会秘书处提交了正式研究报告。该报告从传染病卫生标准的历史沿革和现状出发，对传染病卫生标准对我国经济与社会发展的影响、标准发展的需求分析以及标准的范围、制定依据、总体原则等内容进行了研究，并初步制定了传染病标准体系建设的内容与规划。

### （三）制定《传染病卫生标准编写技术指南》

为规范传染病卫生标准的编制工作，2005年6~7月，中国疾控中心组织起草了《传染病卫生标准编写技术指南》，该指南对传染病涵盖的范围进行了说明，对编写传染病卫生标准的通用要求、传染病的诊断标准、传染病防治及处理原则，以及传染病病原检测技术规范等标准的撰写进行了规范，对标准的内容与形式进行了明确，对今后传染病卫生标准的制、修订和起草起着重要的作用，有利于同类标准从形式、格式和框架结构的统一。该指南将为我国传染病领域有关标准的制修订和管理工作提供重要的依据。

### （四）积极参加 2005 年卫生标准宣传周活动

为配合卫生部组织的 2005 年全国卫生标准宣传周活动，根据卫生部全国卫生标准委员会的要求，中国疾控中心于 2005 年 8 月起草了《传染病卫生标准宣传手册》和现场宣传材料，从传染病的“早发现、早报告、早隔离、早治疗”的原则出发，介绍了传染病标准对保护人民身体健康和促进国民经济发展方面发挥的重要作用。此外，还组织相关专家参加媒体的宣传活动，向群众广泛宣传卫生标准。

## 三、传染病领域标准制订工作展望

### （一）针对修订后《传染病防治法》的要求，相应调整传染病卫生标准的研制内容

### （二）优先考虑卫生标准工作重点研究的传染病

1. 国内多发，对国家经济发展、社会影响较大的传染病。

2. 全球，尤其是周边国家发生，并对我国可能会带来较大危害的传染病。

3. 国内外的一些新发传染病。

4. 近年来疫情呈现回升趋势的传染病。

### （三）密切关注传染病各领域研究进展情况，充分利用各项研究成果

### （四）工作重点

1．重新制定重点传染病的控制与处理原则。

2．对各传染病标准进行常规的制订。

3．制定重点传染病的实验室检测技术规范。

# 新发传染病应对技术的发展

突如其来的SARS流行，明显暴露了我国在应对新发传染病技术方面的差距。SARS以后，国家科技部、卫生部等部门通过国家专项计划等多项应对计划，体现了国家意志，使我国应对新发传染病的技术在短短的时间内取得了可喜的进展。

## 一、发展了应对未知新发病原体的技术

为筛查、检测、分离和鉴定未知病原性微生物，应对世界上尚未发现的新发传染病，力争做到，一旦有新的传染病发生，能够在最短的时间内做出准确的判定，我国科学家完成了以病毒检测芯片为基础的病毒检测体系和以16S RNA为基础的未知病原性细菌筛查体系。建立了人类致病病毒基因数据库，收集了人类致病DNA病毒基因序列9878条，RNA病毒基因序列140339条；通过生物信息学分析，设计并建立了病毒属特异性寡核苷酸（oligo）探针数据库。将设计的病毒属特异性oligo探针经网上及实验验证后，建立了筛查未知病毒的基因芯片检测方法。能够将未知病毒标本鉴定到属的水平。在细菌方面，发展了以16S rRNA序列分析为基础的病原性细菌筛查方法体系，包括标准化的操作程序、引物和数据库等。能够直接使用临床标本，进行细菌16S rRNA的克隆、测序、分析，筛查，以达到检测、分离未知病原性微生物的目的。并建立了快速筛查未知细菌的毒素及毒力基因的芯片技术；建立可供搜寻和比对的重要致病细菌毒素和毒力基因的数据库。这个体系可快速缩小可疑细菌的范围，进而设计培养基，分离病原菌，在短时间内做出正确的判断。

## 二、建立了可能传入我国的重要新发传染病病原体的检测方法

传染病是没有国界的。特别是现代交通工具的发达和普及，很可能在很短的时间内把病原体带到别的国家或地区。在应对输入性传染病方面，我国科学家建立的可引起脑炎的新病毒（Colti，辛德毕斯和西方马脑炎病毒）的荧光定量 RT－PCR 技术，特异性强，敏感性较普通 RT－PCR 高 100 倍。该技术可用于 Colti 病毒与乙脑病毒的鉴别诊断以及蚊体内的 Colti 病毒的检测，并可对国内散在的辛德毕斯和偶见的西方马脑炎病毒提供一种快速检测和发现的检测技术。建立了埃博拉出血热、马尔堡病毒病和拉沙热三种病毒诊断方法，包括检测特异基因的套式 PCR、检测 IgM 抗体和病毒核蛋白的 ELISA 方法和胶体金方法。发展了克雅氏病传染因子的抗体 ELISA 竞争法，可有效识别脑组织中的 PrPSC。这种方法已可应用于实际检测。建立了针对西尼罗、河脑炎委瑞内拉马脑炎、Hendra 病毒的 RT－PCR、实时 RT－PCR、多重 RT－PCR 以及免疫荧光的检测方法，并通过小鼠感染动物模型标本进行了验证。建立了可检测尼巴病毒核酸及抗体的荧光 RT－PCR 及 ELISA 方法，验证结果提示有较好的特异性、敏感性。建立了一种简易、快速、特异的猴痘病毒的普通 PCR、荧光 PCR 和 ELISA 方法，可用于痘类病毒感染的确诊技术。建立了日本立克次体、西伯利亚立克次体等 12 种立克次体的实时荧光定量 PCR 方法。

## 三、发展了一批对我国重要新发传染病进行检测的方法

针对禽流感可能带来的威胁，发展了荧光 RT－PCR 方法，可快速检测禽流感病毒通用型 H5 亚型、H7 亚型、H9 亚型。与普通 RT－PCR 比较，检出灵敏度高 100 ，可将检测时间缩短为 4 小时，为人禽流感感染的早期诊断，进出口活禽及禽类产品的快速检测提供了方法。目前，已在全国推广

应用25余万份。为应对禽流感威胁提供了有效的检测技术。

GⅡ型诺如病毒是在我国造成人类腹泻的主要杯状病毒。我国科学家建立了可用于GⅡ型诺如病毒核酸检测的荧光定量PCR方法和抗原检测的ELISA方法。采用RT-PCR方法结合荧光探针的扩增检测技术，通过荧光信号的变化检测诺如病毒RNA，可用于人杯状病毒感染的诊断。用特异性夹心ELISA检测诺如病毒抗原，可有效检测国内常见的GⅡ型诺如病毒。

在病原性细菌方面，检测O139群霍乱弧菌和O157：H7大肠杆菌免疫胶体金检测试剂，莱姆病免疫印迹检测试剂，已经具备启动申请新药证书，走向市场的条件。已获得针对空肠弯曲菌、嗜肺军团菌、肺炎衣原体和猪鼻支原体单克隆抗体，可望用于发展相关胶体金检测试剂。建立了针对O139群霍乱弧菌、O157：H7大肠杆菌、炭疽杆菌的实时定量PCR检测方法，发展的针对猪链球菌的PCR方法；发展的针对8种肠道主要病原菌基因芯片经初步实际临床病人样本检测应用，并用相同样本相关基因测序分析证明具有很好的特异性，展示了广泛的应用前景；芯片自动扫描和分析系统的实验室研究工作已经完成。上述方法已经在调查和处理我国新发传染病的疫情工作中做出了贡献。

## 四、初步建立了病原细菌实验室监测网络——PulseNet China

PulseNet是指以脉冲场凝胶电泳分析技术（Pulse Field Gel Electrophoresis）为基础、对不同来源菌株以分子分型确定其相关性，通过这些不同来源的菌株的分子分型，可以将表面上认为不同的暴发联系在一起，发现感染来源和传播相关因素。在这个监测网络中，通过标准化的实验分析和工作程序，向网络中心数据库递交菌株分析结果，并与已存在的同种细菌菌株数据进行比较，从而利于发现不同暴发流行以及散发病例之间的联系，追溯传染来源，并可作为传染病暴发扩散的预警系统，服务于传染病监测和暴发流行分析，并为采取目标更明确的疾病控制和预防措施提供依据。

我国科学家建立了霍乱弧菌、小肠结肠炎耶尔森菌、肠出血性大肠杆菌 O157：H7、空肠弯曲菌、单核细胞增多性李斯特菌等的 PFGE 方法和分析程序，为加入以 PFGE 为主的国际食源性病原菌分子分型监测网络 PulseNet 建立了技术条件，同时完成了一定数量的菌株的分析，连同相应的生物学特征检测，建立了各自的数据库模式。这些方法在 2004～2005 年的一些传染病的暴发流行调查中进行了实际应用，包括湖南、四川等多起 O139 群霍乱聚餐暴发的菌株分析以及市场食品监测菌株分析、2005 年东南沿海地区稻叶型菌株引起流行的特征分析和环境监测等，2004～2005 年 C 群脑膜炎耐瑟菌引起的新的菌型的暴发流行，在 2005 年四川猪链球菌感染暴发调查中也发挥了作用。

## 五、我国虫媒病毒的自然界分布研究取得可喜进展

虫媒病毒病为吸血昆虫传播的急性传染病，在世界范围流行。虫媒病毒引发的传染病因具有传播性和不易预测性而成为严重的公共卫生问题。此外，我国周边国家如前苏联已经发现有 70 多种虫媒病毒，蒙古国有十余种虫媒病毒，并且发生过 17 次暴发流行，对人、畜健康造成极大威胁。改革开放以来，国际交流日益频繁，人群流动增多，媒介种群的移动随之增加，使得虫媒病毒及虫媒病毒病传入我国的危险增加。但我国一直没有进行过系统的虫媒病毒系统调查。2005 年度通过对 16 省、自治区和直辖市的调查，采集吸血昆虫、病人、病畜标本等 11 万份，分离到 100 余株（种）病毒，有些属于新分离病毒。调查中还发现有些虫媒病毒存在新的基因型。所获得的与分离病毒株相关的媒介及其分离地位置和生态环境的信息，可以帮助分析这些地区的媒介昆虫、宿主动物和疾病传播之间的关系，这些信息对我国制定虫媒病毒性疾病的疾病预防控制策略和相关科学研究均具有重要意义。

## 六、新发传染病的临床诊断和治疗方法研究

针对新发传染病治疗中可能存在的问题，以埃博拉出血热等 7 种新发传

染病为重点，全面检索和收集了世界范围内各种新发传染病的临床相关资料，组织临床、流行病等领域的专家，对7种新发传染病及需鉴别的其他97种传染性或非传染性疾病的流行病学、临床症状和体征、实验室检验、辅助检查、病原特异检查等资料进行了全面认真地分析研究，在参考和总结各医学权威机构所制定的诊断标准的基础上，建立了对上述疾病诊断和鉴别诊断有重要意义的一套临床指标。通过对上述指标赋予不同的权重加分，建立了其中6种新发传染病及77种需与之鉴别疾病的诊断评分系统，并通过实际病例进行了初步验证，为专家辅助诊断系统的评价体系的数字化打下了基础。初步建立了部分新发传染病的计算机辅助诊断专家系统和相关知识库系统．在此基础上，初步制订了可能传入我国的埃博拉出血热等6种新发传染病的临床应对方案。

# 建立了覆盖全国的流感监测网络

## 一、中国流感监测网络的发展历史

流感监测工作是一项长期而艰巨的基础性工作，对有效预防和控制全球流感的流行、最大限度地降低流感所带来的社会危害有着极其重大的意义。中国政府将流感作为重点防治的传染病之一，于1952年开展流感工作，1957年成立了国家流感中心（NIC），1981年恢复参加WHO组织的国际流感监测网。监测是预防控制流感的关键策略和措施之一，也是每年确定流感流行株、推荐疫苗组分、及早发现变异株、进行流感疫情预测和预警的基础。1988年以来，WHO每年公布的流感疫苗病毒株资料约50%来自中国，中国成为世界流感监测的前哨。2000年，卫生部与WHO签订了为期五年的流感监测合作计划，建立了覆盖国家级和23个省份、以流感样病例报告和病毒分离为主的流感监测网络。通过该合作项目的顺利实施，我国流感监测的整体水平显著提高。2004年底，全国的流感监测网络已覆盖到全国31个省份。

## 二、2005年重要进展

在流感大流行的脚步越来越近的形势下，我国各地流感的监测水平发展仍极不平衡，难以应对流感大流行的发生，加强和完善我国流感监测网络已刻不容缓。中国流感监测网络建设主要取得以下进展：

### （一）提高监测网络的能力和质量

在现有各省级疾控中心和大连、青岛、宁波、厦门、深圳5个计划单列市疾控中心流感监测网络实验室的基础上，2005 年 8 ~ 9 月在部分省地市级疾控中心增设国家级流感监测网络实验室，使目前国家级流感监测网络实验室达到 63 个。并且按照哨点医院的选择原则，2005 年 6 ~ 9 月调整、扩大国家及流感样病例监测哨点医院的监测范围，在全国 31 个省（自治区、直辖市）确定了 198 家医院组成流感样病例监测哨点医院网络。同时为了提高监测质量在《全国流感监测方案（试行）》（卫办疾控发［2003］136 号）的基础上，制定了《全国流感/人禽流感监测方案（2005 ~ 2010）（征求意见稿）》。新的监测方案将常规流感与人禽流感及流感大流行应对监测结合起来，专病种监测与法定疫情报告结合起来，常规流感样病例监测与暴发疫情监测结合起来，在相对长的一段时期内，用于指导和规范全国流感和人禽流感的监测工作。并且在该检测方案中制定了各种试验检测技术的标准操作手册（SOP）用于指导网络实验室的日常检测工作。

为了加强和加快流感监测信息的收集以及处理分析，根据制定的流感监测实施方案，建立了基于因特网的流感监测信息系统，通过该系统可以实时收集所有的流行病学资料和病原学资料，并且实现了实时的信息共享。目前该网络已经开始运行。

为了加强网络的能力建设，2005 年 9 月在全国共主办 5 个流感/人禽流感监测培训班，培训内容覆盖病例报告、流行病学调查以及病原学检测等，共培训 1000 余人。同时建立了中国国家流感中心网站，用于流感知识的大众宣传和信息的交流共享。

### （二）工作成绩

2005 年共收到各个网络实验室送检标本 3648 份，复核病毒 3328 株。2005 年共测定流感序列 540 株，其中 H3 亚型流感病毒 300 株，H1 亚型流感病毒 90 株，B 型流感病毒 150 株。在常规流感抗原性和遗传特性监测的基础上，建立了流感病毒抗药性监测系统，共检测流感病毒 728 株。同时 2005 年共向世界卫生组织提供流感病毒 300 株，用于全球流感疫苗的推荐。

## 三、展望

目前虽然已经初步建立了中国流感/禽流感监测网络，但是由于各地的水平条件参差不齐，人员流动性大，为更好地提高我国的流感/人禽流感监测水平，更好地为疾病预防控制服务，应该继续加强网络知识与技能的培训工作，特别是加强对基层工作人员的培训；同时建立质量控制体系，通过对网络的控制考核，提高网络的工作质量；建立新的检测技术，特别是建立可用基层使用的简单快捷的检测技术；开展流感疾病负担的研究，为科学认识流感的危害以及建立合理的疾病预防策略提供科学依据；进一步加强国际合作，提高我国流感监测水平，同时也为世界流感监测做出更大的贡献。

# 及时准确地发现我国人禽流感病例

## 一、背景情况

中国很早就开展对禽流感的监测工作，国家流感中心成立以后一直坚持开展禽流感的生态学研究，积累了丰富的资料，并且在1998年在国际上首次发现禽流感病毒H9N2可以感染人，2003年成功作出了禽流感H5N1不是导致SARS疫情的原因的结论。自2004年以来，高致病性禽流感病毒H5N1成为全球关注的焦点，从全球来看，动物疫情范围不断扩大，目前已经从亚洲扩大到欧洲，有17个国家和地区报告了动物疫情。并且自2004年以来，在泰国、越南、柬埔寨、印度尼西亚、土耳其以及中国发生了多起人感染高致病性禽流感病毒（H5N1）病例，导致多人死亡，截至到2006年1月，全球一共有162人感染，其中80人死亡。2004年中国大陆地区公布了50起由H5N1病毒所引起的禽流感动物疫情，2005年4月，我国青海湖发生了野生迁徙候鸟的高致病性禽流感（H5N1）疫情。2005年10月份入冬以来，又相继在内蒙古、湖南、安徽、新疆、辽宁、湖北、山西、宁夏、云南、江西、四川、贵州等省发生了家禽高致病性禽流感（H5N1）疫情。2005年，我国共有13个省32个县（区）发生了高致病性禽流感（H5N1）疫情32起。伴随动物禽流感疫情的持续不断，2005年10月份，湖南湘潭发生了我国首例确诊的人禽流感（H5N1）病例，截至2006年2月16日，我国共发现了12例人禽流感（H5N1）确诊病例和1例临床诊断病例。

## 二、2005年工作重要进展

### （一）建立和健全组织机构和工作机制是因对禽流感疫情的基础

成立了“中国疾控中心防控人禽流感工作领导小组”，下设综合协调组、流行病学调查与防控技术工作组、实验室工作组、信息工作组、外事工作组和后勤保障组共6个组，明确了各组工作职责。细化了人禽流感疫情处理工作流程，并将人禽流感标本接收、检测和结果报告的流程向各省正式发文，此外还确定了国家流感中心和病毒基因工程国家重点实验室两个平行实验室对各省送检标本进行检测。建立并实施了每两周对实验室的运行状况和污染状况的监测制度，为我国禽流感病例确诊提供了可靠的实验室证据。

### （二）修订、完善技术方案以及建立实验室检测关键技术

为了更好地应对禽流感疫情，制定了《人禽流感疫情监测实施方案》、《人禽流感病例流行病学调查方案》、《禽流感密切接触者判定标准和处理原则》、《人禽流感标本采集及实验室检测技术方案》、《人禽流感消毒、院内感染控制和个人防护技术方案》等技术方案；同时国家流感中心建立多种实验室检测技术，包括可以同时检测多种呼吸道病毒和可以同时检测多种型和亚型流感病毒的分子鉴别诊断技术（Molecular Differential Diagnosis，MDD）；建立了可检测多种亚型流感病毒的 RT－PCR 和 Real－time RT－PCR 技术；以及多种血清学检测关键技术，包括马血球血凝抑制试验方法，微量中和试验，单扩溶血试验以及 ELISA 检测方法。

### （三）疫情监测概况

2005年1月1日至2006年1月19日，通过大疫情监测专网、流感监测专网、电话、传真等形式，全国31个省和新疆建设兵团共报告不明原因肺

炎和动物疫情发生后的发热病例152例，其中不明原因聚集性发病2起。中国疾控中心对报告的每一例疑似人禽流感病例进行了追踪，密切了解病人的病情、标本采集和现场调查进展等情况。中国疾控中心组织专家赴现场，指导湖南、安徽、辽宁、广西、福建、四川等省份指导当地开展流行病调查、救治病人和采取相应公共卫生措施，为疫情的控制提供技术指导。同时对各省送检的32例118份临床标本（包括血清、鼻咽拭子、鼻拭子、咽拭子、痰、呼吸道吸取物和尸检标本等）进行了365次试验。从2005年10月至今，一共确诊人感染高致病性禽流感病例12例。

### （四）积极开展人源禽流感病毒的病原学研究

1. 我国出现人感染高致病性禽流感病例以后，从确诊的人禽流感病例中，共分离到5株H5N1病毒，完成了5株禽流感A（H5N1）病毒全基因组的序列测定。根据基因序列分析结果，发现目前我国人源H5N1禽流感病毒主要具有以下特点：目前全球的禽流感（H5N1）病毒分为两个进化枝(Clade)，越南、泰国、柬埔寨的病毒属于Clade Ⅰ，而我国、印度尼西亚的病毒属于Clade Ⅱ。同时通过研究发现所有检测的禽流感病毒基因节段均是禽源的，没有发现任何禽流感病毒与人流感病毒重组或重配的证据；所有病毒的受体特异性和血凝素抗原连接肽特性仍然是禽源的，与人流感病毒不同；人中分离的病毒与我国禽中分离的病毒高度同源，因此推测目前我国人的感染仍然来自于禽及其污染环境中循环的禽流感病毒；所有病毒对金刚烷胺类药物以及神经氨酸酶抑制剂药物（如达菲）仍是敏感的。

## 三、展望

### （一）提高监测能力

继续做好每个病例的流行病学调查工作以及实验室确诊工作，并且帮助基层疾控部门做好预防控制工作；继续对基层单位进行培训，提高监测能力，特别是提高省级网络实验室的检测能力；加强对公众的宣传教育工作，包括对基层医务人员的宣传培训，提高早期发现禽流感病毒感染病例的能力，以及对公众特别是农村地区群众的健康教育，避免与病死禽的接触，减少被感染的机会。

### （二）提高检测能力

加强对适合于实验室的早期、快速、高敏感、高特异、高通量的新型检测和诊断技术的研究。同时加强对适合于现场流行病学和病原初步确定的早期、快速、简易、方便的新亚型流感病毒检测技术的研究。

### （三）加强对病毒的分子生物学以及分子机制的研究

加强对病毒基因变异、重组和病毒演变过程和流行规律的研究。加强对病毒变异与人群易感性、免疫力的关系的研究，包括禽流感病毒跨种属感染的分子流行病学及其分子机制研究；加强对导致禽流感病毒在动物－动物，动物－人以及人－人传播的分子机制研究以及加强对禽流感病毒致病机制研究，包括对高致病性禽流感病毒感染人引起高致病性过程的信号传导、免疫应答和炎症反应等关键途径的相关细胞因子和多肽等分子标识的研究等。

### （四）尽快建立我国流感大流行疫苗种子株制备技术评分

在目前我国禽流感疫苗研究工作取得重大进展的基础上，尽快建立我国的流感大流行疫苗种子株制备技术平台；加强对新型疫苗和其他预防制剂（干扰素、人源抗体制剂等）相关应用研究、疫苗免疫效果和免疫策略研究。

### （五）加强药物的研制

加强新型药物筛选技术的研究，并且研究新的干预措施等。建立禽和哺乳动物的感染模型，为药物筛选和评价提供动物模型。

# 大流行流感病毒（原型）灭活疫苗进入临床研究阶段

作为我国预防流感大流行整体框架的工作内容，中国疾病预防控制中心在卫生部的领导下，一方面大力加强流感病毒的监测工作，掌握流感疫情动态以及流行毒株变异情况，及时分析预测流感在我国流行的趋势和特点，及时发现禽流感病毒在人间的出现，从而提高预警能力，指导防治工作，以达到减少发病、减轻危害的目的。其中人间禽流感病毒的监测和检测作为今后几年的工作重要内容。预防流感大流行整体框架的另一工作内容是研发和建立安全有效的预防治疗手段和措施。作为一种由病毒引起的传染病，疫苗是防止疫情发生，控制疫情扩散，保护人民健康最经济最有效的方法的方法之一，也是阻断人－禽流感之间的传染，防止流感大流行发生的重要手段。相对禽流感的检测诊断技术的发展，疫苗和药物研究滞后，新型流感一旦暴发流行，将对人类的健康产生极大的威胁。因此加快加强人用禽流感疫苗的研制成为建立健全我国预防流感大流行系统工程的重要组成部分。

大流行流感病毒为突破人群免疫防线的高致病性流感病毒，人群普遍不具备免疫力，可造成大量的感染和死亡病例。进行有效的疫苗接种是迅速建立人群免疫屏障，阻断流感大流行蔓延，减少和降低其危害的有效手段。作为中国应对流感大流行准备工作的重要组成部分，中国疾病预防控制中心与北京科兴生物制品有限公司共同承担了国家科技攻关项目“人禽流感防治技术——人用禽流感疫苗研制”。

经中国卫生部批准，课题组于 2004 年 4 月从世界卫生组织的中心实验室英国的 NIBSC 引进了利用反向遗传技术构建的弱毒高产重配疫苗株 NIBRG－14（A/Viet Nam/1194/2004）。该毒株通过鸡、雪貂和小鼠的致病性测试，经 WHO 生物安全性评价，生物安全等级为Ⅱ级，可以在一般的控制条件下大量制备流感疫苗。在课题组科研人员的努力下，经过短短的几个月，完成了临床前研究内容，主要包括建立了符合疫苗生产用的 NIBRG－14 重配疫苗株原始种子、主种子和工作种子库；完成了病毒扩增能力、遗传稳定性、灭活效果和工艺研究；建立了病毒纯化工艺和病毒检定检测方法；完成了疫苗的单一剂量毒性、异常毒性和过敏性动物实验，初步证明所制备的试验疫苗具有良好的安全性。在此基础上制备了加有铝佐剂和不含佐剂的全病毒疫苗和裂解疫苗。用不同剂型、剂量的实验疫苗和不同免疫程序进行的 3000 余只大鼠和小鼠的动物实验证明，铝佐剂实验疫苗具有良好的免疫原性，其中铝佐剂全病毒疫苗更能诱导产生迅速的免疫应答。完成了 4 批（8000 支）应对大流行流感病毒灭活（H5N1）实验疫苗的制备。

与此同时，课题组结合美国和欧盟流感疫苗研发相关指南，制定了后续的临床研究原则和方案框架，完成了大流行流感疫苗的新药申报资料。在 2005 年 10 月向北京和国家食品药品监督管理局提交进行新药申报，11 月国家药审中心组织有关专家进行新药评审，11 月底获国家 SFDA 新药临床研究证书。根据制定的临床研究方案，Ⅰ期临床实验和Ⅱ期临床实验共需要 340 名健康志愿者。在卫生部、科技部、国家食品药品监督管理局的领导下，在广大群众的支持下，很快地完成了志愿者的招募工作，于 12 月在北京中日友好医院正式开始了我国首个人用禽流感病毒灭活疫苗的临床实验研究，目前接种疫苗所有志愿者未出现任何明显的不良反应。

在研究开发的同时，北京科兴公司建立了疫苗生产的各种管理文件、标准操作程序和质量控制指标等，为疫苗的顺利产业化奠定了基础。此外，用于流感疫苗生产的建筑面积 3900 平方米 GMP 标准厂房已经建设完成并获得 GMP 证书。可以满足 200 万支季节性流感疫苗的生产需求，在流感大流行来临时，生产和检定 200 万剂大流行流感疫苗的周期可在 128 天以内。

在疫苗研发和生产过程中，得到了国家多个行政管理部门的大力支持和帮助。科技部在我国出现禽间禽流感疫情时就开始人用禽流感疫苗研发的项目立项，在课题攻关时给与指导和帮助。国家食品药品监督管理局在第一时间介入，多次组织相关专家指导研究，在接到疫苗新药申请后，建立快速审批程序。卫生部各级领导更是十分关注该项目的进展，多次组织国内外专家研讨。温家宝总理、吴仪副总理、回良玉副总理、华建民国务委员等国家领导还亲临北京科兴公司考察指导。这无疑极大地推动和促进了疫苗的研制。

目前尚不知晓流感大流行有何种病毒引起，在何时发生，范围有多大，但建立我国应对流感大流行的防控体系刻不容缓。与国际同步的我国应对大流行流感原型疫苗的研发和进入临床实验不仅为我国的防控体系的建立提供必要的物质和技术储备，而且也为世界人用禽流感疫苗的研发和全人类应对流感大流行提供了科学数据和技术储备。

# 我国 C 群脑膜炎奈瑟菌研究取得重要进展

## 一、流行性脑脊髓膜炎简述

流行性脑脊髓膜炎是由脑膜炎奈瑟菌（Neisseria meningitidis）感染引起的细菌性脑膜炎。脑膜炎奈瑟菌根据荚膜多糖可分为 13 个血清群（serogroup）。A、B、C、Y、W135 群是引起流行性脑脊髓膜炎的主要血清群，A、B、C 群流行性脑脊髓膜炎可引起暴发和流行，其中 C 群毒力最强。A 群脑膜炎奈瑟菌曾是引起全球流行性脑脊髓膜炎流行的主要血清群，二战后，发达国家少有 A 型引起的流行，而流行性脑脊髓膜炎菌群变迁为 B 群。在发展中国家，A 群仍然是流行性脑脊髓膜炎的暴发与流行主要优势菌群。

根据 MLEE（multilocus enzyme electrophoresis）分型结果可将脑膜炎奈瑟菌菌株分为不同的 ET 型。不同 ET 菌株可分别属于不同的克隆系。与高致病性有关的流行性脑脊髓膜炎菌株亚群（subgroup）包括 Subgroup Ⅰ－Subgroup Ⅹ、Lineage Ⅳ和 Lineage 3 等。其中 Subgroup Ⅲ A 群脑膜炎奈瑟菌菌株与几次大的流行性脑脊髓膜炎流行有关。MLST 方法是通过对脑膜炎菌株的 7 个管家基因进行片断序列分析的分型方法，7 个等位基因的每种组合，称为一个 ST 型。相似的 ST 型菌株可组成一个 ST complex。在美国、欧洲和非洲，B 群和 C 群流行菌株主要为 ET－5 和 ET－37 克隆群，主要包括 ST－11、ST－32、ST－33、ST－34 等基因型。目前发达国家中主要引起 C 群流行性脑脊髓膜炎的菌株为 ST－11 和 ST－8 型，为高致病性菌株。

我国 1938、1949、1959、1967 和 1977 年出现过 5 次全国性 A 群流行性脑脊髓膜炎流行，主要以 A 群流行性脑脊髓膜炎为主。2003 年以前，B 群和 C 群流行性脑脊髓膜炎只是以散发病例报告。2002 年广西、2003 年贵州曾报告 C 群流行性脑脊髓膜炎的散发病例。安徽省是我国历史上流行性脑脊髓膜炎的高发地区，流行菌群以A群为主，自2003年9月以来，安徽省一所中学发生C群流行性脑脊髓膜炎的暴发，陆续在安徽省几所中学又发生4起C群流行性脑脊髓膜炎暴发疫情，共发生43例C群流行性脑脊髓膜炎暴发病例，死亡1例。2004年10月份开始，安徽省又发生5起C群流行性脑脊髓膜炎暴发疫情，共29例病例，4例死亡。流行性脑脊髓膜炎病死率居高不下，给人民群众的身心健康和社会稳定造成极大的影响，C群流行性脑脊髓膜炎的流行引起广泛关注。

## 二、我国发现新的C群脑膜炎奈瑟菌ST型

2005年，全国流脑流行病学调查中分离收集C群流脑菌株106株，来自全国12个省市自治区。2003～2004年收集31株C群菌株均来自安徽省，包括28株C群流脑暴发菌株。2004～2005年，全国共分离C群菌株75株，分别来自安徽省等12个省市。

采用脉冲场凝胶电泳（pulsed－field gel electrophoresis，PFGE）和多位点序列分型（Multi－locus sequence typing，MLST）方法对菌株进行基因分型研究。

### （一）PFGE AH1型C群流脑菌株

106株C群菌株，经PFGE检测结果，共分为15个PFGE型别，其中89株具有相同PFGE带型菌株，占84%，命名为AH1型。其余型别分别命名为AH2－15。（见图1）

安徽省2003～2004年流行季节共有C群流行性脑脊髓膜炎菌株31株，包括28株来自3次C群流行性脑脊髓膜炎暴发的菌株。31株C群菌株中28株为AH1型，28株暴发菌株中27株为AH1型，另外1株为AH13型，3株非C群暴发菌株中，1株为AH1，其余两株分别为AH8和AH15。2004－2005流行性脑脊髓膜炎流行季节，安徽省共分离C群流行性脑脊髓膜炎菌株17株，均为AH1型，包括10株来自4次C群流行性脑脊髓膜炎暴发菌株。

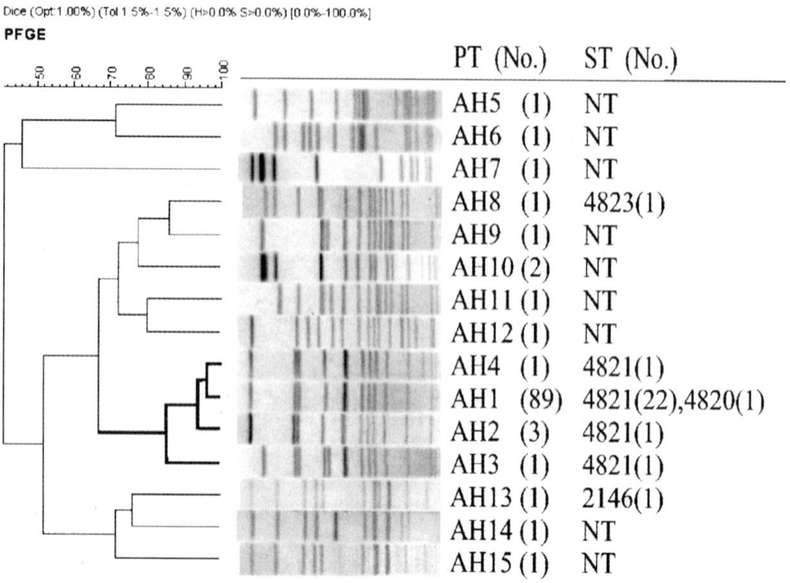


图 1　106 株 C 群脑膜炎奈瑟菌株 PFGE UPGMA 进化树分析

全国其他 11 个省市 2005 年分离 C 群流脑菌株共 58 株，经 PFGE 分析，44 株为 AH1 菌株（75.9%），有 5 株菌分别为 AH2（3）、AH3（1）、AH4（1），这 3 种 PFGE 型别与 AH1 具有 85.3%的相似性，根据文献报道 PFGE 评价标准，可以归为 AH1。PFGE type AH1 型菌株分布以下 9 个省市：北京（14/17）、上海（1/2）、山西（1/1）、河北（4/4）、江苏（7/8）、浙江（2/2）、甘肃（1/1）、江西（18/19）、云南（1/1）。广东（2）、福建（1）两省 C 群菌株无 AH1 型。北京 C 群菌株中，有两株来自北京铁路 CDC 对来北京务工人员进行带菌调查中分离菌株，其中从安徽来北京的火车上的民工中分离出 2 株 C 群菌株为 AH1 型。

## （二）新发现 ST－4821 型 C 群流脑菌株

28 株 C 群菌株经 MLST 分析比较，共发现 4 种新的 ST 型：ST－4820，ST－4821，ST－4822，ST－4823，ST－4820 与 ST－4821 非常相似，7 个基因序列中有 6 个相同。28 株 C 群菌株中，23 株为 AH1 型，AH2、AH3、AH4、AH8、AH13 型菌株各一株（见图 1），包括安徽菌株 21 株，其他省

分离菌株7株。安徽省C群流脑暴发菌株主要由PFGE AH1型和ST－4821型菌株引起。通过MLST数据库查询，以7个基因匹对6个基因为条件，共搜索到与6种ST－4821相似的ST型（ST－4820，4831，4833，3436，5081，4896），其中ST－3436菌株为我国台湾省自健康携带者中分离的B群脑膜炎奈瑟菌菌株。ST－4821基因型菌株为我国独特的ST型C群菌株，与国际上流行的34种主要ST complex中有代表性的ST菌株序列进化树分析比较，发现我国新发现的ST－4821型菌株不属于任何一种ST complex。可能形成一个新的ST群（ST complex）（见图2）。这是我国第一次在国际上报道新的具有致病性的ST型C群流脑菌株。该研究工作结果已发表在Lancet（柳叶刀）杂志。

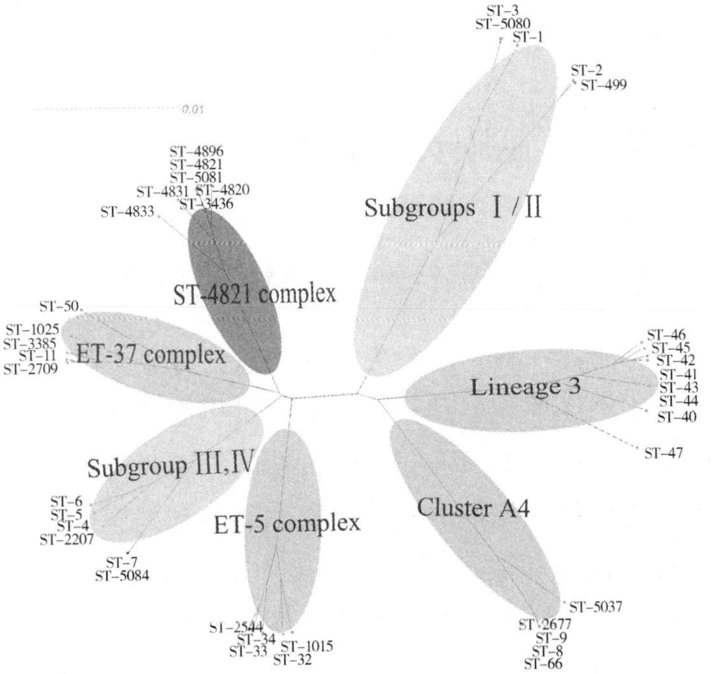


图2　ST－4821 complex与全球流行的ST代表性菌株进化树分析

## 三、我国C群脑膜炎奈瑟菌基因组和蛋白质组分析进展迅速

以中国疾病预防控制中心病毒病预防控制所和中国疾病预防控制中心传染病预防控制所专家为核心的团队，完成了1株C群脑膜炎奈瑟菌菌株的全基因测序工作、2株C群脑膜炎奈瑟菌菌株的全蛋白质组分析工作，在基因组和蛋白质组水平为流脑防治提供了重要信息和依据。特别是对安徽省2004~2005年度C群流行性脑脊髓膜炎疫情相关菌株（053442株）进行了2DE和MALDI-TOF分析。鉴定了351个蛋白，其中69个基因的产物为首次获得鉴定，所获得的C群蛋白质组数据与报道的A，B群的蛋白质组研究结果的对比进一步丰富了对脑膜炎奈瑟氏菌的3种主要致病血清群的认识。

## 四、我国C群脑膜炎奈瑟菌研究展望

### （一）加强我国C群流行性脑脊髓膜炎监测

正常状态下，流行性脑脊髓膜炎菌株可以在健康人群正常携带而不发病，当携带者的比例逐渐积累到一定程度时可引起流行性脑脊髓膜炎的暴发与流行。因此，应进一步加强我国流行性脑脊髓膜炎的监测工作，提高各级医疗卫生机构对流脑疫情的实验室检测能力和处置能力。加强流行性脑脊髓膜炎的疫情报告和流行病学调查工作，早发现、早报告、早隔离、早治疗，降低病死率。加强政府在处置突发公共卫生事件中的作用，对于我国C群流行性脑脊髓膜炎加强病原学监测，密切关注我国流脑菌群的变迁，为我国实施流行性脑脊髓膜炎免疫策略提供依据。

### （二）提高我国C群脑膜炎奈瑟菌监测水平

分子流行病学研究发现大多数流行性脑脊髓膜炎病例都是由特定的克隆系菌株引起，多数病人菌株的基因的差异性远远高于健康携带者的流行

性脑脊髓膜炎菌株。

通过对C群菌株MLST研究新发现，我国的C群脑膜炎奈瑟菌菌株主要由ST-4821型引起，并且我国新发现的ST-4821型菌株可能形成一个新的Complex。因此，应提高我国我国脑膜炎奈瑟菌监测水平，根据各地的具体条件将PFGE、MLST等方法用于脑膜炎奈瑟菌的监测工作，从分子水平了解我国脑膜炎奈瑟菌菌株尤其是C群脑膜炎奈瑟菌菌株的基因型的分布及传播特征。

### （三）加强C群脑膜炎奈瑟菌致病性研究

2005年，脑膜炎奈瑟菌的高病死率是否和新发现的C群脑膜炎奈瑟菌感染有关？C群脑膜炎奈瑟菌引起的病例多表现为暴发休克型病例，具有高致病性的ST-4821型C群脑膜炎奈瑟菌在毒力、致病性等方面的特征有待进一步研究。

# 猪链球菌感染防治研究

## 一、关于猪链球菌及其感染

猪链球菌是链球菌属的一个种，有35个血清型，1954年首次从病猪分离出1株α溶血性链球菌，1966建议命名为猪链球菌，1968鉴定为荚膜2型猪链球菌。最常见的对人和动物致病的为2型，属于动物源性病原体，呈世界性分布，自20世纪50年代以来，荷兰等十几个国家和地区先后均有报道，不仅给世界养猪业造成很大的威胁，还严重危害人的生命安全。

自1968年首次报道猪链球菌的人间病例后，国外共报告了200余例人间感染。我国1998年~1999年，在江苏和浙江省部分县市先后两次暴发了大面积猪的感染，从业人员数十人发病。并先后从病人和病猪中分离出猪链球菌2型菌株。2005年7~8月，我国四川等地发生了一起前所未有的猪链球菌2型感染暴发，报告病例215人，死亡38人。主要特点是潜伏期短，发病急，重症患者病情凶险，病死率高。8~9月份，先后在其他几个省份也发现猪链球菌感染病例，并分离到病原菌。

链球菌可寄生在人和各种动物体内。在自然条件下，猪2型链球菌可经母猪、饲喂器具、伤口，或者猪仔间唇唇直接接触而传播。猪感染猪链球菌后表现为急性出血性败血症、心内膜炎、脑膜炎、关节炎、哺乳仔猪下痢和孕猪流产，人感染猪链球菌的临床表现为脑膜炎，心内膜炎，关节炎，肺炎，中毒性休克综合征（STSS）。但是发病机制尚不清楚。

猪链球菌病多发生在从事猪的屠宰、养殖、加工和销售人员。病人发病前多有和病猪、死猪和猪肉的密切接触史，因此有学者认为猪链球菌感染是一种职业病。

猪链球菌2型属于R群，而1型属于S群。具有医学意义的是从人体分离的菌株迄今为止都是 R 群。目前公认比较重要的毒力因子有：荚膜多糖、溶菌酶释放相关蛋白、细胞外蛋白因子，溶血素、甘油醛 - 3 - 磷酸脱氢酶等。

传统的链球菌鉴定方法主要是依赖于菌落形态（大小）、溶血性、群抗原和生化反应等表型特征。这些方法对临床治疗和传染病疫情处理仅具有有限的使用价值，因为需要较长的时间，而且鉴定到种有时非常困难，根据鉴定指标，常常有一些例外。化学分类方法和基因技术的应用，尤其是 DNA 重组技术，致使被发现并达到认可的细菌的种的数目明显增加。

## 二、疫情处理及研究现状

2005 年的疫情处理取得了突出成绩，在卫生部的领导下，在疾控中心的主要参与和其他部门的积极配合下，及时有效的控制了疫情的发展，保障了人们的健康，避免了更大的经济损失。同时在关于猪链球菌的相关研究方面也取得了一些重要进展，归纳起来包括以下几个方面：

### （一）现场和实验室工作的紧密配合，及时、有效的确定病原，对控制疫情的发展起了关键性作用

2005 年四川暴发猪链球菌感染疫情，共有 215 人发病，38 人死亡。随后在广州、江西、广西、贵州等地也出现了散发病例。在中国疾病预防控制中心的领导下，传染病预防控制国家重点实验室参与组织的现场工作小组奔赴四川疫区，积极参与了现场流行病学调查和病人、动物组织标本的采集工作，同时协助建立了现场实验室对标本进行初步处理和病原分离。重点实验室专门成立猪链球菌实验室工作小组，对现场送来的标本进行迅速的病原分离、生化鉴定，以及药敏分析、毒力基因序列分析、分子分型等进一步的鉴定工作。采集并处理包括病人和动物标本数百份，分离并鉴定猪链球菌 100 余株，收集并整理了相关的流行病学资料。为确定疫情的病原及来源和整个疫情的处理提供了实验室依据。在各部门的有利配合下，有效控制了猪链球菌疫情。

### （二）有力的技术支持和储备为各地疫情控制提供了保障

通过在 CDC 网站上公布猪链球菌分离鉴定的操作程序，和在四川举办猪链球菌分离鉴定现场培训班，为应对后来其他地区的猪链疫情作好了准备。同时国家重点实验室储备了相应的诊断试剂和鉴定技术，对各地首发的猪链球菌病例的实验室确诊方面做到了及时性和有效性，同时还给予各地方防疫部门技术和诊断试剂方面大力支持，对有效控制疫情的发展起到了积极作用。

### （三）实验室病原学研究全面深入

对 100 余猪链球菌均经过全自动生化鉴定、药敏分析、和分型血清学鉴定，确定为猪 2 型链球菌并确定了菌株的耐药谱，为指导治疗提供了依据。为确保菌株鉴定的可靠性，还对分离到的猪链球菌菌株进行了特异性基因（16SrDNA）和毒力基因（*cps2j*，*mrp*，*ef*，*sly*，*gapdh*）的序列分析，证实此次分离的猪链球菌 2 型菌株与国外菌株毒力因子基本一致。

为确定传染来源，采用脉冲场凝胶电泳（PFGE）、多位点序列分析（MLST）等技术对所有分离的猪链球菌菌株进行了分子分型。PFGE 结果提示，除贵州菌株外，四川、江西、广州、广西的菌株均为同一个克隆来源，并与 1998 年江苏猪链疫情分离的菌株类似。MLST 结果提示，四川、江西、广州的猪链球菌均为同一个 ST 型别，与 1996 年香港分离的菌株类似，而广西、贵州的菌株为另一个 ST 型别，但从目前已有的 MLST 数据库提示的进化发生上看，今年的猪链球菌菌株均为同一来源。针对以上结果，建立了包括今年分离菌株在内的猪链球菌 PFGE 数据库，并补充了 MLST 数据库的中国菌株序列信息。

### （四）开展猪链球菌致病机制研究

猪链球菌致病机制研究是解释该菌特殊致病性的重要基础。虽然一直以来认为猪链球菌的毒力因子可能是荚膜多糖、溶菌酶释放相关蛋白、细胞外蛋白因子，溶血素、甘油醛 - 3 - 磷酸脱氢酶等，但目前关于猪链球菌感染的发病机制还缺乏统一定论。尤其是导致严重的中毒休克综合征的机制是目前国内外研究的热点，有学者认为可能与超抗原有一定的关系，但缺乏直接的实验依据。从蛋白质功能研究及机体免疫系统的反应性方面入手有可能提供一些有用的信息。

为解释今年猪链疫情的高发病率和死亡率，传染病预防控制实验室与加拿大猪链球菌研究的权威实验室合作开展了相关研究工作，希望能够解释猪链球菌特殊的致病性。

## 三、存在的问题及需要重视的研究内容

虽然在猪链球菌突袭四川之际，国家积极有效地调动各方面的力量和技术，有效地控制了疫情，但也暴露出许多需要解决的科学和技术问题。

### （一）缺乏快速、有效的病原学、免疫学、临床诊断方法和技术

在新发传染病发生时，不解决病原学诊断的问题，无法进行有效的诊疗，也无法采取有效的控制和预防措施。此次疫情发生时，虽然在较短的时间内明确了病原，给疫情处理指明了方向，但是具体到患者个体，主要依靠细菌培养和鉴定。而病原菌的培养和鉴定，特别是药敏试验，需要数天的时间。这对潜伏期短、病情凶险、病程段的患者的治疗是非常不利的。缺乏快速、有效的病原学、免疫学和临床诊断方法，已经严重影响到应对猪链球菌感染患者的治疗。

### （二）病原菌是否发生了变异

自 1968 年报道人间感染以来，全世界共报告了 200 余病例。我国 1998 在江苏、2005 年在四川发生了较高数目的人间感染，且发生休克型患者的比例较高，病死率较高。因此，国外一些学者和世界卫生组织专家一度认为可能有其他病原体的参与，如禽流感病毒等。那么，导致此次疫情的病原体是否发生了变异，是否具有和以往分离的病原体不同的特征，成为全

世界关注的问题。

### （三）猪携带猪链球菌的比例、特点及其人间感染的关系

已经明确，猪链球菌的宿主是猪，人接触了病猪、死猪等后，通过皮肤破损等途径感染。但是，猪链球菌广泛存在于猪的呼吸道。猪活体扁桃体带菌率可高达50%以上。但是，猪携带的链球菌2型菌株的致病力存在明显差异。因此，了解我国不同地区猪携带猪链球菌的比率和特点，可有效解答为什么部分身份人间感染病例较多的问题，对有效预防和控制人间感染是决定性的。我国缺乏有关资料。

### （四）建立猪链球菌分子分型技术平台

和其他新发传染病一样，猪链球菌感染也是没有地域界限的。需要建立可远程分析的、共享的、标准化的猪链球菌分子分型分析平台，用于暴发的调查、传染源和传播途径的追踪。尽管已有了关于猪链球菌的MLST、PFGE基本数据库，但其包括的菌株数量和类型还有待进一步的丰富和完善。

### （五）我国猪链球菌感染现状调查和病例分析

2005年前我国已经发生了多起猪链球菌感染，和数十例病历报告。2005年四川省疫情发生后，也有广东、广西、广州、江西等地发生了人间感染。但不同地区的发病人数和病死率有明显不同，原因不明。因此，需要开展我国猪链球菌感染的种类、地区分布、致病性、流行规律等的调查研究，包括病原菌的分离、血清流行病学调查、传播途径调查。

### （六）猪链球菌感染的发生机理和预警技术研究

人间感染是由猪携带的猪链球菌引起的。那么，研究导致猪链球菌疫情出现的生态学因素，研究预警指标，探讨疫情发生和发展趋势，可为了解和防治猪链球菌感染提供新的思路、策略和理论依据。同时，应积极开展猪链球菌抗生素耐药性的研究和追踪，致病机制和预防治疗措施的研究。

## （七）值得思考的其他问题

猪链球菌的血清型鉴定和生化鉴定的结果需要慎重对待。虽然猪链球菌2型的分离率很高，但不是所有的猪链球菌2型对人或动物都是致病性的。必须区分高致病性的和不致病的猪链球菌。

根据1999年资料，世界活猪存栏90363.7万头，世界猪肉总产量8980.8万吨；我国活猪存栏43020.4万头，占世界总头数的47.6%；猪肉产量4006.7万吨，占世界猪肉产量的44.6%；在国内猪肉占肉类总产量的67.4%，人均猪肉量36.83千克，为世界猪肉生产第一大国。而四川省是中国最大的生猪生产基地之一，其猪肉产量占全国总产量的11.5%。因此，在今后相当长的一段时间里，猪链球菌的问题应收到关注。

传染病的病原体很多。我们无法预测何时何地会发生何种传染病，因此要全面应对，不能留有死角。猪链球菌疫情暴发给我们又上了一课。从国家的层面考虑 对某一种可能引起人类发病的传染性病原体，我们都应该有技术和人才的储备，针对罕见传染病开展研究，建立一部分不常见的病原体的专业队伍和技术储备。防患于未然。

# 2005年AIDS疫苗研究进展

## 一、前言

研制有效的艾滋病疫苗是人类当前的迫切任务之一。由于艾滋病病毒（Human Immunodeficiency Virus，HIV）的遗传多样性、基因的持续性突变以及多重的免疫逃逸机制，使研制有效的艾滋病疫苗成为人类当今所面临的最为重大的挑战。但是，科学总是在不断的尝试实践中、不断总结过去的教训中进步。至今，国际上已进行了120多个疫苗的临床试验尝试。在2003年第一代抗体疫苗的三期临床试验以失败告终之后，2004年有数个T细胞疫苗报告其临床测试结果：进入临床测试的T细胞疫苗安全可靠，具有一定的免疫原性，可活化相应的T细胞；但无论是DNA载体还是非复制型重组痘苗病毒载体，其诱导的免疫反应较为局限；其中DNA载体的作用不明显。因而，有效的T细胞疫苗载体还有待于进一步研制。

鉴于上述的经验与教训，2005年是新老艾滋病疫苗策略平行并进的一年。一些基于原有技术平台的疫苗继续进入临床测试，而新的、基于免疫原性更强载体的疫苗也开始向临床推进。目前国际上有29个疫苗进行Ⅰ期临床试验，4个Ⅰ/Ⅱ期临床试验，3个Ⅱ期临床试验和1个Ⅲ期临床试验；测试疫苗的形式包括：重组病毒载体疫苗，DNA疫苗，蛋白/多肽疫苗以及不同疫苗的组合。

我国的艾滋病疫苗研究基本与国际同步，因而，也呈现多种疫苗多种策略平行进行的局面。2005年是我国艾滋病疫苗研究史上很重要的一年，从艾滋病疫苗的临床研究到艾滋病疫苗的技术储备取得了很大的进步，实现了与国际艾滋病疫苗研究的接轨，在局部领域处于领先水平。

# 二、本年度重要进展

## （一）艾滋病疫苗临床与临床前研究

由中国疾病预防控制中心性病艾滋病中心与欧洲合作研制的、第一个我国拥有部分知识产权的重组痘苗病毒载体艾滋病疫苗（NYVAC－C）已于2005年初报告其Ⅰ期临床研究结果。此疫苗是在中欧艾滋病疫苗计划（INCO Ⅰ、Ⅱ、Ⅲ）框架内、在欧洲完成的临床研究。疫苗以NYVAC为载体、以密码子优化的中国原型株97CN54基因为免疫原。Ⅰ期临床结果显示，NYVAC－C安全可靠，两次NYVAC－C免疫之后，在50%的志愿者中测得较高水平的HIV抗原特异性CD8＋ T细胞，这是迄今为止免疫原性最好的Ⅰ期临床试验结果。目前在欧洲正在进行DNA疫苗和NYVAC－C联合免疫的Ⅰ期临床研究。INCOⅢ与Eurovac Ⅲ已着手准备在中国进行DNA疫苗、NYVAC－C和重组天坛痘苗载体艾滋病疫苗联合免疫的Ⅰ期临床研究，这将是国际上第一次临床测试三种不同载体的组合疫苗。

我国境内第一个由长春百克生物公司与美国霍普金斯大学合作研制的DNA和安卡那株痘苗病毒艾滋病疫苗已于2005年3月正式启动1期临床试验，开始招募志愿者。此疫苗沿用国外成熟的技术平台，采用裸DNA与非复制型重组安卡那株痘苗病毒（Modified Vaccinia Virus Ankara，MVA）为载体，插入我国流行株CRF08-BC来源的免疫原基因进行联合免疫。此研究已基本结束，研究结果尚有待于公布。此疫苗的临床研究标致着我国境内T细胞疫苗临床试验的开始，与国外的同类研究相距只有1.5～2年，这为我国今后的艾滋病疫苗临床研究奠定了基础，积累了经验。

由中国疾病预防控制中心性病艾滋病预防控制中心与北京生物制品研究所联合研制的、我国拥有完全自主知识产权的DNA和天坛株痘苗艾滋病疫苗已完成实验室研究和安全性评价，目前正在国家药监局进行临床试验的审批。此疫苗采用了我国复制型天坛株痘苗病毒载体。采用复制型载体是目前国际上在总结2004年临床结果之后被认为有可能提高疫苗免疫原性的新策略，因而，此疫苗进入临床审评程序见证了我国艾滋病疫苗研究已进入当今国际领先水平。另外，中国疾病预防控制中心病毒病预防控制所研制的、我国拥有自主知识产权的非复制型天坛株痘苗和腺病毒相关病毒载体 HIV 疫苗也已完成实验室工作正在准备进行 GMP 生产。

除上述提及研究之外，我国在腺病毒载体疫苗、多肽表位疫苗、蛋白疫苗等方面的艾滋病疫苗临床前研究上均取得显著进步。

### （二）艾滋病疫苗研究技术储备

**1. 多种载体联合免疫以加强疫苗免疫原性**　中国疾病预防控制中心病毒病预防控制所在动物模型中测试了以 DNA、腺病毒载体与仙台病毒载体三种不同载体研制的艾滋病疫苗进行联合免疫的新策略，研究显示三种不同载体联合免疫所活化的 T 细胞免疫较单独或两种载体联合免疫的效果为佳。

**2. 改进疫苗载体以进一步提高载体免疫原性与安全性**　基于目前载体的弱免疫原性现状，中国疾病预防控制中心性病艾滋病预防控制中心已对 DNA 疫苗载体与天坛株痘苗载体做了改进，新一代的艾滋病疫苗载体在免疫原性获得较大的提高，痘苗载体的安全性上也获得显著加强。

**3. 提高疫苗免疫原的表达效率**　研究显示，同一质粒表达多免疫原可出现相互抑制，因而，在中国 CIPRA 项目的支持下，中国疾病预防控制中心性病艾滋病预防控制中心构建的下一代 DNA 疫苗原则上每一质粒只表达单一结构蛋白免疫原，只有小蛋白采用融合表达。目前此代疫苗已进入动物活体评估阶段。

## 三、艾滋病疫苗研究的展望

我国艾滋病疫苗研究尽管取得了一定的成绩，但艾滋病疫苗研究的整体水平距离国际先进水平仍然差距较大。由于长期以来对创新性研究投入严重不足，造成我国艾滋病疫苗技术的储备严重不足。艾滋病疫苗的研制将是长期的任务，上述提及的技术储备远不能满足艾滋病疫苗的需求，尤其是在疫苗免疫原设计、佐剂选择与免疫策略等方面均严重缺乏后续技术储备。另外，我国研究队伍间缺乏合作，疫苗研发上下游脱节，缺乏整体的规划与协调，缺乏成熟的平台与评价技术，致使完成研制的疫苗进入GMP生产和由生产走完临床报批的周期太长。

要解决上述问题，国家需要在源头上大幅度增加投入、鼓励创新，保证从源头上有源源不断的活力注入艾滋病疫苗研究。同时，要进行资助机制与协调制度的创新，保证艾滋病疫苗研究的连续性及快速推进。

# 中国结核病防治健康教育材料资源库

《中国结核病防治健康教育材料资源库》于2005年3月份开发成功，并于“世界结核病日”（3月24日）前发往各省、自治区、直辖市结核病防治和健康教育机构使用。这是一套储存了多种供开展结核病防治健康教育与健康促进工作的媒体材料、培训材料和工作材料的光盘，也被称为“工具箱”。

《中国结核病防治健康教育材料资源库》是为了配合《全国结核病防治规划》的深入实施由我国卫生部疾病控制司、国外贷款办公室和中国疾病预防控制中心共同利用英国政府赠款开发出来的，具体的实施工作由中国疾病预防控制中心健康教育所承担。

## 一、创建《中国结核病防治健康教育材料资源库》的背景和目的

我国是全球结核病第二位高负担国家，现大约有450万活动性肺结核病患者，200万菌阳肺结核病人和150万涂阳肺结核病人。每年因肺结核病死亡15万人。2000年全国结核病流行病学调查数据显示，活动性肺结核患病率367/10万，菌阳肺结核病患病率160/10万，涂阳肺结核患病率122/10万，疫情形势相当严峻。

通过2004年在部分项目省做的社会学评估发现，半数以上的居民不知道结核病是一种传染病；对治疗结核病的专门机构和国家的免费治疗政策的了解率也很低，广大的老百姓缺乏主动检测的知识和意识，是不能主动检测结核病的主要原因；结核病受社会歧视的担心程度高。

如果不能让广大的城乡居民了解这些重要知识和信息，不能主动发现症状并主动到相关机构去检测，要在中国这样一个多人口的国家有效控制

结核病是非常困难的。因此，为了有效地向公众、特别是农民群众传播防治结核病的有关重要信息是成功防治结核病的关键措施之一。为此，国际组织和卫生部决定支持开发一套先进的、含有丰富内容的“工具箱”，作为各级结核病防治机构开展健康教育与健康促进活动的工具。

## 二、《中国结核病防治健康教育材料资源库》的用途

《中国结核病防治健康教育材料资源库》是为结核病防治人员、健康教育与健康促进工作人员设计的，同时也是为媒介人员设计的。各级人员可以利用“工具箱”里的各种材料开展防治结核病知识的传播及培训活动。通过使用“工具箱”中的各种媒体材料来达到向广大群众传播防治结核病的基本信息，使有肺结核可疑症状的人能够主动地到结核病防治机构去检查，提高病人发现率；也使已经确诊为肺结核的病人能够遵医嘱坚持治疗，提高治愈率。对于肺结核病，早发现、尽早开始正规治疗、彻底治疗、并得到专业人员的指导就是最重要的预防措施。

## 三、《中国结核病防治健康教育材料资源库》的核心信息

1. 连续咳嗽咳痰 3 个星期以上（或者痰中带血）有可能是得了肺结核病，应该尽早到医生那里看病。

2. 在结核病防治所检查和治疗肺结核病都是免费的。

3. 肺结核病人应在医生的直接观察下坚持吃药（至少要连续吃药 6 个月以上），直到完全治好，不能间断。

4. 大家都应该养成良好的卫生习惯，咳嗽、打喷嚏要避开他人。

5. 大家都应该关心肺结核病人，大部分肺结核病人开始正规治疗两到三个星期后就不会有传染性。

## 四、《中国结核病防治健康教育材料资源库》的设计原则

《中国结核病防治健康教育材料资源库》的研究、设计和开发是在国际专家的帮助下由我国著名健康教育专家和结核病控制专家共同完成的，并有多位艺术家和工作人员参与工作。“工具箱”中的材料种类多、内容丰富，都经过了目标人群的检验。“工具箱”里的所有材料都是严格按照健康教育与健康促进的国际最佳实践原则和传播学原则设计和开发的。这些原则包括：

1．所有信息要经过严格筛选。

2．所有的信息都要简单明了，易于被公众接受和理解。

3．所有的材料以及材料中的各部分内容都要经过专家们多次研讨、在目标受众中做预试验和设计人员的反复修改。

## 五、《中国结核病防治健康教育材料资源库》的开创性特点

1．“工具箱”内有40多种材料，包含了我国群众喜闻乐见的广播剧、电视剧、相声、快板等多样的艺术形式，制作如此内容丰富的“工具箱”在我国还是第一次。

2．“工具箱”的内容经过如此严格的目标受众预试验和专家审核过程，保证材料的高质量在国内也是第一次。

3．平面媒体材料的画面简洁，文字简练，主题突出，尽量减少影响核心信息传播的无关内容，这个特点比以往的所有材料都表现突出。

4．为了使不识字的群众能够获得一定的重要信息，专门设计了针对文盲群众的招贴画和折页，这在我国过去健康教育材料制作中还未曾尝试过。

5．材料的设计兼顾了省、市、县各级的不同需要，并有多种可选择的使用方式。“工具箱”中有些材料可直接使用，平面媒体材料和印刷版本的

手册等可以直接印刷使用，同时也允许添加当地机构名称、咨询电话等（为少数民族设计的平面材料还留有增加少数民族文字的空间）。各种广播、电视作品的文字脚本中给各地提供了使用当地老百姓熟悉的演员录制当地方言节目的空间。

## 六、《中国结核病防治健康教育材料资源库》创建的意义与使用前景

该“工具箱”无论是其材料制作过程的科学性，还是材料和节目种类的多样性，以及使用方法的灵活性都是前所未有的。因此，该“工具箱”的开发是我国健康教育与健康促进领域的一个创举，树立了我国健康教育媒体材料制作的里程碑。其本身的意义不仅仅在于为我国的结核病防治做贡献，而且也为我国其他公共卫生领域的健康教育媒体材料制作树立了典范和样板，其经验可以与其他领域的健康教育和材料制作人员共享，相信会有更多类似的“工具箱”开发成功。

为了推动正确使用该“工具箱”，通过举办国家级培训班使省级专业人员掌握了“工具箱”的使用方法，同时也要求各省（自治区、直辖市）按照要求逐级开展培训工作，使用好“工具箱”中的材料，广泛传播这些精选的结核病防治的核心信息。

对“工具箱”中材料的应用情况和效果进行过程和效果评估是健康教育与健康促进工作的重要组成部分，通过评价发现“工具箱”使用中的问题和了解其传播效果，提出进一步改进和发展“工具箱”内容的建议，从而使“工具箱”不断更新和完善。相信在各级机构和人员的推动下，“工具箱”的使用一定能够帮助各地在结核病控制工作方面开辟新的局面，促进我国《全国结核病防治规划》目标的实现，为保护人民健康做出贡献。

# 血吸虫病防治相关研究

## 一、基本情况

血吸虫病是一种严重危害我国疫区人民健康，影响社会经济发展的重要传染病，流行在长江流域及以南十二个省（市、区）434个流行县（市、区）。我国政府十分重视血吸虫病的防治工作，我国政府十分重视血吸虫病的防治研究工作，组织了寄生虫病防治研究机构、医学和农业有关院校的专业人员开展大协作，在血吸虫病分布调查、流行病学研究、钉螺和血吸虫的生物学、生态学、杀螺药物及方法研究、血吸虫病诊断方法、预防和治疗血吸虫药物、家畜血吸虫病防治技术及不同类型地区的防治对策和措施等方面进行了大量而深入的研究工作，取得了很多有价值的研究成果，有力地推动了血吸虫病防治工作的发展，有不少成果处于国际先进水平。经过50年的积极防治，到2005年底，全国已有广东、上海、福建、广西、浙江等5个省（市、区）阻断了血吸虫病的传播，在全国434个流行县（市、区）中，已有262个达到了传播阻断的标准，目前尚有109个县（市、区）未能控制血吸虫病的传播，主要分布在湖南、湖北、江西、安徽、江苏5省湖区及云南、四川大山区。建国初期我国有血吸虫病人1000多万，钉螺面积148亿平方米，到目前为止，我国血吸虫病人数降至84万，钉螺面积下降到37.9亿平方米，晚期病人和急性感染人数均大幅度下降，取得了举世瞩目的成就。

但由于血吸虫病传播不仅受到生物因素的影响，而且受到环境和社会经济因素的影响，在我国湖沼地区和云南、四川大山区，现有的防治措施和技术尚难以满足防治工作的需求，血吸虫病防治的形势仍相当严峻。

## 二、血吸虫病科学研究的重要进展

### （一）生态环境改变对血吸虫病流行的影响

国家十五攻关课题在前三年研究工作的基础上，2005 年进行了社会经济及生态环境改变的资料的收集和调查研究工作，根据调查结果初步制定了《三峡库区血吸虫病的监测方案》，为防止血吸虫病传入库区提供了有效的技术支撑，收集和分析了湖区 5 省的洪涝灾害水文资料及灾害前后的螺、病情消长资料，显示江西省水灾当年和次年钉螺密度下降、人畜感染与常年无显著差异。但其他省洪水导致钉螺扩散明显，灾后三年钉螺面积、密度明显增加，人畜感染上升；湖北省通过 7 县（市）四个洪水年的病情分析，显示血吸虫病急性感染和慢性感染数量与水位密切正相关；安徽省对 1998 – 2000 年血吸虫病感染情况进行分析，显示在疫情控制和传播控制地区灾后的 1999 年居民血吸虫病血清学阳性率较 1998 年上升了 36.19% 和 25.06%，居民粪检阳性率上升了 13.27% 和 34.31%。江苏省建立了沿江地区血吸虫病流行因素和长江江滩螺情消长数据库，为阐明水灾对血吸虫病传播的影响提供了详实的科学数据，根据各省调查结果将为拟定水灾期间血吸虫病的预警方案提供科学依据。江西移民建镇远离疫区或靠山建镇，则减少了血吸虫病感染的机会，而湖南、湖北等地区在大堤上移民建镇则加剧了血吸虫病的传播机会。因社会经济因素的影响，这类地区所采取的防治措施也难以取得有效的疾病控制效果。

### （二）南水北调工程对血吸虫病传播的影响

南水北调是否可能导致血吸虫病扩散及北移的问题一直受到国内外有关方面的高度关注。2004 ~ 2005 年，江苏省血吸虫病防治研究所在既往研究成果基础上，利用现有资料，并采用钉螺生态学、钉螺水体动力学、现场流行病学、GIS 技术、及有关数学模型等理论和方法，开展了进一步研究。研究结果表明：钉螺在北纬 33°15′以北新沂、徐州一线仍能存活一段时间，并能有限度地进行繁殖，但无法保持种群的增长；山东德州和济宁一线人工北移钉螺可在较短时间内死亡，因此钉螺在北纬33°15′以北长期存活并形成孳生地是困难的。北移钉螺难以在北纬33°15′以北长期生存繁殖的原因与低温及土壤有关，研究还表明钉螺在输水河道的扩散受水流条件及水力学作用等因素影响，迄今为止北纬33°15′以北地区仍未有在自然界发现钉螺的报告。鉴于南水北调是一项涉及社会经济和自然生态的大型水利工程，其对生态系统及社会经济的影响是广泛的、长期的，对钉螺扩散和血吸虫病流行的影响也是多元而复杂的。随着全球气候变暖等因素的影响，南水北调东线工程有可能造成钉螺在一定范围扩散的可能，其主要影响是在已经阻断血吸虫病传播的江苏里下河地区，并可能对原无血吸虫病流行的洪泽湖地区造成一定的威胁。而这种可能（风险）可以通过监测、并实施工程和非工程措施加以控制和消除。

### （三）血吸虫病 GIS 模型制定与验证

周晓农等以安徽省当涂县作为现场，利用 SPOT5 卫星图像非监督分类，结合贝叶斯判别分析方法，对江心洲钉螺孳生地进行监测。应用逐步秩回统计分析建立数学模型，探讨当涂县血吸虫病人群感染的危险因素。利用地理统计学中的普通克里格法，对当涂县血吸虫病人群感染率的空间分布进行预测、制图。

Bayes 判别分析函数为：

$Y0 = -0.5465 + 51.8057p6 + 2.1720p10$

$Y1 = -2.7562 + 4.7574p6 + 9.3141p10$

其中，当 $Y0 > Y1$ 时归 0 类（无螺），$Y1 > Y0$ 则归于 1 类（有螺）。

$F = 25.48$，$P < 0.00013.4$

对建立的判别函数进行交叉检验，理论判别与实际资料的总吻合率为 84.6%（44/52），总误判率为 15.4%（8/52），敏感度和特异度分别为 76% 和 92.6%。

此外，江苏省还对全球气候变暖与血吸虫病扩散的关系进行了探索。

## （四）防治策略研究

我国血吸虫病防治策略经历了一个由单一防治措施至综合性防治措施的发展过程，在 1992～1999 年进行世行贷款血吸虫病控制项目中采取以化疗为主的疾病控制策略。从理论上讲，采用单一的防治措施，如消灭传染源、灭螺、粪管等，均能阻断血吸虫病传播链中的任何一个环节，但由于技术和社会经济因素影响，任何一项技术措施均难以达到 100%的防治效果。在 20 世纪 50 年代以后我国通过调查研究和试验论证，总结出以灭螺为主的综合性防治措施，这一策略在水网地区和山丘地区及部分湖区取得了显著的防治效果。但这一策略在水位难以控制的湖沼地区和环境复杂的川、滇山区无法实施。在 20 世纪 90 年代实行以化疗（消灭传染源）为主的疾病控制策略，虽可在短期内控制疫情，但因传染源种类众多、钉螺难以消灭，新感染和再感染无法控制，疫情回升迅速。因此，我国血吸虫病防治单靠卫生技术支撑的防治策略难以可持续发展。

湖北省潜江市以水改旱和水旱轮作，改变了钉螺孳生环境，减少了血吸虫病污染和感染的机会。试区钉螺面积由 76.4 万平方米降至 8.46 万平方米，人群感染率由 29.54%降至 3.87%。耕牛感染率由 19.10%降至 2.0%，居民收入亦因种植结构的调整增加了 33.5 倍。四川浦江结合人畜饮用水工程和山平塘整治及输水沟硬化的微型水利工程，并配合农业中、低产田的改造和生态农业建设，改变了钉螺孳生地，控制了血吸虫病的传播。四川什邡开展改水、改厕、建沼气池及发展农村园林经济，巩固了血吸虫病的防治成果。江苏、湖南、湖北、江西、安徽及浙江等省结合农业、水利、林业建设，对血吸虫病流行区实行综合治理，有效控制了钉螺的扩散。但实些措施需要部门之间的配合，很多地区难以落实。

有鉴于此，根据我国血吸虫病防治的经历、流行状况并结合国外的经验，有关专家提出我国血吸虫病应实行社会措施为主导，并结合技术措施的防治策略。即在各级政府的统一领导规划下有计划有步骤地将当地社会经济发展与血吸虫病防治结合起来，在建设新农村和发展经济的同时，压缩钉螺面积，减少污染和感染的机会，从而达到控制血吸虫病的目的。兼有良好杀螺效果的化肥农药，荣宝、荣芽将可能使血防工作与农村经济发展相结合提供一条新路。这一策略将大幅度减少国家的负担，使血吸虫病防治成为广大人民群众的自觉行动，不失为一条可持续发展的血吸虫病防治策略。

## （五）杀螺剂研究

1．氯硝柳胺剂型及应用技术研究　4%氯硝柳胺乙醇胺盐粉剂和喷粉灭螺法，由江苏省血吸虫病防治研究所研究开发，该粉剂及使用方法克服了对水源的依赖，操作简单，施药效率高，人工省，药粉均匀，杀螺效果与50%氯硝柳胺乙醇胺盐可湿性粉剂相似，适用于缺水环境及取水困难的环境。目前该粉剂获国家农药登记证及国家发改委农药生产批准证书，在江苏、安徽、湖北、云南等省推广应用，前景良好。

戴建荣等研制开发了25%氯硝柳胺悬浮剂，该剂型分散性好，悬浮率高，可与水任意比例混合，明显提高了杀螺效果，降低了药物的用量，减少了对环境的污染。此外，江苏省血吸虫病防治研究所在国家高技术发展项目（863项目）支持下研制成功了两种氯硝柳胺纳米剂型，已证明其杀螺作用强，可降低药物用量，减少杀螺成本。

2．灭螺新药——氯代水杨胺的研究　氯代水杨胺是由湖北省血吸虫病防治研究所承担的科技部863计划项目，通过对氯硝柳胺的结构进行更改而创制的新型灭螺药，不仅灭螺效果好、使用方便、性质稳定，并具有可根据现场不同环境采用多种方法灭螺的优点，生产和使用成本比氯硝柳胺明显降低，对动植物的毒性减小等优点。

3．湖南、江苏、湖北、云南等省报告，宁夏大荣实业有限公司生产的化肥荣宝荣芽，不仅可作为农药广泛使用，而且对钉螺有很好的杀灭效果。其杀螺效果与氯硝柳胺相当，但其对鱼的毒性远远低于氯硝柳胺，前者对鱼的LC50为140.7mg/L，而后者LC50为0.05～0.3mg/L。

## （六）血吸虫病的免疫诊断

江苏省血吸虫病防治研究所在成功研制血吸虫病快速胶体染料试纸条

试剂盒（DDIA）的基础上，通过检测条件的优化和稳定性的研究，确定了制备的最适条件，使该试剂盒的制备达到了标准化。并完成了申报该试剂盒新药证书的实验室和临床研究，临床研究结果表明该试剂盒在湖沼型和大山区血吸虫病流行区的敏感性达95.0%～97.1%；在非血吸虫病流行区的特异性达96.3%～97.7%，敏感性高于COPT法，特异性好于ELISA法。而且操作方便，不需任何特殊仪器设备，快速又省时、省工，表明更适于对现场化疗目标人群的大规模筛查。通过在江苏省10个血吸虫病流行市318009人的现场验证，表明该试剂盒的检测结果与各不同流行程度地区的流行现状十分符合，而且较原查病方案更为经济、效率更高。2005年3月已向国家食品药品监督管理局申报了该试剂盒的新药证书，目前已通过了药审中心的审评，不久将获得血吸虫病免疫诊断领域中的第一张新药证书。该试剂盒已在全国各流行省推广应用近200万人份，仅2005年就达60余万人份，深受当地专业人员和群众的欢迎。

浙江省寄生虫病研究所研制的血吸虫病斑点金免疫渗滤法（DIGFA）具有较好的敏感性和特异性。应用该法与ELISA、IHA法对血吸虫病流行区1091例当地居民血清平行检测，结果表明，三者的阳性率分别为9.35%、11.54%和11.00%，三者的检测结果差异无显著性。但由于DIGFA法使用方便、试剂稳定、容易判断等优点，故在临床快速诊断和基层现场查病方面更具优越性。

## （七）血吸虫病分子生物学的研究

应用分子生物学和基因工程等技术，我国研究者已获得了一些日本血吸虫病疫苗候选抗原分子，如26kDa谷胱苷肽S－转移酶（SjGST），副肌球蛋白，磷酸丙糖异构酶（SjTPI），23kDa膜蛋白（Sj23），脂肪酸结合蛋白（Sj14）等，动物实验表明这些候选分子都具有一定的免疫保护作用。最近一些新的疫苗候选分子如日本血吸虫14－3－3蛋白（Sj14－3－3），三磷酸甘油醛脱氢酶（GAPDH），硫氧还蛋白等也被成功地筛选到，动物实验表明具有良好的免疫保护作用。由于单一的抗原分子对血吸虫感染的免疫保护作用不甚理想，故近年来趋向于选用多个抗原分子或多个不同表位的抗原分子组成多价疫苗，期望能取得更好的保护作用。细胞因子如 IL－12、IL－2、IL－4 等及免疫刺激序列（CPG）作为疫苗佐剂也被用于提高血吸虫病疫苗的保护作用。核酸疫苗（DNA 疫苗）是近年来发展起来的一种新型疫苗，我国研究者发展了由日本血吸虫 TPI 和抗个体基因型抗体 NP30 组成的多价 DNA 疫苗，表明该疫苗较单一分子疫苗可显著地提高其免疫保护作用。

## 三、展望

由于受生态环境和社会因素的影响，我国血吸虫病防治是一个长期而艰巨的任务，应根据流行区的环境特点及防治工作的难度分类指导，制定相应的防治目标和对策，并加大对血吸虫病防治科研的投入，推动防治工作的发展。目前迫切需要解决的问题主要有以下几个方面：

### （一）血吸虫病防治策略

应实现由单一生物医学模式向生物－心理－社会医学模式的转变，实行以社会措施为主，并结合技术措施的策略。我国血吸虫病防治实践证明单纯的卫生技术措施不仅缺乏持久的经济支持，在各部门的配合方面也存在很多实际问题，只有在政府的统一领导规划下，将当地社会经济发展与血吸虫病防治相结合。有规划、有步骤的开展，才能取得一举多得的效果，使农民在血吸虫病防治中由被动变为主动，这是一条可持续发展的血防之路但这一研究仍需加大资金投入。

### （二）生态环境变化对血吸虫病的影响

血吸虫病流行及防治与生态、环境因素有密切关系，而生态环境的改变也将导致社会经济行为因素的改变，这将影响血吸虫病的流行与控制。三峡水利工程、南水北调工程以及退田还湖、平垸行洪、移民建镇对血吸虫病流行与扩散均有重要影响，现在虽有项目在进行研究，但很多问题有待深入研究。

## （三）家畜血吸虫病的防治与管理

家畜，特别是牛在我国血吸虫病的传播中占有特别重要的地位，湖区90%以上，山区70%以上的污染来源于牛，但防治技术及管理均不完善，亟待加强与提高，但仍需加大资金投入。

## （四）高效、价廉、使用方便、无污染的生物杀螺剂研究

现有的杀螺剂氯硝柳胺价格昂贵，对鱼类毒性大。目前虽在剂型方面做了一些改进，但仍难以满足防治工作的需求。

## （五）免疫诊断

发展定量或半定量抗体检测技术，对于提示个案感染状态以及评价流行区的流行趋势和防治效果具有重要意义。

## （六）预防和治疗血吸虫病药物研究

我国已研究出口服早期治疗血吸虫病药物蒿甲醚和青蒿琥酯，但价格昂贵，使用也不方便。吡喹酮是目前唯一治疗日本血吸虫病的药物，具有很好的杀虫效果，但由于大量使用，血吸虫是否会产生对药物的抗性是国内外学者十分关心的问题。迫切需要研究出一到两种能替代吡喹酮的后备治疗药物，但由于药物研究周期较长，难以得到经费资助，已很少有人对抗血吸虫药物进行研究。

## （七）新的防治技术的研究

运用当前现代生物学及其先进技术，探讨血吸虫病防治新手段。

# 《中国人群死亡及其相关危险因素：流行水平、趋势和分布》出版

2002年国家科技部支持完成“建立出生、死亡和行为危险因素数据库”课题。与此同时，卫生部疾病控制司慢性病控制处委托笔者对中国人群慢性病的流行水平和变化趋势进行回顾。在完成国家科技部“建立出生、死亡和行为危险因素数据库”课题基础上，杨功焕教授编著了《中国人群死亡及其相关危险因素：流行水平，趋势和分布》一书。该回顾了过去50年，重点回顾近10年来中国人群不同死因的流行水平、变化趋势和分布特点，对城市和农村，东、中西部农村的特点进行了分析，勾画了中国人群的死亡地图。其次，笔者描述了与主要疾病和死亡有关的行为危险因素的流行水平和分布特点，勾画了中国人群的行为危险因素的分布图谱。

该专著由协和医科大学出版社2005年正式出版，共48万字。该研究提供了不同地区的主要卫生问题和相关危险因素的流行水平、变化趋势和分布特点，是公共卫生信息建设中的一项基础工作。这项研究有利于对中国不同地区人群的健康状况做到心中有数。为政府部门、为公共卫生专家以及医学专家提供基础信息，有助于国家或一个地区，制定公共卫生目标和干预策略，评价干预效果，以及进一步探索出现这种特定疾病模式的原因，也有助于公众了解当地的疾病模式和危险因素，采取自我防控措施。

## 一、该课题的一些重要发现值得注意

其一，中国总死亡率的快速下降期在1950年至1975年，以后进入平稳期。人口老龄化抵消了改善健康的因素，使总死亡率处于基本恒定水平。

其二，感染性疾病和母婴疾病的死亡特点值得关注。肺结核在20世纪80年代被认为是已被人类征服的疾病，但研究表明它在20世纪90年代卷土

重来。从“死亡地图”上看，1991年至2000年期间，农村肺结核死亡率自1994年后没有进一步下降。感染性疾病、肺炎和母婴疾病死亡的高发点分布大致相同，除了肺结核死亡在浙江、安徽、山东、河南交界地区、黑龙江等中部地区也存在高死亡点外，其分布和其他几类疾病的分布相同——主要集中在3个高发区：西南，西北和广西、湖南、江西的交界地区。

其三，肝癌死亡率呈上升趋势，提示肝癌的危险因素在增加。从1991年到2000年，肝癌在城市男性、农村男性和女性中呈上升趋势。其中男性肝癌的上升率净增长值为12.49/10万。

其四，心脑血管疾病研究中发现，脑血管意外与冠心病有别于以往研究中“北高南低”的特点，图中显示，南方个别地方如湖南汉族农民中，脑卒中死亡率相当高，而东北辽宁农村却相当低。这种现象值得进一步研究。

本次研究还发现，交通事故、自杀等意外伤害死亡明显上升。在城市，有过自杀行为的人高达1.1%！专家提醒，可以预计未来20~30年，中国自杀人数会有所增长并以城市男性为主，而针对这类问题的心理预防将成为重要健康策略。

不同的疾病上升，人口因素和非人口因素的贡献各有不同，例如，交通伤害死亡上升，全部是非人口因素的作用，糖尿病死亡率上升，77%是非人口因素的作用，而肺癌、冠心病死亡率上升，60%以上是非人口因素的作用，肝癌、乳腺癌和脑血管病死亡率上升，50%以上是非人口因素的作用。

该专著的第二部分总结了五组行为危险因素的流行水平和分布的特点，进一步解释了其中行为危险因素对这些疾病的影响。

1. 中国男性烟草使用是处在全世界人群中最高的流行水平，相应于女性和孩子的被动吸烟的暴露率也最高，由于吸烟的流行高峰不足20年，烟草带来的健康危害还没有到来。

2. 目前中国人的饮食特点正从热量和蛋白质摄入不足向高脂高糖的方向转化，而熏制食品的摄入依然问题严重。由于工作性质的影响，人们进行体力活动的强度较很多国家人群大，超重和肥胖的比例还很低，属于偏瘦的人群。但是部分地区的一些饮食行为与某些肿瘤的发生有关，也是相当不健康的。同时一部分人群，特别是城市人群，已经显示热量摄入过多、体力活动强度降低、超重和肥胖比例增加的特点，导致心脑血管疾病和糖尿病增加的趋势。

3．对交通伤害的违规行为研究表明，中国人群中交通违章行为非常严重，远远高于其他国家报告的水平，而保护性措施的执行十分薄弱。其他与伤害发生有关的行为，如农药和鼠药的置放都显示了与伤害预防有关的政策制定、执行、管理方面的措施薄弱，使很多本可避免的伤害发生。

4．对肝炎、性病、艾滋病等感染性疾病的预防有关的知识、态度和行为的调查显示，人们不仅对有关疾病传播途径的知识缺乏，而且恐惧心理很强，这导致了对感染者的歧视，不利于这类疾病的控制。

5．报告有心理症状，包括紧张不安、恐惧、进食失控、情绪低落或抑郁和过分焦虑和担心的人的比例分别达到10.5%、4.2%、6.1%、4.7%和12.6%。有2.3%的人报告在过去1年内用过毒品，或过分、随意和连续3个月使用安眠药、镇痛药等；有心理问题的人占相当比例，对心理问题的预防，是有效的提高人们的健康、改变生活质量的重要策略和手段。

6．虽然人们对高血压、高血脂、乳腺癌和宫颈癌筛查的必要性认识到位，但是接受筛查的比例非常低，与人们是否享受医疗保险，以及享受医疗保险的类别有关。这类行为的改进受到医疗保险制度推进的制约。

## 二、根据趋势分析，对未来30年的疾病变化趋势进行预测

1．感染性疾病和母婴疾病死亡率必然会进一步下降，但是新发传染病是否得到有效控制会影响这类疾病的下降速度。

2．目前的烟草消费模式导致肺癌死亡率在未来30年将继续上升。

3．加强乙肝疫苗接种，肝癌死亡率将在30年后下降。

4．心脑血管疾病和糖尿病发病和死亡在未来20~30年内，均会继续上升。

5．伤害死亡谱发生变化，一直保持伤害死亡第一位的自杀，在20世纪

90年代已让位于交通伤害。

6．教育程度越高，采取健康行为和健康生活方式的比例越大。不同地区人群的不健康行为的流行水平差异很大。

## 三、根据研究发现，提出以下具体建议

1．针对感染性疾病的防治中，把健康作为发展战略目标之一融入其中，在社会发展战略中，把健康教育活动融入到义务教育的普及中，把提高医疗卫生保险的覆盖率和医疗服务的质量，把医疗机构和疾病控制机构建设包容在城镇化建设的策略中。

2．针对肝炎、性病、艾滋病的知识传播中把讲清危害、如何正确避免被感染和消除歧视列为传播重点，同时在政策上保证被感染者不被歧视，才能有效切断传播途径，使感染性疾病的控制策略进入良性循环。

3．利用烟草控制框架公约的批准作为契机，设立专门基金，建立烟草控制的多部门协作网络，全方位的开展烟草控制活动，包括全面限制烟草广告、制定公共场所禁止吸烟的法规、帮助吸烟者戒烟，促进学校和医院的烟草控制活动，保护被动吸烟者等一系列措施。

4．联合企业、政府和一切相关机构发展健康食品、推广健康食谱；针对各地固有的和新形成的不良饮食习惯，发展干预项目。目前有铁酱油推广计划，大豆计划等，都是我国在针对贫困地区营养不良人群的项目，是非常有意义的。还需要在西北、东北等人群普遍蔬菜、水果摄入不足的地区，发展蔬菜水果种植项目，推广多摄入蔬菜的干预项目；对于城市地区，推广膳食平衡，避免过多摄入脂肪等风险食品；对于熏制食品等摄入过多的地区，发展改变熏制食品的项目等。

5．中国人群目前属于偏瘦的人群，与目前2/3的人从事中等以上的体力劳动有关，在未来的10～20年，中国人群在工作中体力的耗费会迅速下降，目前有远见的做法是传播运动对健康的益处的知识，推荐有运动的生活为时尚的生活，而不要等到采取静坐生活方式的人已经占相当比例后才开始行动。首先在城市，特别在工作中不耗费体力的人群中，重点开展体

力活动项目。

6. 建立人车道路的安全系统，目前需要紧急行动起来的是加强立法，教育人们遵守交通规则，并监督执行。

7. 自杀预防包括两个方面：第一，和农药生产和销售部门联合起来，发展低毒性农药，并对农药的保存加强管理，防止农村人群自杀；第二，加强精神卫生问题的防治工作，推进培训心理和精神科医生的项目，提高医生处理精神卫生问题的能力等措施。

8. 很多疾病的防治，特别是二级预防措施与人们的医疗保险有关，推进医疗保险中，定期身体检查应包括在保险条例中。

# 食品安全关键技术研究获重大进展

## 一、概况

“食品安全关键技术”重大科技专项是在食品安全问题日渐突出，成为影响农业和食品工业竞争力的关键因素和约束我国农业和农村经济产品结构和产业结构的战略性调整的“瓶颈”之一的背景下启动实施的。专项紧密围绕“切实保障我国消费者健康，维护我国食品进出口贸易安全”这一核心目标，利用“反弹琵琶”方式，瞄准国际食品安全科技前沿，抓住我国食品安全全程控制中的瓶颈问题，整合国内优势科技资源，开展了攻关研究。通过近四年的实施，专项已经圆满完成了预期目标，在2005年完成专项绝大多数课题验收，在快速检测技术和装备、国家标准和规范等方面获得阶段性重大成果——初步建立了我国食品安全网络监控和预警系统，在食品安全技术的支持下，对苏丹红、孔雀绿、保鲜膜等多项与食品安全相关的事件重新审视。被卫生部、总后卫生部、科技部、国家食品药品监督管理局、国家中医药管理局、中国科协、中华医学会、健康报联合评为2005年中国医药卫生科技十大新闻第三条。

项目取得的具体成果如下：构建了共享的全国污染物监测网（含食源性疾病）、进出口食品监测与预警网；制（修）订国家标准39项、行业和地方标准161项，申请立项357项；牵头制定国际标准2项、已完成1项，参加制订国际标准2项；提出595个食品安全标准限量指标的建议值，58个（套）生产、加工和流通领域的食品安全技术规范（标准）；初步形成了食品安全检测体系，建立了219项实验室检测方法，其中农药多残留检测方法可检测150种农药，兽药多残留检测方法可检测122种兽药；研制出81个检测技术相关试剂（盒）、现场快速检测技术。初步建立了中国疾病预防控制中心营养与食品安全所、中国检验检疫科学研究院、中国农业大学（国家兽药安全评价中心）等3个符合国际良好实验室规范（GLP）的国家食品安全中心（基地），有168个检测实验室参与国际有关实验室组织之间的检测比对试验或得到国际相关实验室的互认；形成了10个食品安全示范区；培育了10~20个食品安全示范企业；获得57项国内专利、20项国际专利、申请 项专利；吸引了科研院所、高校、企业等机构的3550人参与专项研究工作，培养了博士177人，硕士464人。

## 二、专项的实施主要取得了八方面成效

### （一）我国食品安全科技自主创新能力得到整体提升，被科技部作为自主创新典型案例在2005年全国科技大会上予以介绍

**1. 前沿领域的突破增强了食品安全科技原始创新能力** 针对当前国际食品安全突发事件难预测、频发、波及面广等特点，专项瞄准国际食品安全科技的前沿，组织高起点难题攻关，不断提升原始创新能力。

二噁英和二噁英样多氯联苯等超痕量检测技术代表一个国家的分析水平，仅在发达国家的少数实验室能够实现。国际分析质量保证考核（AQA）是我国超痕量检测实验室获得国际认可的唯一途径，而中国疾病预防控制中心营养与食品安全所牵头组织我国有关单位先后8次参加并以优秀成绩通过AQA，成为国际标准物质的定值实验室；另外，在氯丙醇和丙烯酰胺的痕量检测技术方面也以优秀成绩通过全面AQA。这提升了我国食品安全的国际地位，使中国以唯一发展中国家作为CAC二噁英国际标准的起草国和2009年二噁英国际年会的承办国，也是氯丙醇限量国际标准的少数起草国之一。这里值得一提的是我国首次牵头制定“预防和减少树果中黄曲霉毒素污染的生产规范”国际标准。在属于标准的游戏规则的食品添加剂前言的起草过程中，欧盟与美国发生较大分歧，我国在此领域的科学地位使得我国作为起草组组长协调起草工作。这些工作改变了过去我国只能遵守国际游戏规则的历史。二噁英、多氯联苯和氯丙醇的痕量与超痕量检测技术

获得2005年度中华医学科技奖二等奖。

为了满足禽类进出口的迫切需要，北京出入境检验检疫局和深圳匹基生物工程股份有限公司联合攻关，研制了禽流感不同亚型的荧光RT－PCR检测试剂盒，通过了四项国家标准：《禽流感病毒通用荧光RT－PCR检测方法》、《H5亚型禽流感病毒荧光RT－PCR检测方法》、《H7亚型禽流感病毒荧光RT－PCR检测方法》和《H9亚型禽流感病毒荧光RT－PCR检测方法》，拿到了Ⅰ类新兽药证书，检测时间从过去的21天缩短到4小时；每年检验用量达20余万头份，对保证我国禽肉安全意义重大。

在食品安全检测装备方面也取得重大突破，其标志性成果是由中国检验检疫科学研究院研制的拥有多项发明专利、集多项检测技术于一体的农药残留快速检测移动式食品安全监测车。该监测车已成为食品安全移动式实验室，并在松花江环境污染实时监测中发挥了重要作用；目前已在全国质检、工商等系统配备了22辆（另外10辆即将配备），创造良好社会效益。

**2．高新技术与传统技术的交叉融合显著提升了食品安全科技支撑能力和技术集成创新能力**　通过传统理化检测技术和现代高新技术如生物技术、纳米技术和信息技术的结合，建立一批拥有部分自主知识产权的快速筛选方法。如，建立了包括霍乱弧菌、致病性大肠杆菌、空肠弯曲菌、小肠结肠炎耶尔森氏菌、副溶血弧菌、沙门氏菌、金黄色葡萄球菌及志贺氏菌等主要食品微生物的检验系统；完善了规范的探针制备方法和芯片制备方法，为食物源性病原的高通量检测技术研究打下了良好的基础；成功搭建了植物有害生物分子检测研究平台，开展了各种风险有害生物的快速检测研究；建立了食品及饲料中牛羊源性成分的检测方法及其他7种哺乳动物的分子标记鉴定技术和基因芯片鉴定技术；研发的兽药残留蛋白芯片技术在国际上属于领先地位。利用荧光RT－PCR检测技术建立了包括新城疫病毒、口蹄疫（FMD）、水泡性口炎病毒（VS）在内的人畜共患重大动物疫病的快速检测技术，大大缩短了检测时间。对于国际禁运难以获得生物毒素标准品的黄曲霉毒素B1和河豚毒素等，开展了利用抗独特型抗体模拟外界抗原表位替代毒素标准品的研究，获得了具有自主知识产权的黄曲霉毒素B1和河豚毒素无毒免疫检测试剂盒。

**3. 技术引进与消化吸收推动了食品安全科技的跨越发展和再创新能力的提升** 为了尽快克服我国检测技术落后和检测技术研发周期长的问题，坚持独立自主与技术引进相结合的原则，专项加强了引进国际上成型的新技术，并尽快加以吸收和消化，提高了我国食品安全控制迫切需要的检验检测能力，提升消化吸收和再创新能力。在农、兽药残留方面多组分检测技术和色－质确证技术已经限制了我国食品快速通关和进出境贸易，如欧盟和日本在大米和茶叶的农药残留检测品种要求超过100多种；专项安排系统攻关建立了食品中农、兽药残留的多组分系列检测技术，特别是在引进了欧盟和美国的多残留检测技术的基础上再次创新，利用气相－质谱、液相－检测的农药残留已经突破150种以上，突破了限制我国食品安全检测能力的技术瓶颈。在二噁英、多氯联苯（PCB)、氯丙醇、丙烯酰胺、硝基呋喃残留标示物、激素等检测技术中，不仅参考国际先进经验引进了国际“金标准”稳定性同位素稀释质谱技术，还在建立与国际接轨的重要有机污染物的超痕量检测技术的同时进行再创新，如所建立的二噁英和类二噁英样PCB的检测方法将原来2个方法熔于一体，大大提高了食品中有机污染物的超痕量检测水平。在前处理技术方面取得一系列再创新的工作：将固相微萃取引进食品安全检验的同时，不仅积极开展分析技术的研制，同时开展了萃取纤维的自主研发；研制了总黄曲霉毒素、黄曲霉毒素B1、玉米赤霉烯酮、赭曲霉毒素A、脱氧雪腐镰刀菌烯醇5种毒素和阿维菌素类免疫亲和柱等；不仅建立了微囊藻毒素、麻痹性贝类毒素（PSP)、遗忘性贝类毒素（ASP)、腹泻性贝类毒素（DSP）和岩沙海葵毒素（PTX）的色质联用方法，还针对国际禁运现状建立藻类专用实验室分离纯化获得麻痹性贝毒毒素GTX1，2，3，4以及微囊藻毒素MC－LR和MC－RR标准品。

快速检测技术是本专项的重点之一，截至目前，已成功研制了81种食品安全检测试剂盒和检测装备，用于检测食品中残留的农药、兽药、生物毒素、食品添加剂、饲料添加剂和违禁化学品等，并建立相应的94项快速检测方法和确证方法。这些成果很多已在全国推广应用：如系列食品安全快速检测装备携带方便，适于日常食品安全现场快速检测及食物中毒侦检，经军队和地方多个食品安全检验部门试用，多次在食物中毒原因的调查中得到应用验证。针对食品种生物毒素对我国居民的身体健康潜在威胁问题，引进国外先进技术，研制出快速、高效的检测生物毒素免疫检测试剂盒13个（赭曲霉毒素A、T2－毒素、黄曲霉毒素B1、总黄曲霉毒素、玉米赤霉酮、伏马菌素B1、脱氧雪腐镰刀菌烯醇、河豚毒素、PSP、ASP、DSP、PTX、微囊藻毒素等）和免疫胶体金试纸条5个（黄曲霉毒素B1、赭曲霉毒素A、玉米赤霉烯酮、脱氧雪腐镰刀菌烯醇、桔青霉素），具有自主知识产权，填补了我国的空白。研制出农药残留酶联免疫检测试剂盒6个（甲霜灵、甲胺磷、毒死脾、对硫磷、2，4－D、百菌清）、胶体金免疫快速检测试纸16个（3,5,6－三氯二吡啶醇、苯菌灵、除草定、丁草胺、毒死蜱、禾草灵、甲草胺、甲萘威、甲霜灵、霜霉威、西玛津、溴苯腈、乙草胺、异丙草胺、异丙甲草胺、莠去津）；研制出兽药残留酶联免疫学检测试剂盒11个（阿维菌素类、克伦特罗、呋喃唑酮代谢产物3－氨基－2－噁唑酮、玉米赤霉醇、氯霉素、磺胺二甲基嘧啶、19－去甲基睾酮、己烯雌酚、己烷雌酚、醋酸甲羟孕酮、金霉素等），其中阿维菌素、磺胺二甲嘧啶和克伦特罗等检测试剂盒已实现产业化，部分替代了进口产品，大幅降低了检测成本，取得了显著的经济效益和社会效益。

### （二）加速了食品安全支撑体系的完善

初步形成了食品安全标准支撑体系，初步建立了国际认可度高的检验检测体系，完善了科学化和制度化的监督监管体系，高效快速的信息预警体系已具雏形，系统规范的安全生产体系初显成效，多层次、多渠道的教育培训体系正在兴起，公众食品安全意识大幅度提高。

### （三）提高了食品安全整体水平

食品安全生产与流通更加规范，食品安全指数进一步提高，应对突发事件能力不断增强。

### （四）创食品企业品牌

支撑了区域重点产业的发展，增强了产业的核心竞争力，培育了一批放心食品企业品牌。

### （五）人才队伍建设

凝聚和造就了学科交叉的科技创新人才队伍、技术过硬的检验检测人才队伍和规范高效的监督管理人才队伍。

### （六）初步构建了食品安全科技创新体系

食品安全公共研发机构不断壮大，企业研发机构初具规模，一批新兴的食品安全学科基地正在形成，初步构建了食品安全科技创新体系。

### （七）促进了食品安全检测和科研机构的发展

有力地推动了地方食品安全科技工作，激发了地方设立食品安全科技专项积极性，加速了地方食品安全检测和科研机构的发展。

### （八）建立了食品安全示范模式

形成了依托超市把关的江苏水果超市、突出投入品控制的陕西洛川苹果、着力全程检疫的福建银祥猪肉、严把出口质量的广东恒兴水产、兼顾种植和加工安全的河南鹤壁小麦、以中介组织为控制主体的山东寿光蔬菜、保障重大活动安全的青岛奥帆餐饮、突出基地选择的浙江龙井茶叶和强化安全控制的北京物流配送等九个各具特色的食品安全示范模式。

专项在实施过程中，突出管理机制创新，强化项目宏观管理，确保管理成效；注重以需求为导向配置科技资源，充分调动部门和地方积极性，保证成果直接服务于食品安全能力建设；着力培育多元化投入体制，引导和汇聚多方资金，形成支撑食品安全科技发展的合力；重视科学普及和宣传，提高公众食品安全意识，扩大食品安全专项成效；整合了多部门科技人才资源，强化部门地方联动，创造食品安全的良好环境；探索了以企业为主体配置科技资源，强化企业科技创新中的主体地位，凸显龙头企业的示范带动作用。

鉴于食品安全科技投入仍显不足，食品安全科技工作仍处于从“被动应付型”向“主动保障型”转变的阶段，建议加强食品安全战略研究，把食品安全科技工作作为“十一五”科技工作的重点，继续设立食品安全重大科技专项，加强食品安全科技创新平台建设，建立食品安全国家重点实验室和食品安全检测工程中心，强化科技对食品安全工作的支撑作用。

# 《中国居民营养与健康状况调查报告之九——行为和生活方式》出版

在卫生部、科技部和国家统计局的共同领导下，卫生部组织各省、自治区、直辖市相关部门于2002年8～12月开展了“中国居民营养与健康状况调查”。通过调查不仅掌握了近十年来我国居民膳食营养状况的变迁状况，而且首次获得了不同地区、不同年龄居民的“食物消费”、“就餐行为”，“吸烟、饮酒、体力活动和锻炼模式”、“营养补充剂的消费”等行为和生活方式现状。

《中国居民营养与健康状况调查系列报告——行为和生活方式》一书是对上述现况资料的翔实分析和描述，其出版发行为政府有关部门制订营养干预措施和相关政策提供了可靠的科学依据，为学术界以及国际社会研究我国居民行为和生活方式提供了详细资料和参考。

根据调查结果分析，发现我国居民中尚存在一些不健康的行为和生活方式。例如，约40%的居民不吃杂粮、16%的人不吃薯类，而粗粮、杂粮及薯类中富含的膳食纤维可降低慢性疾病发生的危险。另外，奶及奶制品、大豆及其制品在我国居民中的消费依然较低，这对于防止骨质疏松，以及贫困地区预防营养不良都极为不利。分析就餐行为时发现，我国居民不吃早餐的比例较高，尤其是城市青年人，而不吃早餐会给身体和工作、学习能力带来极大的危害。还有，我国居民在外就餐的比例接近15%，城市居民在外就餐达26%以上，有研究表明，经常在外就餐有可能会引起体内脂肪含量增加。分析饮酒行为发现，我国女性饮酒率增长很快，与1991年相比增长了73.1%。而有研究显示，过量饮酒的女性其乳腺癌发病率高于不饮酒女性。同时发现，我国居在18岁之前开始饮酒的比例有增加的趋势。研究认为，开始饮酒的年龄越小，发生酒精依赖的可能性越大，以后发生重度饮酒的机会、导致其成年后不良生活习惯的形成以及患各种慢性病的可能性也越大。

分析体力活动模式时发现，我国中小学生课业负担仍然较重，且在业余时间里，每天看电视、上网等久坐多于户外活动。许多成年人也把更多的时间花在了久坐少动的活动上，看电视等是他们闲暇活动时的主要内容，尤其是城市 18 ~ 44 岁的男性。分析锻炼时发现，我国经常锻炼的人群中，中青年人（18 ~ 59 岁）的比例最低，这与西方国家恰恰相反。

# 环境与健康

## 一、室内空气污染评价和控制技术研究取得进展

经过5年的攻关，室内空气重点污染物健康危害评价和控制技术研究取得重大进展。

### （一）建立了室内空气污染评价模式

发明了“固相吸附空气污染物采样器”，并获得国家发明专利，解决了大规模的流行病学调查入户监测的问题；完成了国内最大的室内装修污染对人群健康影响的流行病学调查，其研究的深度和广度是国内首次。通过室内装修后半年内的动态变化规律的流行病学调查研究，提出了单位居住面积上的污染物的装填量、材料的单位装填量每小时污染物挥发量等新概念并进行了理论公式推导和用于流行病学调查数据的统计分析，得出我国居民单位居住面积甲醛、TVOC装填量的分布，总体均值和标准差。得出我国居室使用各种装饰装修材料的综合的单位装填量每小时挥发量的均值和半年内的变化规律，为我国《室内空气质量标准》和材料污染物限量两类标准的统一提供了理论基础和流行病学调查数据。

### （二）多功能空调风管清洗和定量取样机器人系统的研制

研制的多功能空调风管清洗和定量取样机器人系统，可实现在集中空调风管内的全视角观察、清洗、消毒和定量采样，清洗、消毒效果达到国家有关标准和规范的要求，且具有体积小、重量轻、管道内行走灵活稳定、越障能力强、操作方便等特点，整体技术水平处于国际领先。本课题研制的空气净化器采用先进的技术和材料制成，可以有效解决由于家庭装修造

成的室内甲醛、苯系物等污染，可以有效降低空气中细菌的含量，具有噪音低，耗电少，净化效率高等特点。研究成果为提高室内空气质量、预防空气传播性疾病提供重要手段，社会效益明显，已获得二十多项国家专利，2005年被选送参加了“国家十五重大科技成果展”和“国家重大科技创新成就展”。

### （三）室内燃煤空气污染控制技术

针对我国燃煤污染氟中毒地区，当地居民燃用高氟煤污染室内空气和粮食的特点，研究了适合燃煤污染氟中毒地区的燃煤固氟剂，使煤中的氟在燃烧过程中被固定在煤渣中，减少其对室内空气的污染，从而达到预防燃煤所致氟中毒的目的。研究成果已在贵州省燃煤污染氟中毒地区进行中试和推广示范工作。

## 二、空气微生物暴露舱的建立及空气微生物净化装置效果评价研究

借鉴国外先进技术，研制了空气微生物暴露舱，建立了空气微生物净化装置效果评价方法。利用空气微生物暴露舱，对不同类型的空气净化装置空气微生物去除能力进行检测，并通过现场试验对其净化效果进行评价。目前建立的空气微生物气溶胶暴露舱，其结构设计和自动化管理方式居国内领先水平；气溶胶发生和微生物采样装置均为国际领先水平；建立了一套完整的微生物气溶胶发生、采样和培养检测方法，有关微生物遥控采样车技术等已申请国家专利。

## 三、电磁波实验动物暴露系统

完成的《智能化电磁辐射动物暴露系统》可实现915MHz和2450MHz两个频段的电磁波源不同强度0~10毫瓦/平方厘米，其电场强度检测部件实时检测动物实验区的电场强度；安装具有夜视功能的红外摄像部件，与计

算机相连接，随时在计算机显示器上观察暴露舱内被实验动物的生理反映情况，并将图像资料存储在硬盘内以便进行回放观察和分析；系统配备完善的温度和湿度检测部件，观察在不同电场强度下，暴露舱内温度和湿度对动物生理情况的影响；整个实验过程可在计算机的控制和管理下以全自动操作模式完成，同时记录实验中的全部参数和实验波形，以便于数据后处理；系统具备手动操作模式，可在计算机不参与的情况下以手动操作模式完成。该系统经计量院测试，符合 GTEM 暴露系统要求（取得合格证书），并于 2005 年通过了科技部组织的专家现场测试和专家验收论证。

## 四、环境与健康网络建设

围绕环境与健康领域相关研究，开展公共卫生科学数据管理与共享服务化学毒物数据集工作，采用 SQL 建立数据库，制作毒物数据集，以适应科学数据共享平台的要求。建立 3414 种毒物数据库，其信息包括：毒物理化性质、用途、毒性毒理、临床表现、诊断和治疗等。信息量达到 104351 条。

2005 年组建了化妆品皮肤不良反应监测网络。网络由卫生部认定的 13 个化妆品不良反应鉴定机构组成。监测机构每月向环境所报告了化妆品皮肤不良反应病例报告，截至 2006 年 1 月 20 日，各机构共向环境所报告了 1053 例化妆品皮肤不良反应病例和 1037 张图片。

# 西医药学及卫生保健学

# 生命科学与医学研究理念和方法学革命及其影响

## 一、生命科学和医学呼唤革命

### （一）生命科学和医学的迅猛发展及问题

生命科学主要研究生命现象的本质、生命活动的规律及其与环境的关系。现代生命科学的研究进展非常迅速，特别是作为生命科学前沿的分子生物学研究，包括对各种生物分子的结构、功能、特性、机制、生成等许多方面的研究已经十分深入。随着人类基因组计划的完成以及各种相关后续大科学计划的实施，生命科学更是突飞猛进，但是并没有像当初许多科学家所设想或预言的那样，只要搞清了生物的分子或基因，就能揭示生命系统的本质特征和活动规律。现在我们离完全揭示生命的奥秘，阐明许多复杂的生命现象及其活动规律仍然很遥远。人类的活动在很大程度上或在很多方面越来越偏离人类的目标，使生命科学正处在一个新的十字路口，这是为什么？生命科学应当向何处去？

医学作为生命科学的一个非常重要或许是最重要的部分，也是生命科学最主要的应用和实践领域，在生命科学迅猛发展的基础上，人们对人体和疾病在分子水平的认识以前所未有的速度向前发展，以分子诊断和分子治疗为主要内容的分子医学不仅应运而生，而且很快应用到医学的各个领域中去。为了战胜疾病，各种新方法、新技术、新设备、新药不断开展出来，并且得到越来越广泛的应用，诊断、治疗、抢救的水平有了极大的提高。目前医学科技还处在这样一个十分有利的地位上，即医学科技已经成为众多学科的交汇中心和众多高新技术的用武之地，孕含着许多新学科的生长点和新技术的突破口。不仅生命科学向医学倾斜，医学生物技术占了整个生物技术的70%以上，而且连物理学、化学这些学科也一直在向医学倾斜，甚至连地球科学和天文科学也越来越关注与医学有关研究。然而，人类的身心疾病负担不断加重，在发展中国家传染性疾病和营养性疾病仍在蔓延，慢性非传染性疾病也开始快速增加；在发达国家，慢性非传染性疾病，包括许多代谢性疾病，有增无已，人口老化及相关疾病已成为严重的医学和社会问题；新发传染病威胁着世界所有国家。由于疾病的大量增加，高新技术设备和新药的大量应用；加上大量非必须医疗的存在，不仅造成医疗卫生费用急剧上涨，使各国政府和国民不堪其重负，而且带来新的疾病和医疗困难。我们仍然面临着众多的医学难题。严峻和医疗卫生形势把医学逼到了一个新的十字路口，医学向何处去？医学的出路在哪里？

要回答上述这些问题，还得从生命科学和医学说起。特别是作为其带头学科的分子生物学和分子医学的现有本质特征

## （二）分子生物学和医学的科学特性

分子生物学的诞生引起了生命科学的一场大革命，并使生命科学逐步成为当代科学的中心。依靠强有国的还原分析手段，生命科学和医学不断深入，特别是在分子和基因水平上突飞猛进，对生命现象和疾病现象的物质基础及其特性的认识，特别是对生物基因组（包括人类基因组）结构和功能的认识，日新月异，并开创了“他子医学“的新时代。但不论分子生物学和分子医学如何发展，它基本上仍然是一种以还原分析和线性思维为基础的科学，说到底它依然是一种简单科学。生命现象是一种复杂的宏观存在，与其周围各层次环境有着错综复杂的不可分割的联系，而对于作为多层次全时空开放性复杂系统的生命系统来说，简单科学难以阐明并不存在于各个组成成分之中的系统特性和整体行为规律，即所谓“涌现”现象。我们不仅对许多错综复杂的生命现象和疾病现象及其发生、发展变化和转归的规律仍然缺少认识，就是在分子和细胞水平上，对一个细胞内大量分子交互构成的立体网络及共交会式和发散式的相互作用方式、机制和规律以及与疾病有关的大量分子事件的发生发展和错综复杂的相互联系，我们

也知之甚少。而这些问题都不是依靠简单科学就能解决的。

### （三）简单科学的局限性

还原分析和线性思维是推动生命科学技术和医学科学技术不断深入发展的强大武器，特别是在认识生命现象和疾病现象的物质基础及其基本特性方面发挥了不可替代的重要作用，但其局限性也是显而易见的，它在认识论方面认为生命是一种线性复合体，可分解为元素及其联系，从低层次的结构和功能可以推及高层次的结构和功能，从组成分子可以推及细胞和个体，从而解释生命现象；在本体论方面它认为生命与非生命都遵循统一的物理化学规律，只是结构复杂程度不同，并无本质区别。这种简单、机械、形而上学的研究理念和方法束缚了对各种复杂的生命系统和疾病现象的认识。

### （四）生命科学和医学需要新思维新方法

作为量子论创始人之一的N·玻尔1932年在其“生命和光”一文中指出：“当生物学应用了新的概念和新的研究方法时，就能上升到新的认识水平。”七十多年的研究和实践充分证实了玻尔的论断。现在，生命科学和医学研究已经到了迫切需要新思维和新方法的时候。这种新思维新方法概括起来就是：综合，整合，组合，系统，整体，立体，动态，复杂，演化，模拟，计算，网络，统一，全方位，非线性，人文化……

## 二、生命科学技术和医学科学技术发展回顾

大约在1900年左右，生物学成为一门统一的科学。此后，根据其发展，笔者将其划分为三个科学发展高峰（中间有一个积累和深化时期）和两个技术飞跃时期，并把医学在各个时期的相应发展也略加介绍，但以生物学的发展为主线。

### （一）第一个科学发展高峰

19世纪中叶从1839年到1866年的大约30年间，施（施旺、施来登）氏细胞论（1839）、达尔文进化论（1859）和孟德尔经典遗传学（1866）的创立奠定了现代生命科学发展的三大基石，确定了现代生命科学从遗传因子（基因）到生态系统的基本框架。进化论被评为人类最伟大的科学思想之一。我们可以这样说，生命科学研究迄今基本上仍然在这个框架内进行。

医学在经历了史前神医不分和巫医不分的原始发展阶段，公元前后的古典兴旺时期、中世纪的黑暗年代、文艺复兴时期及其后的恢复和发展之后，特别是在解剖学和生理学研究的强力推动下，加上定是实验方法的引用，到了这一时期前后，已处于生物医学的发展时期，从整体水平进入器官水平，并向细胞水平前进。

### （二）科学积累和深化时期

这一时期从19世纪后叶直至20世纪前叶。其间摩尔根等创立的基因论（又称染色体遗传学或细胞遗传学），与量子论、相对论和信息论并称为20世纪的四大科学理论突破。随着生物化学的快速发展的X射线衍射等技术的应用，人们对蛋白质和核酸的化学组成结构和三维结构的分析以得重要进展。这一期间薛定锷发表的论著《生命是什么?》对后来生命科学的研究产生了巨大的影响。确定DNA作为遗传物质载体的功能也是这一时期的重大成就。

微生物特别是一系列病原微生物及其免疫防御方法的发现，细菌学和微生物学的创立，流行病学，免疫学和药物学方面的突破为战胜多种传染性疾病奠定了基础。

### （三）第二个科学发展高峰

20世纪中叶，生命科学进入一个新的突飞猛进时期，连续取得三大理论突破：阐明DNA双螺旋结构、确立遗传中心法则和破译（指导蛋白质合成的）全部遗传密码，分子生物学诞生，并很快渗透到生命科学和医学的各个领域，使其进入了在分子水平和遗传水平统一的发展新阶段。

医学在这一时期逐步建立起现代流行病学、病因学、临床医学、预防医学、基础医学等学科的理论构架，随着疾病谱和死因谱的变化，医学模式发生革命，由生物医学进入社会－心理－生物医学，医学获得更加广阔的发展空间。

### （四）第三个科学发展高峰

从20世纪末期至今，在生殖机制、生命机制、智能机制、各种组学（基因组学、蛋白组学、RNA组学、后基因组学等）研究等方面连续取得突破。分子医学理论不断完善。各种新的医学理念不断出现。医学模式又发生新的革命，由社会－心理－生物医学时代进入生物－环境－社会－心理－工程医学全方位多层次发展的新时代。

### （五）第一个技术飞跃时期

20世纪50年代至80年代，生物技术出现第一次飞跃：人工合成生物大分子蛋白质、DNA（片段）、RNA；确立肌红蛋白和血红蛋白的立体结构；发现一系列工具酶及细菌质粒等基因载体；创立DNA重组技术（基因工程）、单克隆抗体技术（单抗技术）及多聚酶链反应（PCR）技术；各种移植技术和试管婴儿技术获得成功等等。其中最重要的是基因工程和单抗技术。

各种医学影像技术特别是计算机的影像技术（计算机断层扫描技术）开始广泛应用，各类现代诊断和治疗技术手段走向成熟。

### （六）第二个技术飞跃时期

20世纪90年代以来，第二次飞跃主要表现为基因治疗（上千种计划，上百种基因，上百种疾病）、体细胞克隆（体细胞核移植）、干细胞（胚胎全能、成体多能干细胞）技术、组织工程、生物芯片（基因、蛋白、细胞、组织、神经芯片）、组合化学及高通量技术、RNA干扰技术、纳米技术等。

医学上各种分子诊断治疗技术、功能影像技术、介入技术、生物治疗技术、生物工程技术、生物芯片技术等得到广泛应用。组织工程技术、干细胞技术、纳米技术、生物微系统技术等开始医学应用。

## 三、研究理念上的革命

### （一）系统科学观念形成

**1. 形成背景** 确认世界由物质、能量和信息三大基本要素构成，科学就是研究这三大要素的本质特征及其各层次的运动（机械、物理、化学、生物和社会运动）规律，并形成认识对象是统一整体、所有科学是一个内在的统一体、各个学科都是不可分割的连续链条的基本理念。

**2. 观念转变** 从传统的以物质和能量为中心，以逻辑实证主义和技术功利主义（工具主义）为基础，自然、社会与思维分离的分隔式传统科学观念转变为以物质、能量和信息为中心，以科学和人文相结合为标志、将逻辑实证主义和技术功利主义与思想性、创造性、文化性和精神性相结合的整体性系统科学观念。

**3. 作用意义** 系统科学观念使科学发展进入一个新阶段：科学与人文结合，宏观与微观结合，统一认识对象，加强系统综合，理解整体特性，认识复杂系统，解决复杂问题。

### （二）研究思路趋向综合

1. 还原分析（部分、微观）与系统综合（整体、宏观）相结合。

2. 生命科学与数学、信息科学相结合以及生命科学研究与生物技术开发相结合。

3. 遗传、环境与机能相结合。

4. 生物结构特性与功能机制相结合。

5. 向着系统科学、复杂科学、立体研究发展。

## （三）研究内容趋向统一

1．自然、社会与智能统一，生物世界与物理世界统一以及精神与物质统一。

2．遗传、发育、进化统一，代谢、神经、免疫、内分泌统一以及发育、生长、衰亡统一。

3．要素、系统、整体统一以及分子一级、二级、三级结构功能统一。

4．分子、细胞、个体、群体、群落不同层次与整个生态系统统一。

## （四）传统理论受到挑战

**1．挑战生命起源和演化** 特别是挑战达尔文渐进式进化论：①周期性（平均每隔6200万年）循环爆发的生物种群大灭绝大复苏；②表明各种生命形式可以同时通过爆炸的方式产生、生物可以跳跃性或爆发式进化、现代生命形式源于寒武纪“生命大爆炸”的中国澄江寒武纪生物多样性化石群的发现；③进化机制的多样性（基因爆炸式突变、原位或衔接重复、重组、易位、转移、交换等）；④古核生物和极端生物较普遍的存在；⑤人工组装生命的成功等等。

**2．挑战人类生殖理论** ①混合遗传婴儿（卵质移植）诞生；②婴儿筛选设计（抗癌婴儿）；③体细胞核移植克隆胚胎与个体成功；④单亲（单性）无性生殖技术出现；⑤芯片孕胚（多胚程序共培）；⑥控制生育调控基因；⑦异种克隆人类胚胎（人兔）；⑧卵细胞刺激法克隆人胚胎。

**3．挑战两界生物理论** 古核生物的发现使生物界由原来的原核生物和真核生物两界转变为原核生物、古核生物和真核生物三界。

**4．挑战生命机制** 古核生物和极端生物通常生活在缺氧或无氧、无光、高温或超高温、高压或超高压、高盐、高pH值、超强磁场或超强辐射的环境下，既无氧化作用，也无光合作用。

**5．其他挑战** 包括挑战遗传中心法则（蛋白质折叠病、RNA干扰作用等）和遗传编码理论（新发现两种氨基酸：硒胱氨酸、吡咯赖氨酸）。

## （五）几大主流观念兴起

1. **系统观念** 系统是由若干互联互作要素组成、具有一定结构功能之有机整体，具有整体性、层次性、稳定性、适应性、历时性等基本特性。其核心思想是整体大于部分之和，系统特性和规律不在成分，成分特性和功能也不在自身，成分叠加不反映系统行为，成分小变可致系统巨变（如病毒微变可致千万人丧生）。如同了解了空气和海洋组成分子的结构和功能不能准确长期预测预报天气一样，了解了全部基因和蛋白也无法解释生命系统的本质和规律（包括系统构成、结构动力学、运行原理、控制、设计、模拟等）；必须采用系统性整体性研究手段才能揭示生命本质、活动规律及其与环境的关系。这一观念引发生命科学从分子，线性，二维，还原，实证研究到系统，非线性，立体化网络，综合、整合、组合以及计算与模拟等一系列革命。

2. **复杂观念** 生物复杂性表现为：多层次交叉联系，相应的时空尺度，非线性网络作用，特定演化模式、秩序、节律，简单与复杂互寓，统一与差异并存，精神与物质互作，自组织 - 自适应 - 自调节 - 自修正（以新性质新功能适应环境，适应造就复杂），全时空开放性，复杂性没有穷尽（如基因组、蛋白组、代谢组、神经组）。要求以系统、整体、动态、复杂、演化的观念，从不同层次和时空尺度研究复杂的生命系统现象。

3. **统一观念** 世间万物是一个互相联系互相作用的统一整体，也就是中国古代哲学中所说的“天人合一，天人感应”，作为其中一个组成部分的生态系统及其各个物种也是一个互相作用的统一整体：自然、社会、思维统一，遗传、环境、机能统一，遗传、发育、进化统一，生物、社会 智能统一，精神与物质统一，生物与非生物统一。生态统一和平衡是所有物种生存的前提。没有统一观念就不能了解整体特性和规律。

4. **生命伦理观念** 生命科学的发展深刻影响到人生观、价值观以及伦理观。生命伦理已成为科学界和全社会的热门话题。生态伦理强调生态环境是所有物种生存条件，人类生态活动有关利害涉及到他人、全人类、后代及其他物种，其核心内容包含人类生态活动的科学指导原则、保护生态平衡及其生物多样性、保护自然资源及其合理分配利用等；医学伦理涉及医患关系、病人权益（包括知情同意、知情选择、临终关怀、人格尊严）、人文关爱、人体实验、器官移植、自杀抢救、安乐死、生存价值、人工流产和胎儿研究、卫生保健、公正就医等等；基因伦理、体细胞克隆伦理、生殖伦理以及人口伦理等等也都引起了热烈的讨论。值得提出的是，我们既要重视伦理观念的严肃性和约束性，也要重视伦理观念的反映性和发展性。上层建筑是经济基础的反映，一旦确立之后会对经济基础产生强大的反作用力，对经济基础的发展具有重要的指导和推动作用，但也要随着经济基础的发展而发展，当旧的上层建筑不能反映、不能适应、不能指导、不能推动经济基础发展时，就必须进行改革或革命，以反映和适应新的经济基础或经济基础的新发展。伦理（包括生命伦理）属于上层建筑，也要反映和适应经济基础的新发展（包括第一生产力科学技术的最新发明创造），而不能一味地套用旧有的甚至过时的伦理观念去评判、约束甚至反对新生事物。当前主要的倾向是人们习惯于应用传统的伦理观念去衡量和评判新生事物包括科学技术的最新创造发明，面对新生事物如试管婴儿、基因组研究、特别是体细胞克隆研究都曾表现得或正在表现得惊慌失措，而对于伦理如何随着经济基础（包括科学技术）的发展而发展，以更好地反映、适应和推动新生事物的发展则缺少深刻的思考。所谓“双面刃”的“理论”被人们用烂。按照这一理论，连吃饭喝水、走路、上厕所等等都有“双面刃”，更不用说一把菜刀、水果刀，一颗钉了，一条普通的绳索了。语言，什么阶级说什么话，什么人说什么话，人民可以用它来进行交流，促进生产、生活、社会的发展，坏人、敌人也可以用它来进行蒙骗、欺诈、加害于人民，是不是语言也是“双面刃”呢？实际上语言是没有阶段性的，没有什么“双面性”或“多刃性”。

**5．生态观念** 自然生态系统为一统一整体，生态过程约束和联系着整个生命体系，所有物种或种群体系（包括人类社会、蜜蜂社会、蚂蚁社会等等）都不过是其中的一个组成部分，既不能独立于其外，也不能凌驾于其上。他们之间相互依存、作用和影响，物质、能量和信息交换时刻不停，构成人类生存、发展与享受的基础与前提。人类同样不能超越与凌驾于其上或独立于其外，不能主宰、征服、掠夺、污染和破坏它，人类健康有赖生态平衡与健康，人与各种物种健康互为条件，病毒与宿主经过长期反复选择与磨合，最终达到协同进化的相对平衡状态，一旦失衡病毒便会蔓延，造成疾病横行，环境污染与生态破坏灾患无穷，威胁人类生存、发展和享受。

6. **全新医学观念**　医学观念逐步从单纯的救死扶伤、疾病防治发展到医疗保健和卫生保健，出现各种大卫生、大医学、大预防、大健康观点，研究范围逐步从人体自身扩大到环境、社会、心理、行为等方面。社会心理医学重视社会、心理和精神因素对健康和疾病的影响，强调从社会、心理、精神和伦理的角度来认识医学问题和进行医疗保健；循证医学（开始只是用来指导学生阅读和解释、评价医学文献的一种方法）强调以多中心、大样本、随机、对照试验经荟萃分析（META - analysis）和系统评价(SystemeticReview）获得的可靠证据（共性，普遍性）为依据来进行临床决策，又有人甚至把它扩大到一切医疗卫生决策。这无疑有助于使医学从经验走向科学。但是，这种“证（据）”只不过是经过多中心大样本随机对照试验检验的具有“明确共性”或“普遍适用性”的可供选择的某种“方案”、“策略”、“措施”或“办法”等，如果仅仅凭这种“证”来进行临床决策，甚至一切医疗卫生决策，虽然比仅凭个人经验随意选择未经上述试验检验的不同人有不同判断和评价的现成“方案”、“策略”、“措施”或“办法”等要科学得多，但是，这种决策显然违背了决策必须依据两个不可或缺的要素即事实要素和价值要素来进行的原则，而且当一种新的传染病开始爆发流行时，在最初进行应对决策时也是没有这种“证”可循的至多借他“证”“来循”。所谓“事实要素”主要是指每个个别病人自身及其疾病的特定的具体和总体状况以及其他各种相关情况或影响因素；所谓“价值要素”主要是指医生和病人乃至国家、社会的行为准则、价值观念、道德规范和取舍原则，包括医生个人的经验、智慧、分析判断能力、创造性思维和选择倾向，病人的科学文化水平和素养、个人意愿、知情选择和取舍价值观以及相关的经济、人文、信仰、伦理、道德观念等等，一种能够救活一个病人、甚至只是暂时道义性维持一个临终病人的生命或者只是维持一个无意义的生命、但要花费 10 个人、100 个人、1000 个人甚至更多人的医疗费用、因而可能造成更多人死亡的医疗方案，即使经过了再多中心和再大样本的随机对照试验的可靠检验，是否使用也是值得商榷的。因此，这种决策虽然强调了共性和普遍性，但显然忽视了个性和特殊性（个体化、个性化）以及人性（人性化、人文化），忽视了医生个人的技术、经验、智慧和才能，忽视了病人在这种决策中的作用，这显然有违以人为本的人性化社会和针对每个个人特定情况的个体化医疗的发展方向。虽然有人在文章中也说到除了这种“证”，还要加上医生的经验和病人的选择意愿，但这不是循证医学自身本来意义上所具有的内涵。而且往往也只体现在“证”的产和过程中，而不是体现在“证”的应用过程邓“循证”过程中。由上可见，必须建立新的医学决策观念，即除了循证医学所指的科学证据之外，首先要具体分析具体病人的具体情况（包括病人自身的遗传背景、机能状况、疾病状况，甚至包括每个人的基因版本、基因变化等等）（个体化），还要结合医生本人的经验、智慧、才能、对病人情况的分析判断能力、创造性思维能力以及选择标准，患者的个人意愿和知情选择（人性化），最后根据对病人特定情况和综合情况的分析结果，有针对性地选择上述科学证据来进行疾病防治和卫生保健决策，可见循证医掌握 讲的“循证”决策充其量只是整个决策过程中的一个环节，一个阶段，即方案选择环节或阶段，而不是决策的全部，不代表决策的全部过程。而在无“证”可循或者有“证”难依的情况下，则直接进行个体化或个别化的医疗卫生决策，从而使医学决策更加科学化、个体化和人性化；保护或平衡医学强调从认识和保护整个生态系统及其各个物种健康的上游高度来认识和保护人类的健康；（自然）生态医学反对单纯的对抗性攻击性单一性治疗，强调更多地运用自然法则和生态原理（包括统一、平衡、协调、整体调节、自组织、自适应、自调节、自修复等）来进行医疗保健，各种中医疗法、天然（自然）疗法、替代疗法和顺势疗法等等受到特殊重视。虽然世界卫生组织早在 1948 年成立时就在其《宪章》中开宗明义地提出了一个十分超前和富有远见卓识的健康概念，即健康不仅系没有疾病和羸弱，而且系身体和精神健全及其与社会的和谐完满状态，但直到半个世纪后才逐步被人们所认识和实践。根据世界卫生组织这一已有近60年历史的超前健康概念和几十年来人类社会的发展，特别是今天建立和谐社会的需要，我觉得有必要提出并实践“身心健全、无病无弱、社会适应、环境和谐”的全新健康观念，并把它作为人类健康的最高目标。

## （六）医学模式发生最新革命

医学模式是医学观念和实践方式的概括和总结。1977年恩格尔鉴于人类疾病谱和死因谱的变化（许多传染性疾病被控制，而主要与生活方式及社会、心理、行为因素有关的非传染性疾病越来越多），指出仅靠生物因素（可测生物变量）说明疾病是不够的，强调了心理、社会、行为因素对健康和疾病的影响，提出“社会-心理-生物医学模式”，对丰满和发展医学理论和实践起到了十分重要的作用。但是，近30年的理论研究和大量实践已经充分证实，这一医学模式在理论上忽视了环境的根本条件作用，在实践上忽视了环境变化和技术进步对维护健康和防治疾病的重要影响。生命的发生、发展、演化、繁衍，人的个体发生、发育、生长、健康、亚健康、疾病、衰老、死亡，疾病的发生、发展、转归，或者，简单地说，人的生老病死，都是遗传因素、环境因素和机能状态相互作用、协调和平衡的结果。有人鉴于有越来越多的证据表明人生老病死和举止行为等等都与基因有关，因而强调“基因决定论”，反对“环境决定论”；有人鉴于环境对人后天发展的巨大影响而强调“环境决定论”，反对“基因决定论”。基实这两种“论”都是不全面的。

正如再合适的温度也不能使石头变成小鸡，因为缺乏这种变化的内在根据（内因），这时内因起决定作用，同样，没有合适的温度再好的鸡蛋也变不成小鸡，因为缺乏这种变化的外在条件（外因），这时外因起决定作用。遗传是内因，是生物发生发展变化的根据，环境是外因，是变化的条件，恩格尔只强调了人是以生物人为基础的心理人和社会人的统一体，但忽略了一切生物（包括人）都是环境的产物，他们的发生、发展、演化（进化、变异、繁衍等等）、转归也都依赖于环境，受环境的制约。机能状态包括代谢、神经、免疫、内分泌等机能涉及内外因。我们不可能离开环境来谈生命现象和疾病现象。长期以来，大量的事实和研究结果都已证实，自然生态环境及其变化与人类的生存和健康息息相关，天体变化、气候变迁、环境恶化和生态破坏（包括水、土、气、岩、生物污染以及酸雨频发、水土流失、植被破坏、湿地减少、荒漠化等等）正在严重危害人类的健康和生命，是许多疾病发生的重要原因。另外，从理论上来讲，生产力是一切社会发展的最终的决定力量，作为第一生产力的科学技术当然是这种决定力量的重要组成部分，因而被马克思和恩格斯称为“历史上最革命的力量”和“最高意义上的革命力量”，对社会、经济乃至医疗卫生等等事业的发展具有决定性的作用或最终的决定作用。因此科学技术对医疗卫生事业、对集中反映每个时代医学观念及其实践方式的医学模式自然也就具有某种决定性的作用或影响。由此得出的结论是：科学或技术或者科学技术是医疗卫生事业的重要决定和影响因素，在谈论医学和医学模式时不能忽视、无视科学和技术的作用和影响，甚至是决定性的作用和影响。而从实践上来看，事实证明，生命科学和医学的研究，包括以人类基因组学为代表的各种组学的研究以及人体生理、病理研究，疾病发生、发展、转归规律和机制的研究，等等，没有由各种有关技术有机组成的技术平台的支撑是难以想象的，在临床上更是如此，以现代科学成就为基础的新技术新方法的新设备研发和应用是提高临床诊断、治疗水平的关键性甚至是决定性因素。生物工程、生物医学工程、移植工程和医学工程已成为医疗的四大技术支撑。许多最新的医疗方法也越来越多地应用工程学的原理和系列化集成化的技术，如现代放射治疗、介入治疗、胎儿体外手术治疗、试管婴儿以及基因（基因治疗）、分子、细胞、组织、器官水平的移植、替代治疗（包括组织工程）等等更是依赖于一整套序列化、系统化和工程化的技术。医疗过程越来越工程化，工程化的技术对医疗及至健康的影响越来越大。从根本上来讲，我们已经不可能离开科学和技术的进步来谈论医疗水平的提高。社会－心理－生物医学模式在理论上和实践上的这些缺陷显然不利于对复杂的医学问题开展全方位的系统的、多层次的和整体性的研究，因而导致了新的医学模式革命，产生最新的医学模式：生物－环境－社会－心理－工程医学，其内涵包括了影响和决定健康与疾病的所有主要因素（遗传、环境、机能；社会、心理、行为；经济、科技、人文等），从而使医学科学研究向着全方位、整体化、系统化、多视角、多层次的方向发展，为认识复杂的生命和疾病现象、解决复杂的生命和疾病问题奠定了基础。

### （七）突破几大科学界限

**1. 生物和非生物的界限** 脑电芯片代替海马，脑电芯片支配行为（意念移动假肢、鼠标）。

**2. 精神和物质间的界限** 意识流是生物机制控制下的物质流，记忆是有形的存在。

**3. 人与非人动物的界限** 人兔卵细胞融合胚胎，异种之间的器官移植。

**4. 人工生命正取得突破** 人工合成生物大分子及个别大分子体系和人工组装生命（支原体）均获成功。

### （八）某些发展规律探索

**1. “简单”科学上升到“复杂”科学** 以还原分析和线性思维为基础的分子生物学作为一种简单科学难以完全揭示生命奥秘，在系统水平解释整体特性和规律，为研究整体“涌现”现象（不存在于部分之中的整体特性和规律）等复杂性行为，“复杂”性生命科学于是开始应运而生：功能基因组学、蛋白质组学、RNA组学、数学、系统、整合、统一、复杂生物学等。

**2. 理论以渐变方式发展** 不存在新旧范式交替式革命。以基因理论发展为例：从基因是最小遗传单位，呈线性排列，到基因序列、位置固定，一个基因一种蛋白质，到基因移动（跳跃基因，转座子），再到基因不连续（插有非编码序列），直到基因多版本多产物，整整一世纪，尽管一次次补充和修改，但无一种新范式（理论）取代它。

**3. 理论以互补方式发展** 新理论一般不是证伪和抛弃原理论，而是补充和丰富原理论。不存在“范式”和“大统一理论”。一种理论仅解释一部分生命现象，各种理论相结合才达到完整全面。如在遗传学领域，孟德尔-摩尔根遗传理论解释非连续性性状，数量遗传学解释连续性性状，渐成论研究、说明修饰性遗传现象。

## 四、研究方法学的革命

在生命科学和医学的发展过程中，研究方法学的变革起了巨大的推动作用。没有研究方法和技术的不断进步，生命科学和医学就不可能取得如此巨大的成就。某些方法和技术的创立和应用/引用甚至这来生命科学医学的飞跃发展，例如解剖技术、显微技术、基因工程技术、体细胞克隆技术、干细胞和组织工程技术等都曾引起生命科学研究方法学的革命，使生命科学研究一次获得突破性进展。当今的生命科学和医学，由于在整体和系统水平上多层次全方位研究复杂生命现象有和疾病现象的需要，在系统科学和复杂科学的强大推动下，无论在细胞水平以上的宏观层次上，还是在细胞及细胞水平以下的微观层次上，都需要在研究方法学上发生新的革命，并且已经或正在发生这种革命。

### （一）研究方法技术主要倾向

1．整体、系统、复杂、动态、演化技术方法，包括全组化（如全基因组化）技术方法。

2．网络化、平台化成套技术方法以及自动化、智能化技术方法。

3．大规模计算和模拟技术方法以及大规模高通量检测、合成、筛选技术。

4．基因、分子、细胞到整体水平的再生、克隆、重建、转基因、替代、修补、重育技术方法。

5．生物微系统、微制造、微机械、微监测、微诊疗技术方法，包括有关纳米技术方法；

### （二）系统分析方法迅速兴起

**1．系统分析要求** 全面收集关于要素和系统的的定量数据，包括要素特性、构成原理、结构动力、运作机制、要素构成和网络结构、整体特性和功能；建立大规模精确检测方法和技术；建立大规模综合性基因、生化调节网络数据库；建立、调节和修正各类模型；以系统生物学语言（SBML）和细胞语言（CellML）为定义标准，建立可交换的 XML 计算机可读模型，提供一个模块化开放源软件框架。

**2. 系统分析内容** 要素特性和网络结构、稳态和动态分析、预测未知的相互作用和复杂行为及其对复杂的反应、线路分析和比较研究。

**3. 系统分析技术** 大规模计算方法和软件程序包、大规模多指标（高通量）测量技术工艺、代谢分析、敏感性分析、相图分析、分歧分析、聚类分析、通量平衡分析等。

## （三）计算模拟渐成基本手段

**1. 生命科学研究手段发生重大转变** 从以实证研究和观察为主到以计算和模拟为主。

**2. 数学和计算广泛应用于研究** 数学和计算机已成研究方法支柱，如文特尔在 2 年内经 480 亿次计算完成 4 个完整 DNA 的测序。建模过程中更需要大量的计算。

**3. 模型建立已成为基本的手段** 假设驱动 - 模型设计 - 干湿试验 - 调整修正。

## （四）生物信息学是核心方法

**1. 基本认识** 生物信息学是生物、信息、数学、物理、化学等多学科交汇形成、并被认为是最具发展前途的新兴学科，其范围覆盖基因组等信息处理和研究的全部，包括生物信息的获取、处理、存贮和检索以及生物信息的分配、计算、分析、比较、解释。

**2. 三个重要内容** 基因组信息学（基因信息分析、遗传语言破译、寻找编码区域、阐明非编码区实质）、蛋白组信息学（蛋白质折叠模拟、结构分析和预测、独立和协同功能分析与确定）、药物分子信息学（药物作用靶分子结构分析与模拟、新药分子设计和开发）。

三者关系：基因组信息学是源头和基础，三者紧系中心法则，有机联成一体。

**3．目标** 阐明发育进化规律、遗传语言、信息复杂性。

**4．未来发展** 计算机测序（开发大型软件计算测序）、计算机模拟（蛋白质折叠过程、全基因组全蛋白组网络互作图象、细胞及整个机体内基因、蛋白互作情景、细胞及机体内生化代谢过程、生命起源与演化过程）、计算机设计（药物、胚胎、物种）。

## （五）网络化平台化技术方法

**1．基因组学研究技术平台** 在人及近70种生物全基因组测序和各种相关基因图谱完成后开始了功能基因组学（基因功能鉴定）研究，侧重于多基因多蛋白以至全基因组和全蛋白组网络结构和动态功能的研究。主要研究内容包括基因功能发现、表达分析、突变检测等。主要技术手段包括经典方法如减法杂交、差示筛选、cDNA代表差异分析、mRNA差异显示等技术和新兴技术如基因表达分析系统、cDNA微阵列和DNA芯片等技术。

**2．生物芯片研究技术平台** 物理、化学、生物高新技术相互交融，包括：离体操作芯片，如分子（DNA、RNA、蛋白）、细胞、组织芯片；生殖芯片如多胚共培芯片；活体功能芯片，如神经功能芯片，可以代替海马功能，操作假肢和鼠标；全组检测芯片，如酵母全基因组、蛋白组芯片；活体功能组件，活体功能芯片与纳米技术结合形成活体功能组件。

**3．干细胞生物学研究平台** 关键技术包括永葆青春态的保管培养技术；定向分化成细胞、组织、器官的技术；功能细胞、组织、器官培养、发育、移植、替代和修补技术以及良种选育和繁殖技术等。

**4．药物筛选技术平台** 以机制为基础的药物研发：功能基因－蛋白结构－作用机制－靶点，筛选－分子设计－先导化合物－组合合成－高通量筛选－鉴别药效－预测毒副作用－多重药物系统：（多点多向调节，最大限度减轻毒副作用）。

**5．神经生物学平台** 包括认识脑（智能本质、起源、演化）、保护脑（认识、预防、控制脑部疾病）、开发及模拟脑（高级智能计算机、机器人）和优化脑的高新技术，以便从分子、细胞、回路、网络水平解析高级神经智能活动的本质、原理、规律，包括感觉、知觉、意识、思维、判断、推理、动作、行为，例如脑神经细胞的群体振荡、交会作用及发散作用；开发脑－机链接芯片与接口软件，研制智能计算机，仿脑及脑用软件与装置，例如仿脑信息产生和处理系统，人类思想、意识、智能、感情、行为识别系统；

### （六）克隆再生重建重育技术

1. **克隆** 细胞、组织、器官、个体。

2. **再生** 基因、分子、细胞、组织、器官水平再生、替代、修补和调整。

3. **重建** 细胞、组织、器官。

4. **重育** 启动发育机制，重新发育组织和器官。

## 五、革命所产生的影响

### （一）对科学的影响

1. **对整个科学的影响** 促进科学向进系统、复杂、整合、统一的方向发展。

2. **对生命科学的影响** 由还原分析向系统、复杂、整合、统一方向转变，由二维和线性思维向立体、网络、全息、非线性思维转变。

3. **对医学科学的影响** 引起医学模式再次革命，产生生物－环境－社会－心理－工程医学，创立再生、生态、整体、保护、平衡医学等最新医学观念和学科，并重新认识中西医，建立统一医学。

4. **对其他多个科学也必将产生重要影响**。

### （二）对技术的影响

1. **促进技术融合** 例如生物－信息－纳米－认知四大技术会聚（BINC）以及用于系统生物学和系统医学等研究的整体性技术（如将全面信

息的检测、收集、处理、分析、比较、分配、组合、整合、计算、模建等等融为一体)。

**2. 催生新兴技术群** 医药生物技术、农业生物技术、环保生物技术、生物信息技术、食品工业技术、微型制造技术、生物功能和过程数字化技术(视觉、听觉、嗅觉、味觉),具体如:生物工程、生物芯片、生物传感、体细胞克隆、转基因、干细胞、纳米、分子设计与模拟、高通量筛选、组合生物合成、生物微系统技术、生物材料等等。

### (三)对社会的影响

**1. 观念改变** 世界观、人生观、价值观、伦理观改变,以人为本,全面、协调、可持续发展。

**2. 行为改变** 生产、生活、学习、交往、思维方式改变,追求身心健康、无病无弱、社会适应、环境和谐。

**3. 地位改变** 建立人与自然的和谐关系:从以自我为中心,把自己看成是万物主宰,到把自己看成是整个生态系统平等的一员和组成部分,从战胜自然和征服自然转变为保护自然,保护生态。

**4. 社会改变** 遵循生态原理:自组织、自适应、自调节、自修复;运用自然法则:天人合一、天人感应、阴阳平衡、五行顺畅。

### (四)对经济的影响

**1. 专家预测** 信息技术将全面普及,趋于常规,芯片集成度趋于极限,开发动力减小,生物经济时代将于20年后到来,渗透到人类生产生活各个方面,医药、保健、农业、食品行业率先改变内外部环境和人类自身能力,潜力巨大,将加速发展,成为经济主力。

**2. 催生新兴产业群** 医药、保健、农业、环保、食品、制造等行业。

**3. 调整产业结构** 由高投入、高消耗、高污染、低产出的传统粗放型产业结构向以生物技术为主要代表的低投入、低消耗、低污染、高产出的节约型产业结构转变。

**4. 生命科学对经济的贡献** 根据美国兰德公司研究,抛开生物技术产业等等不谈，仅仅预期寿命的延长就使美国增加了57万亿美元财富，6倍于美国20世纪80～90年代的年GDP。另外，治愈心脏病可增加48万亿美元财富，治愈癌症可增加47亿万美元。20%的治愈率也可增加10万亿美元，相当于美国现在一年的GDP。即使考虑到长寿系多因素贡献：10%的治愈率也可增加4800亿美元。

**5. 生物经济与信息经济发展比较** 20世纪10年代至40年代：信息经济处于孕育期（信息论和计算机诞生），而现代生物经济尚无踪影；50年代至80年代：信息经济进入生长期（半导体、微电子、硬软件），生物经济开始孕育期（确定DNA结构、基因重组和人工合成）；20世纪90年代至21世纪20年代：信息经济进入成熟期（网络、网格、智能化），生物经济进入生长期（生物功能和过程工程化及数字化）；30年代至60年代：信息经济进入衰退期（廉价芯片、无线通讯无所不在），生物经济进入成熟期（技术和产品扩大到所有行业）；21世纪70年代至22世纪10年代：信息经济基本过去，生物经济进入衰退期。或许不到此时，早有新的经济形式出现。

## 六、未来生命科学技术展望

### （一）研究方式主要趋势

科学和人文结合、成分与系统结合、部分与整体结合、宏观与微观结合、还原与综合结合、结构与功能结合、机制与动力结合、生物与信息结合、生物与数学结合。

### （二）研究内容发展趋势

**1. 总体预测** 科学革命中心，两极发展，系统整合，跨越鸿沟，统一物理生命两界科学。

**2. 主要趋势** 一是两极发展，即向着最基本和最复杂的两极发展：微观上分子及量子生物学广泛渗透，中观上生态学朝向生态系统生物圈，宏观上宇宙生物学朝向其他星系；另一个是系统整合：从微观到宏观的整体联系不断加强，将分子、细胞、个体、群体、群落、生态不同层次结构有机整合并系统深入。医学的发展趋势则是研究重点前移（从疾病发生后单纯对疾病的研究移至疾病发生前对健康保健的研究，从疾病后期移至疾病早期以至疾病发生之前，从生命的后期移至生命的前期以至个体发生之前，从环境污染和生态破坏后研究如何消除污染或破坏移至污染和破坏发生前研究如何保护生态环境，等等）、模式转变（已如上述）和系统综合（生命全过程以及遗传、环境、机能、社会、心理、行为、经济、科技、人文多因素综合研究）。

### （三）主要前沿

**1．前沿学科** ①分子、细胞生物学；②基因组、RNA组、蛋白组、神经组学；③生物信息学；④神经、免疫、内分泌生物学；⑤分子、细胞、个体、群体遗传学；⑥系统、整合生物学；⑦宏观、中观、微观生态学；⑧心理和行为生物学；⑨发生和再生生物学；⑩再生、生态、平衡、统一、结合（整合）（integrated medicine）医学。

**2．前沿领域** ①生物大分子：DNA、RNA、蛋白质、糖、脂肪；②大分子体系：染色体、核糖体、线粒体、细胞膜；③功能系统：代谢、免疫、神经、内分泌、行为、光合；④重要生命现象：生命起源、遗传、发育、变异、进化；⑤复杂系统：种群、群落、地球及宇宙生态系统。

**3．前沿问题** ①生命起源、演化规律及其调控；②个体发生发展衰亡规律、机制及调控；③人脑及认知功能认识保护开发革命；④智能起源和演化规律及其优化；⑤生物信息学与整合生物学革命；⑥功能、疾病基因用于诊治、调控；⑦人类心理及行为的生物学基础；⑧常规与极端生物起源演化机制；⑨生物多样性起源演替机制规律；⑩疾病发生发展转化机制与防控。

### （四）未来生命科学和医学的发展

**1．系统科学主领风骚** 系统生物学及其各个系统子学科将成为生命科学及其系统子学科发展的核心驱动力，在要素整合、系统整合、理论方法整合、实证发现型科学和假说驱动型科学结合（实证研究和模拟计算结合）的基础上，逐步阐明系统构成、相互联系、结构动力学、运行原理，对系统进行综合性整体分析，从而认识系统的整体特性和行为，并对其进行控制、设计和模拟，从系统水平和整体水平来认识生命现象和疾病现象及其发生、发展、演化的规律以及这一切和环境的关系。这其中也包括建立以5P（promotive、protective、prodictive、proventive、personalized medicin，健康促进、保护医学、预测医学、预防医学、个体化医学）为核心的系统医学。

**2. 四大科学迅速兴起**　系统生物学、生物组学（bionomics）、生物信息学、认知科学。

**3. 四大研究可望突破**　生命、人类、智能以及生态起源和演化研究。

**4. 四大跨越步伐加速**　门类种属、精神与物质、生命与非生命、社会与生态之间的跨越。

**5. 四大统一大势所趋**　遗传、发育、进化统一、遗传、环境、机能统一、发育、生长、衰亡统一、自然、社会、思维统一。

## （五）未来生命科学和医学研究技术的发展

一些目前正在兴起和应用的重大新兴技术，包括生物工程技术、生物医学工程技术、移植技术、药学研究技术等如生物信息学技术、干细胞技术、克隆技术、RNA干扰技术、基因工程技术、单抗技术、基因治疗技术、蛋白工程技术、组织工程技术、生物芯片技术、高通量技术、组合化学及组合生物合成技术、纳米技术以及各种功能影像技术、分子诊断技术、分子治疗技术、生物治疗技术、介入技术、各种移植技术等等，将会有新的重大发展。从总体上来看，生物技术主要有三大趋势：技术会聚、技术分化和功能技术。

**1. 技术会聚**　生物技术本身及其与其他技术相互融合。

**（1）整体性技术（global technologies）**：为了适应开展系统生物学及其各个系统子学科以及生物信息学跨学科综合性研究开发的需要，人们将开发具有整体能力的高通量技术（例如能够检测某个生物学系统中所有基因或蛋白质的技术），具有全面计算模拟能力的超强计算技术（例如能够模拟蛋白质折叠全过程、模拟某个细胞或组织甚至整个生物体全部蛋白质互相作用模式及过程、模拟生命起源的计算能力）以及能够全面收集、存储、计算、整合、比较、分析、模建各种生物信息和数据的整体性技术。

**(2) NBIC会聚技术：**技术会聚最典型的代表就是纳米－生物－信息－认知四大科技（NBIC）会聚技术，它将最大限度地会聚前沿科技优势，缔造全新思维模式和科研思路，激发科学发现和技术创造能力，并创建全新生产方式和经济模式，全面提高和革新社会生产能力，同时增强人类自我认识和控制能力，提升和扩展人类的智能和技能。

**(3) 系列化平台技术：**为了特定系统化研究包括各种组学（基因组学、蛋白组学、RNA组学、神经组学、糖组学、脂质组学等等）研究和药物学研究（包括分子设计、组合生物合成和高通量筛选等）的需要，由多种技术组合而形成的综合性系列化平台化技术将进一步发展和完善。

**(4) 临床系列化工程化诊断及治疗技术：**包括以基因治疗为代表的各种系列化和工程化生物治疗技术，生殖、代谢、神经、免疫、内分泌功能工程技术等。

**(5) 数字化虚拟人技术：**集信息技术和生物技术于一体、能够模拟人体物理形态结构、生理、生化、病理、药理甚至心理功能的数字化虚拟人（包括虚拟可视人、虚拟物理人、虚拟生理人、虚拟智能人以至虚拟病理人）技术将不断完善、成熟，并在医学的教学、各种基础研究、诊断治疗等多种临床研究（包括完整人体的三维手术模拟以及血液动力学模拟等）、毒理、监测、预测、预警等预防研究、药物筛选、药理学、药效学、药物代谢动力学、临床试验等药学研究以及其他许多领域（包括体育、交通、航天、建筑、军事等等领域）得到广泛应用。

**2. 技术分化** 传统工业社会标准化、计划化、集中化、同步化、巨型化、好大狂的观念和工作方式形成的单一、极权、集中、复杂、非人性化技术特征，使劳动在巨机器统治下变得被迫和无趣。而现代信息社会多样化、分散化、小型化、网络化、人性化、个性化、民主化的观念和工作方式正在形成多元化、民主化、分散化、人性化和个性化的技术特征。生命科学技术将在其中发挥重要作用，甚至主导作用，并渗透到各个方面去.

**3．功能技术** 主要包括各种技术智能化，各种生物功能技术化。

（1）生物功能和过程数字化技术：如各种认知功能技术：包括感觉、知觉、思维、意识等在数字化基础上的识别、表达和传递技术以及功能芯片如神经功能芯片技术等。

（2）各种功能基因、蛋白质、细胞、组织、器官、肢体工程技术，包括基因工程技术、干细胞技术、组织工程技术、克隆技术、各种同种或异种移植技术等。

（3）各种生物治疗技术，包括基因治疗、干细胞治疗、细胞治疗、免疫治疗技术等。

（4）生殖、代谢、免疫、内分泌、神经功能工程技术（包括体外生殖技术）。

（5）在纳米尺度上的生物微系统、微制造、微监测、微治疗等功能技术。

（6）各种智能化的生物医学工程技术，包括各种检验、监测、诊断、治疗、康复、保健技术，如各种功能影像技术、分子诊断和分子治疗技术、各种人工功能器官技术、各种芯片技术等等。

# 国内成体干细胞研究进展

干细胞是一类具有自我更新和多向分化潜能的细胞，是当前生命科学研究领域的热点之一。我国非常重视干细胞相关技术的研发工作，在基础理论和应用研究领域都取得了一定的成绩。2005 年国内成体干细胞研究取得了以下一些进展。

## 一、基础理论研究

自 1998 年美国科学家成功地将胚胎干细胞体外建系以来，科学家又从胎儿及出生后个体的不同组织分离到了多种成体干细胞，如造血干细胞、骨髓间充质干细胞、脂肪干细胞、神经干细胞、皮肤干细胞等。北京大学第三医院陈卓等采用复合标记，在角膜缘上皮分离到角膜缘干细胞；武汉大学口腔医学院杨雪超等从成体人牙髓组织中分离培养出牙髓干细胞。

胚胎干细胞具有分化成各种细胞的全能分化能力，但其应用受到了安全性和社会伦理的限制。然而，成体干细胞则具有较多的优势，它在临床应用方面也具有更广阔的前景。

干细胞通过体外分离和扩增培养，在适当的条件下可被诱导分化为不同的细胞和组织。中国医学科学院基础医学研究所赵春华教授课题组，在国际上较早地从成人和胎儿的多种组织中分离培养出一种 Flk1 阳性表型的原始间充质干细胞（亚全能干细胞）。体外实验证明在单克隆细胞水平上可以被定向诱导为造血、脂肪、成骨、神经及肝上皮样等多胚层成熟细胞；体内动物实验证明能够分化为特定的组织细胞，重建受者组织结构和细胞功能。

北京协和医院李秉璐等从手术切除弃置的人肋骨骨髓中分离基质细胞，在含有肝细胞生长因子（HGF）、淋巴细胞抑制因子（LIF）、纤维母细胞生长因子（FGF）等条件培养基中，经诱导后可分化为成熟肝细胞并具有合成和分泌白蛋白功能；北京协和医院张超纪等通过体外分离和纯化成人骨髓间充质干细胞，用 VEGF 体外定向诱导分化为血管内皮样细胞；中国人民解放军军事医学科学院王韫芳等，通过实验证明大鼠骨髓来源的 Thy1 + β2M – BDTC 细胞在丙烯醇（AA）所致肝损伤环境中或在特定诱导体系内均可以向成熟的、有生理功能的肝脏细胞分化，而且该过程无需通过细胞融合而实现。

中国医学科学院组织工程研究中心利用 MACS 磁珠从人骨髓单个核细胞分选 CD105 + 细胞，诱导其向脂肪及成骨细胞分化，观察 TGFβ1 对分选出的 CD105 + 细胞分化与增殖的影响，结果证明 TGFβ1 抑制成人骨髓源 CD105 + MSCs 向脂肪及成骨细胞分化，在向脂肪诱导过程中，TGFβ1 促进 MSCs 的增殖。

中山大学附属第一医院姚晓黎等用半定量 RT – PCR 方法检测 10 个基因（包括内胚层基因 Ceruloplasmin、中胚层基因 SM22、外胚层基因 Amyloidprecursorprotein、syntaxin、鱼精蛋白基因 protamine、神经元特异性基因 NeuroD、NF、NSE、GFAP、Tau）等在骨髓间质干细胞（MSC）诱导分化为神经元样细胞前后的表达变化，为进一步探索干细胞诱导分化的机制奠定了实验基础。

## 二、干细胞临床前应用研究

中国医学科学院基础医学研究所与中国人民解放军军事医学科学院附属医院合作分离、培养猕猴骨髓中的 MSCs，将雄性猕猴的 MSCs 经静脉输注或骨髓内输注给雌性猴，评价其不良反应和移植物抗宿主病（GVHD）表现，用 PCR 法检测受者骨髓中的 Y 特异性序列，评价 MSCs 在异体存活情况。结果猕猴异体静脉或骨髓内输注 MSCs 未见急、慢性不良反应和 GVHD，MSCs 可在异体骨髓内存活。这些结果为 MSCs 用于临床研究提供了安全性数据。

中国医学科学院基础医学研究所干细胞研究课题组在实验中观察到，

在四氯化碳所致的小鼠肝纤维化模型输注小鼠原始间充质干细胞后，可明显减轻小鼠肝损伤的程度，此研究结果提示其具有潜在的植入肝组织的能力，并可能启动肝组织的内源性修复，减轻 $CCl_4$ 导致的肝纤维化，为肝纤维化提供了一个新的潜在的治疗途径。动物皮肤移植实验模型证实，通过小鼠体内输注异基因骨髓源亚全能干细胞和同基因骨髓细胞，成功地在受体鼠体内形成稳定的嵌合体，并诱导产生了长期稳定的供者特异性免疫耐受，使供者来源的皮肤移植物得以长期存活。该研究课题组还深入进行了一系列分子机制研究，结果表明，异体骨髓亚全能干细胞群能抑制树突状细胞刺激同种异体 T 细胞的增殖，通过上调特定的调节性 T 细胞水平而发挥其免疫抑制作用，能够成功诱导特异性免疫耐受，因而可以显著减少免疫排斥导致的移植物抗宿主等严重并发症的发生，为开展异体组织移植的临床治疗提供了理论依据。

以干细胞技术为基础的组织工程技术为人类多种疾病的治疗提供了新的途径。由于 MSCs 具有来源广泛、易于分离培养、可分化为多种组织细胞，且具有免疫调节作用等优点，所以非常适用于作为组织工程的种子细胞，并被广泛用于骨、软骨、肌肉、肌腱、心肌组织、皮肤组织等组织工程技术的种子细胞。

南方医科大学南方医院胡稷杰等以聚乳乙醇酸（PLGA）、骨形态发生蛋白（BMP）、骨髓基质干细胞（BM－SCs）构建成新型组织工程骨，并观察其在动物体内的成骨能力，结果在 12 周内骨缺损完全修复，说明这种复合构建的新型组织工程骨具有良好的骨缺损修复能力。四川大学华西医院王光辉等将 MSCs 经向软骨细胞定向诱导后，与藻酸盐复合，阿辛蓝染色和 Masson 染色可见新生的软骨细胞和细胞外胶原，提示 MSCs 可能成为临床修补软骨缺损的一条有效途径。上海第二医科大学附属第九人民医院夏万尧等，以骨髓基质干细胞（BMSCs）为种子细胞，接种于管状聚羟基乙酸（PGA）支架上，经特定培养液诱导下，10 周后可见 BMSCs－PGA 复合物外观呈乳白色软骨样，管壁较厚，有一定的弹性，但中间部管腔塌陷较明显，免疫组化证实形成的组织有Ⅱ型胶原分布。这一结果为将来临床应用 BMSCs 作为种子细胞，修复软骨缺损或构建复合组织气管提供了实验依据。第三军医大学西南医院李强等将普通培养瓶培养的第3代hMSCs分别应用搅拌式生物反应器和微载体成骨诱导培养并进行对比，结果微载体成骨诱导培养的细胞ALP活性与普通培养法无显著差异，应用微载体技术可成功地进行hMSCs的成骨诱导培养和快速扩增，能满足骨组织工程的需要。长海医院程永庆等将人骨髓基质干细胞体外分离培养后种植在去细胞猪主动脉瓣叶表面，结果在去细胞瓣叶表面可形成细胞层，提示人骨髓基质干细胞种植在去细胞猪主动脉瓣叶上构建组织工程心脏瓣膜是可行的。

干细胞也可以通过细胞替代治疗技术对许多疾病提供一种新的更有效的治疗途径。同济医学院谢模英等分离培养正常小鼠MSCs局部肌肉注射移植入DMD模型鼠mdx鼠，结果MSCs移植后mdx鼠肌电图明显改善、dystrophin蛋白阳性表达肌纤维增加明显。这说明MSCs局部骨骼肌内细胞移植治疗mdx鼠有一定效果。第一军医大学珠江医院郭再玉等实验证明应用维甲酸RA和胶质细胞源神经营养因子GDNF配合使用低浓度血清能够高效诱导骨髓源NSCs向成熟神经细胞分化，膜片钳检测发现这些细胞具有类似神经细胞的电生理特性。表明MSCs可用于神经系统疾病的治疗。

干细胞移植在治疗急性心肌梗死方面也表现出传统治疗方法所不可比拟的优越性。中国医学科学院阜外心血管病研究所苏文君等，将人软骨来源的间质干细胞（CDSC）移植到心肌梗死大鼠的梗死心肌区，移植后4周大鼠左心室射血分数、短轴缩短率、后壁增厚率及舒张末期和收缩末期内径均明显优于对照组（$P<0.05$），可以显著改善心功能，主要机制可能在于减少梗死区胶原降解，促进血管新生，延缓左心室重构。

## 三、干细胞临床试验研究

2005年，中国医学科学院基础医学研究所研制的干细胞新药——“骨髓原始间充质干细胞”获得国家SFDA批准进入临床试验。“骨髓原始间充质干细胞”是我国第一个获准进入临床研究的干细胞治疗药物产品，目前该产品的研发进展基本上与国际同步。该新药的研究课题组成功地解决了干细胞体外制备的关键技术问题，完成了系统严格的临床前研究和质量检定。大量的大动物对等试验结果显示出“原始间充质干细胞”注射液使用的安全性和疗效的显著性。目前I期临床试验已经顺利完成。其结果显示，Ⅰ期临床试验中的所有剂量组均未出现任何不良反应及不良事件。研究中观察到的ECGs和生命体征均未显现出具有临床意义的安全性问题。试验药物无论从安全性还是耐受性，都表现出了良好的应用前景，达到Ⅰ期临床试验安全性验证的目的。

目前，干细胞技术以其独特的优势显示出了极大的应用前景，但仍存在许多问题需要解决。例如，对干细胞自我更新和分化调控机制还有待更进一步的深入研究；就干细胞技术的应用，如何建立严格的质量控制体系，以确保临床应用的安全性和可靠性。总之，干细胞技术的研究在不远的将来有望取得令人惊喜的进展，我们也期待着能够有更多的干细胞研究成果应用于临床，早日为人类健康造福。

# 我国人类基因组研究进展

人类基因组研究关系到人类生存与健康的各个方面，成为医药生物技术产业创新的重要源头，将产生巨大的社会效益和经济效益。20 世纪末启动的人类基因组计划被公认为是生命科学发展史上的里程碑，随着人类基因组全序列测定工作的完成，功能基因组研究成为竞争的焦点。

近十年来，在 863 计划、973 计划和国家自然科学基金的支持下，我国在人类基因组研究方面已取得相当的成绩，赢得了国际同行的瞩目；收集、保存了一批宝贵的遗传资源；同时，建立了国家级的、在国际上具有初步竞争实力的人类基因组研究基地；初步建立了人类基因组研究的技术体系；凝聚和培养了一支较高水平的研究队伍。2005 年，我国的人类基因组研究又取得了一系列引人瞩目的成绩。

## 一、与其他国家的科学家合作，完成了第一阶段人类基因组“差异图”

“国际人类基因组单体型图计划（HapMap）”于 2002 年 10 月启动，由美国、中国、加拿大、英国、日本和尼日利亚六国科学家共同完成，至 2005 年 5 月第一阶段的数据已经向全球免费发布。北京基因组研究所领衔的中华协作组在这一重大国际项目中做出 10% 的贡献。各国科学家在《自然》杂志上发表的论文，标志着这一工作的第一阶段已完成。这一项目的第二阶段成果，包含全基因组所有 SNP 的单体型图谱也很快就要完成。

在三年的研究中，科学家们搜集了 269 名志愿者的全基因组信息，其中包括尼日利亚的约鲁巴人、北京的中国汉族人、美国的西北欧后裔和东京的日本人。从这些基因组数据中，科学家们发现了 100 多万个常见 SNP 位点，标定了单体型“模块”在 DNA 链上的“边界”，并划分了基因组上包含最常见DNA变异的10个区域。

该计划负责人之一、美国哈佛大学和麻省理工学院共同下属的布罗德学院教授阿尔茨胡勒说，这是“医学研究上划时代的成就”。人类基因组的差异图谱将成为一种有力工具，通过对疾病高危人群的筛查，探讨各种疾病的发病机制，更高效地寻找与疾病相关的基因变异。

此外，人类基因组的“差异图”还将揭示人类进化的秘密。科学家们发现，人类的基因变异最多地发生在基因组的一部分“热点”区域，研究这些变异频率最高的“热点”，将有助于研究人类在历史和环境因素影响下逐步进化的过程。

## 二、在一批国际顶尖杂志上发表了一些热门论题或者有划时代意义的学术论文

这里将其中有代表性的几篇给以简要介绍：

1. 中国农大刘金华教授等人于《SCIENCE》第309期发表了关于禽流感的研究论文《高致病性禽流感H5N1对候鸟的感染》。课题组对2005年上半年在我国青海湖发生的候鸟感染H5N1高致病禽流感的病毒特性进行了基因组序列的分析与研究，结果表明，其血凝素裂解位点符合高致病性禽流感病毒的特征；病毒聚合酶蛋白的氨基酸发生了重要突变。该论文是我国科学家在世界关注的热门领域禽流感病毒研究中取得的重要研究成果。

2. 上海复旦大学发育生物学研究所的科研人员将一种源于飞蛾的PB（PiggyBac）转座子（Transposon）用于小鼠和人类细胞的基因功能研究，在世界上首次创立了一个高效实用的哺乳动物转座因子系统，为大规模研究哺乳动物基因功能提供了崭新途径。这一成果被《CELL》作为封面文章发表。

长期以来，为寻找一种对哺乳动物高效、实用的转座因子，世界各国的科学家投入了大量的热情和精力。复旦科学家们想到一个新的突破方案：与哺乳动物较接近的飞蛾或果蝇类动物中，转座子比较明朗，能否进行移花接木？在这一大胆的假设前提下，他们利用飞蛾体内一种常见的转座子

PB，经过改造后，作为重要的靶点，将 PB 转座因子高效插入小鼠基因组，还可以培育转基因小鼠。同时，PB 转座因子可在人等哺乳动物的细胞株中高效导入基因并稳定表达，为体细胞遗传学研究和基因表达提供了一个高效、便捷的新系统。《CELL》杂志审稿人评价："这是里程碑式的发现，将可能在世界范围内改变小鼠遗传学研究，并有助于人类基因治疗的研究"。

3. 北京大学基础医学院生物化学与分子生物学系特聘教授尚永丰博士所领导的课题组对雌激素和三苯氧胺诱发子宫内膜癌的分子机制研究取得突破性进展。

尚永丰教授在性激素相关肿瘤研究领域卓有建树。2002 年，他以第一作者身份在《SCIENCE》上首先报道，发现在子宫内膜细胞中，三苯氧胺可以与转录协同因子相互作用，揭示三苯氧胺可主动参与基因转录调控。在此基础上，通过试验证明三苯氧胺不仅影响雌激素相关靶基因的表达，而且调控一系列独特的基因表达，进而发现 PAX2 基因（PAIRED BOX GENE 2）在介导雌激素和三苯氧胺刺激的子宫内膜细胞的增殖和癌变过程中起着关键作用。此外，他们还发现 PAX2 只在子宫内膜癌细胞中被雌激素和三苯氧胺激活表达，而在正常的子宫内膜上皮细胞中则不能被雌激素和三苯氧胺激活，这种差异是由于与癌症相关的 PAX2 基因启动子低甲基化造成的。这一研究成果阐明了为什么三苯氧胺治疗乳腺癌而导致子宫内膜癌这一长期倍受公众和科学界关注的重要问题；并为子宫内膜癌的治疗和预防提供了新的思路和药物靶点；同时对肿瘤分子生物学的理论发展也做出了重要贡献。文章发表在 2005 年的《Naure》杂志上。

## 三、继续开展中华民族基因组和重大疾病相关基因 SNPs 及其单体型研究，为复杂性状疾病基因功能与机制研究提供了重要信息

迄今为止，国际上对复杂性状疾病的基因组研究还集中在候选基因 SNPs 及其单体型的研究层面上。我国科学家在 2005 年内充分利用中华民族的丰富基因资源，对各类复杂性状疾病进行了广泛研究，在国内国外的杂

志中均有一系列学术论文发表。

在精神分裂症的研究中，指出 CAPON 基因内 SNP 位点 rs348624、GRM3 基因的多态位点 rs2299225 以及 CHL1 基因的 rs2272522 多态性分别与中国汉族人群精神分裂症的发生相关。

在肿瘤相关基因研究中，发现 RTKN 基因与膀胱癌的发生、发展相关，可作为肿瘤治疗中的一个靶点分子。GSTM1 和 GSTT1 特定基因型与中国广西人口中的肝细胞癌发生危险性升高相关，并且当一名患者同时具有这两种特定基因型时，肝细胞癌发生的危险加倍。而对中国广东潮汕地区人群的研究明显提示存在一个中国南方群体特异的鼻咽癌隐性基因（与 HLA 区域存在紧密连锁），可能是中国鼻咽癌发生的决定因素。

## 四、定位克隆了一批新基因、转录因子。

北京大学的科学家对一种新发现的肿瘤相关基因（1A6、DRIM）启动子区予以研究并鉴定了该基因的转录激活因子。已报道 1A6、DRIM 基因在胃癌组织和癌前病变中高表达，提示该基因参与细胞转化。研究人员确证了 1A6、DRIM 基因的转录起始位点以及核心启动子区域。对这个基因启动子的结构分析，研究其潜在调控效应可能有助于更好地理解该基因在调控肿瘤发展中的生物功能，从而对我们认识和预防肿瘤起到重要的作用。

复旦大学的科学家们发现了一种编码锌指蛋白的新基因，将其命名为 ZNF445，定位于 3 号染色体断臂 2 区 1 带。锌指蛋白在多种细胞功能（包括细胞增殖、分化和死亡）中发挥重要作用。该研究显示 ZNF445 属于锌指转录因子家族中的一员，在 MAPK 信号转导通路中起一定作用。

此外，我国科学家还定位克隆了 PDCD2（C）基因、AGPAT7 基因、NYD－SP10 基因等一批新基因或转录因子，在分子生物学的许多领域都有所建树。

近年来，我国人类基因组研究虽然取得了一些可喜进展，但还存在以下的问题：研究经费投入不足，缺乏有效的管理体制以及企业介入不够，因此只能把有限的资金投入在少数重点研究方面，不能形成规模化研究和开发体系。此外，原始创新成果数量较少，不能为医药生物技术产业的发展提供足够的知识和产品。我国虽然在基因测序和疾病基因研究方面具有一定的优势，但在功能基因研究和基因开发研究方面与国际先进水平还有很大的差距，今后应加强这方面的工作。

# 我国基因芯片研究概况

人类基因组计划结束后，生命科学正处在以研究基因及其表达产物蛋白质结构与功能为核心内容的“后基因组时代”。生物芯片技术是后基因组学研究中的关键技术之一。由科技部组织实施的国家重大科技专项“功能基因组和生物芯片”已完成人类重要生物功能与疾病相关新基因1500个，其中功能明确并具有潜在开发前景的功能基因达160个，用于新产品研制与开发的功能明确的新基因（即I线基因）24个，目前国内企业或药物研发单位合作对8个自主知识产权的人类新基因，开展了药物靶标或生物技术药物的前期开发工作。

基因芯片又称DNA芯片，它将大量的基因探针分子固定于支持物上，然后与标记的样品进行杂交，通过检测杂交信号的强度及分布来进行分析。基因芯片在以下几个方面具有广阔的前景：①基因组功能分析；②疾病诊断；③药物筛选和新药开发；④环境保护等。

在2005年，我国科研人员应用基因芯片技术，在人类新功能基因及与疾病相关基因的分析，疾病与病源微生物的检测和诊断等方面均已取得了一些新进展。

## 一、功能基因组的芯片分析

### （一）肝癌相关基因的芯片研究

复旦大学遗传所余龙教授实验室与中国科学院上海药物所发现一个新的脯氨酸异构酶CYP－J，并完成作为药物靶标的验证和筛选。获得15个有相互作用的先导化合物。其中YCZOO1在体外具有明显的肝癌抑制效应。这是我国第一个通过克隆基因和功能研究到药靶验证，最终筛选出有效先导化合物的实例。

### （二）胃癌和肺癌相关基因的芯片研究

北京大学北京市肿瘤研究所细胞遗传室主任柯杨教授等首先发现癌基因 1A6、DRIM（Down - regulated in Metastasis）可在胃癌组织中高度表达，促进细胞微丝的解聚。中国医学科学院肿瘤研究所高燕宁教授等证明 p16 甲基化异常在肺癌前病变中有重要的作用，在肺癌病人组织中，p16 高甲基化发生率高达 80.2%。提示 p16 高甲基化可作为肺癌分子诊断的敏感生物学标志。

### （三）鼻咽癌相关基因的芯片研究

中南大学湘雅医学院发现湖南鼻咽癌（NPC，nasopharyngeal carcinoma）易感基因定位于 3p21 区段约 16.4cm 范围内。在南方人群中，特有的单核苷酸多态性（SNP）变异多分布于 4p 区域，并证明 LOC344967 的 A、G 变异与 NPC 家系连锁；COX7B2 基因 His26Gln 变异可能与 31 号 NPC 家系患者有关。

### （四）心脏和高血压相关基因的芯片研究

中国医学科学院中国协和医科大学阜外心血管病医院惠汝太教授实验室发现新基因 VKOR 在血管内皮细胞，平滑肌细胞，心肌细胞和多种肿瘤组织中高效表达。并参与新生血管的形成。山东省立医院刘同宝教授等发现相关基因的 SNP 如血管紧张素转换酶 2 基因（ACE2）中的 G8790A、A1675G 和 T1334C。上海，广东和浙江等地研究人员发现血管紧张素原基因（AGT）中的 M235T 变异与原发性高血压的发病显著相关，TT 基因型或 T235 等位基因可能是高血压的一个遗传方面的危险因素，细胞间粘附分子 2 基因（ICAM2）中的 SNP1T/C、SNP2G/C 等可能也与高血压致病性有关。

### （五）青光眼相关基因的芯片研究

青光眼是引起失明的主要原因，目前尚无特效的治疗方法。因此，早发现早治疗尤为重要。第三军医大学大坪医院眼科贺翔鸽教授课题组在重庆地区进行了开角性青光眼患者、相关亲属和正常人 TIGR 基因及 OPTN 基因多态性研究，发现了编码区的突变可导致氨基酸序列、蛋白质的二级结构及等电点、抗原结合位点等发生改变，这些改变严重影响 TIGR 基因及 OPTN 基因的功能，与临床青光眼发病有关。这些基因的进一步研究将为明确青光眼的发病机制，以及早期诊断和药靶的研究具有重要的意义。

### （六）精神分裂症相关基因的芯片研究

建立和应用复杂疾病多基因联合作用分析的新方法，在精神分裂症病人中发现了 5 种易感 SNP 型组合，且 SynapsinII 和 ZDHHC8 基因与中国人群精神分裂症的发生高度相关。发现 NRG1、FZD3、FGF20、G72、RGS4 和 PRODH 基因变异在精神分裂症患者和对照组之间有显著性差异，FOXP2、OXTR 及 NRP2 基因与孤独症相关。另外发现了 APOE、NQO1、DLST 基因变异与中国汉族人散发型老年性痴呆（AD）发病有明显关联。完善了 AD 病人相关基因表达谱数据库。

另外，已构建了按照基因功能分类的人的 4 种分类芯片，分别是细胞凋亡、细胞周期、细胞信号传导、神经生物学芯片等。每类芯片上分别包含 200－400 个基因。

## 二、疾病与病原微生物基因芯片的检测和诊断

疾病与病原微生物诊断是后基因组领域的重要科研内容之一。基因芯片作为一种先进的、高通量检测技术，应用于疾病的诊断。其优点有以下几个方面：一是高度的灵敏性和准确性；二是快速简便；三是可同时检测多种疾病。因此，未来生物芯片的最大市场是诊断试剂领域。

### （一）肝癌相关基因的芯片检测与诊断

天津一项研究成功制备了肝癌相关基因编码区单核苷酸多态性（cSNP）基因芯片，对 10 例肝癌患者 cSNP 进行检测分析，并对 7 例患者的部分检测结果用聚合酶链反应　单链构象多态性法（PCR－SSCP）和测序进行验证。

发现7例肝癌患者有多态性单链迁移率改变。该研究为肝癌多态性标记的检测奠定了基础在肝癌诊断方面，已经建立了新标志基因MXR-7的ELISA检测试剂盒，正在临床扩大样本验证。另外，作为肝癌血清学诊断的FP248、PP2250基因以及有组织学病理诊断价值的HCRP 1、p28GANK、CT120等三个基因也在加速研究之中。

## （二）乙型肝炎相关基因的芯片检测

目前，用于治疗慢性乙型肝炎的药物拉米夫定，如果长期单一使用，病毒可产生耐药性，使疗效显著降低。现最常用的乙型肝炎病毒耐药基因的诊断方法是DNA测序法，该方法步骤多、费时、技术难度大、不便于推广应用，临床工作中迫切需要研制新型快速的乙型肝炎病毒耐药检测试剂盒。由中国人民解放军军事医学科学院王升启研究员与深圳益生堂生物企业有限公司联合研制的“乙型肝炎病毒核酸及拉米夫定耐药检测试剂盒”，日前已获得了国家食品药品监督管理局颁发的新药证书和生产文号。该试剂盒采用最新基因芯片技术，操作简便快捷、耗时少（3.5小时）、需要样本量少、判断结果方便且通量大。它的研制成功和获得批准生产，为乙型肝炎病毒耐药突变的检测提供了一种新的手段，对预测乙型肝炎病毒药物治疗效果、指导临床合理用药等具有重大的意义。

## （三）SARS病毒的芯片检测

SARS病毒检测的基因芯片试剂盒已进行了试生产，通过了中国药品生物制品检定所的检定，进行了2000余例临床实验检测。HLA-DRB1及HLA-AB两种分型基因芯片试剂盒已完成了三批产品的试生产，并已取得中国药品生物制品检定所颁发的检验合格报告。

## （四）白血病基因的芯片检测和诊断

目前，我国白血病患者近400万人，且以每年4万人的速度递增。白血病是我国十大高发肿瘤病之一，严重威胁人们的身体健康。目前，白血病诊断主要通过显微镜检查血液、骨髓穿刺标本和染色体检查等方法，但受到技术水平的限制，影响诊断的准确性，往往延误治疗。

我国科学家从一九九八年开始基因芯片检测和诊断白血病的研究，并分别研制出白血病病毒检测芯片、染色体易位检测芯片、白血病相关癌基因及突变基因检测芯片。在此基础上，陕西科林基因工程高科技有限公司赵大为博士等研制出白血病预警基因芯片，通过对兰州、广州、沈阳、西安等地四十例白血病患者进行临床对照研究，结果显示基因芯片与常规方法比较，其符合率较好。目前白血病预警基因芯片已设计出三种，另有五种正在进一步研制中。这些基因芯片检测和诊断白血病的方法具有简单易行，诊断结果准确等优点，这为我国白血病的早期诊断及基因治疗打下了良好基础。

治疗白血病的最有效办法是造血干细胞移植。建立造血干细胞捐献者资料库，通过对广泛的人群进行 HLA 基因分型（组织相容抗原骨髓移植配型），筛选与患者型别相同的造血干细胞源，是救助白血病患者的有效措施。同时器官移植、法医学鉴定和 HLA 相关疾病的研究也迫切需要改进和完善 HLA 分型技术方法。目前我国移植配型试剂完全依赖进口，存在价格高、操作繁琐、不完全适合我国人种特点等诸多缺点，限制了造血干细胞库等的发展，也加重了移植病人的经济负担。

由中国人民解放军军事医学科学院放射与辐射医学研究所研究员王升启领导的课题组与深圳益生堂生物企业有限公司联合研制的 HLA—DRB1 分型基因芯片试剂盒，于 2005 年 9 月正式获得了国家食品药品监督管理局颁发的新药证书和生产文号，成为世界上第一个获得新药证书的 HLA 芯片分型产品。该试剂盒比进口的同类产品价格低廉，操作简便、通量大、结果判读方便，适用于目前已发现的所有 13 个基因型，涵盖已知的 18 种血清型。这一由我国科研人员自主研制成功、具有完全自主知识产权的生物芯片，不仅填补了我国 HLA 分型试剂的空白，改变了骨髓和器官移植配型试剂长期依赖进口的不利局面，而且一举使我国 HLA 分型试剂的研究和开发技术水平跃居国际领先地位。

### （五）其他

由浙江江南生物芯片公司的“地中海贫血检测芯片”以及深圳益生堂生物技术公司的“丙型肝炎病毒分片段抗体检测芯片”已获国家新生物制品Ⅰ类新药证书，并作为生物制品新药投入使用。还有预测乳腺癌转移的基因芯片。而用于大肠杆菌、肺炎链球菌、志贺氏菌、一些真菌等检测的基因芯片正在研制中。

尽管基因芯片未来的发展之路不平坦，但是基因芯片在基因表达谱分析、基因诊断、药物筛选及序列分析等诸多领域已呈现出广阔的应用前景。

# 纳米生物与医学研究的进展与发展趋势

纳米技术是明天的主流技术，是一个能带来更美好生活、潜力巨大的新领域，已经成为世界各国高技术发展中战略竞争的热点。自20世纪80年代中期纳米科技兴起以来，各国政府和企业界纷纷投入了人力、财力来发展纳米技术，加入国际竞争，并在许多领域已经取得了巨大的技术进步。纳米技术将成为21世纪世界经济增长的一个主要发动机，并将引发一场新的工业革命，它所带来的经济价值是难以估量的。当前纳米科学与技术正在飞速地向前发展，并不断地与各个学科交叉和融合，产生出新的研究领域和新的学科生长点。特别是近几年来，纳米科技快速向生物医学领域渗透，纳米生物医学正在迅速形成一个崭新的研究领域，该领域的进步与发展将为现代生物学和医学的研究提供全新的技术和视点。

与前些年相比，近两年来国际上纳米生物与医学研究总的趋势是目标逐渐集中和明确，研究范围主要涉及药物（基因）靶向智能运送系统、细胞和组织的再生与修复、单分子操纵技术和活体单细胞显微观测、植入性人工器官和医学器件用先进材料、生物医学传感器、高分辨率医学影像等方面。此外，利用纳米技术，在纳米尺度上理解生命活动也正在成为一个新的研究方向。自2003年以来，各国政府越来越关注纳米尺度物质的生物学效应和安全性评价，从基础研究、标准化管理以及安全防护技术等各方面准备对策，以保证纳米科技研究与产业的可持续发展。

## 一、国际上的进展情况

随着美国2000年宣布NNI以来，世界上几乎所有的工业化国家都提出了纳米技术发展战略和研究计划。韩国、中国、印度和巴西等新兴工业化国家和发展中国家也制定了本国（地区）的纳米技术发展战略和研究计划，确定了研究重点。在近几年的发展历程中，各国的纳米计划中都加强了对纳米生物与医学方向的布局和规划，把纳米生物与医学列为本国纳米技术发展战略的重点方向之一。例如，美国国家纳米技术计划（NNI）在2004年9月启动了一项为期5年、耗资1.443亿美元的计划，旨在研究在癌症中如何应用纳米技术，攻克癌症治疗的难题，并且根据该计划与国家标准与技术学会合作建立了纳米技术表征实验室（NCL）；得到美国国家卫生研究院（NIH）资助的科学家们，也正在研究纳米材料在人体、细胞环境中的特性，以及用于实验室鉴定和作为研究工具的可行性。

除了发展纳米生物医学研究，近2年来国际上也开始越来越关注纳米尺度物质的特殊生物学效应。2003年以来，《Science》和《Nature》杂志已经先后4次讨论纳米生物效应问题。英国皇家学会和皇家工程院于2004年7月29日发布了长达95页的报告，建议英国政府成立“纳米颗粒生物环境效应”研究中心。2004年12月5日，欧盟在布鲁塞尔公布了《欧洲纳米战略》，把研究纳米生物环境健康效应问题的重要性，列在欧洲纳米发展战略的第三位。为了抢占这个新兴科学领域的先机，2005年美国多个部门同时支持此领域，欧共体也迅速启动了纳米安全综合研究计划（Nanosafety Integrating Research Projects）。

国际上代表性的研究进展列举如下：

近年来，有关纳米拓扑结构的构建以及对细胞行为影响的研究报道迅速增加，正在形成一个崭新的研究方向。其研究内容涉及纳米结构的不同构建方法、纳米拓扑结构对细胞粘附、增殖、分化、凋亡，以及细胞外基质的重建等行为的影响和可能的发生机制等众多方面。相对于微米尺度，纳米尺度的拓扑结构与机体内细胞生长的自然环境更为相似，纳米拓扑结构的构建有可能从分子和细胞水平上控制生物材料与细胞间的相互作用，引发特异性细胞反应，对于组织再生与修复具有潜在的应用前景和重要意义。研究发现，通过分子自组装或电纺技术来制备的纳米直径的纤维能够提供与天然组织相似的三维细胞外基质环境，对细胞的生长起到明显的促进作用。用电纺的方法制成的无纺布，能够显著促进纤维母细胞、造骨细胞、正常人角化细胞等多种细胞的粘附、发育、生长和分化。Silva GA等通过带有能够促进神经突萌芽，并诱导神经突生长的 IKVAV 的多肽分子自组装制备了一种纳米纤维支架，观察了人工支架体外引导鼠的神经前体细胞分化情况。结果表明在细胞种植后的 7 天内，在纳米纤维支架中生长的神经元生长速度明显快于对照材料。

功能性纳米粒子的研究与生物医学相结合将使现代诊断和治疗技术出现突破性的进展，其影响将涉及分子诊断和治疗技术、分子生物学技术以及生物工程技术等许多方面。其中纳米结构介导的药物（基因）输送是纳米医学领域的一个关键技术，其优势体现在能够直接将药物分子或遗传物质运送到细胞中，特别是可以通过健康组织把药物送到肿瘤等靶组织。功能性纳米粒子与生物大分子如多肽、蛋白质、核酸结合，在靶向药物输运和控制释放、基因治疗、癌症的早期诊断与治疗、生物芯片和生物传感器等许多方面显示出诱人的应用前景和理论研究价值。

向高分子材料中加入碳纳米管可以显著改善原有聚合物的传导性、强度、弹性、韧性和耐久性等性能，重要的是同时还可以改进基体材料的细胞相容性。研究发现，随着复合物中碳纳米管含量的增加，神经元细胞和成骨细胞在复合材料上的粘附与生长也越来越活跃，而星形细胞和成纤维细胞的活性则呈现同等程度的下降。所以无论对于神经组织还是骨组织而言，使用碳纳米管含量较高的复合材料，均能促进组织再生，同时也能显著地抑制对植入设备产生不利影响的胶质瘢痕和纤维组织的形成。此外，由于碳纳米管本身具有独特的电学和机械性能，一些实验室开始尝试将经过表面修饰的碳纳米管作为组织工程支架为细胞生长及组织再生提供诱导和支持。研究发现碳纳米管表面电负性的差异可以对小鼠海马神经元细胞轴突的分支生发产生显著的影响，在神经细胞的体外生长机制的研究方面有着潜在的重要应用价值，它有可能作为体内移植物诱导脊索和脑神经损伤组织的再生，也可以作为细胞外骨架诱导神经轴突的定向生长，同时能够调节轴突的分支形成，最终形成神经元突触间的复杂连接。

纳米颗粒易于输运和被细胞吸收这一特性已经引起国内外研究人员的极大兴趣，同时也使科学家们开始关注和思考纳米颗粒与细胞的作用机制以及生物水平的安全性。首先引起学术界和产业界关注的是包括碳纳米管在内的富勒烯粒子的生物安全性。已经有很多研究结果显示，纳米粒子不同于传统微米尺度的化学物质，纳米粒子的化学组成、尺寸、尺寸的分布、形状及表面性质对于其生物效应均起着至关重要的作用。

## 二、国内的进展

近两年来，我国在纳米生物与医学领域的研究有比较明显的进展，主要表现在国家各个层面的研究计划都加强了对纳米生物与医学研究的关注。例如国家自然科学基金设立了“纳米科技基础研究”重大专项，自2004年度开始加强对纳米生物与医学相关研究的支持，吸引了生物学和医学领域的研究人员投入到纳米技术的基础研究领域中；“十五”国家863计划材料领域和人口与健康领域分别设立了纳米技术相关的研究专项，推动了纳米生物材料和相关器件的研究。2003年，我国成立了国家纳米科学中心，确定的四个研究方向之一就是纳米生物医学。2005年，中国科学院启动了重大创新计划项目，支持在中科院各个研究所之间通过协作开展纳米生物学和纳米器件的创新研究。中国医学科学院也于同年组建了纳米医学研究中心，联合医科院各院所的优势力量，开展纳米医学方面的基础与临床医学研究。中国军事医学科学院成立了纳米医学毒理学研究中心，中国科学院高能物理研究所成立了纳米生物安全性实验室，旨在通过药物毒理学研究的优势技术力量和基础设施，抢占开展纳米生物效应和安全性研究的先机。清华大学、北京大学、上海交通大学、湖南大学等国内重点大学也都相继成立了纳米研究中心或纳米研究实验室，把纳米生物医学研究列为重点方向之一。

但是，国内纳米生物与医学研究仍然是比较弱势的一个方面，研究内容和方向比较零散，同时存在重复性工作，还缺少多学科的交叉合作和研究力量的整合与集中。

中国医学科学院的纳米医学研究起步相对较早，通过国家863计划、国家自然科学基金纳米科技研究重大专项、北京市自然科学基金、天津市自然科学基金等资金的支持，积累了良好的研究基础，并且取得了一定的研究成果。研究内容主要涉及以下方面：①纳米结构生物材料在人工器官、组织再生修复等方面的应用基础研究；研究发现碳纳米管无纺膜支架能够显著促进细胞的粘附和增殖，并通过信号物质的传递而诱导细胞在其他材料上的增殖，表明具有纳米拓扑结构的生物材料在引导细胞再生和组织修复方面具有重要的应用价值；②纳米尺度高分子载体在DNA传递和疫苗研究中的应用基础研究；发现树枝型大分子在DNA运载方面表现出高细胞转染效率和免疫响应水平；③细胞水平纳米粒子的生物学效应研究，发现进入生物系统的纳米粒子会与生理性溶液中的蛋白质分子非特异性结合，形成纳米粒子－蛋白质复合物，这种复合物与细胞作用，引起后续的细胞增殖抑制，而且随着溶液中纳米粒子浓度的升高引起不同程度的细胞凋亡；④纳米粒子制备以及在药物（基因）靶向运送和防止血管再狭窄方面的应用基础研究；成功制备了包载紫杉醇、地塞米松及质粒DNA等药物和基因的纳米粒子，并筛选出最佳表面修饰方法，提高了纳米粒子的血管吸收性，为心血管再狭窄的药物和基因治疗提供了新的有效途径和技术；⑤功能型纳米材料的设计和分子自组装及其在肿瘤早期检测方面的应用基础研究；以肿瘤的早期诊断为目标，合成了正方形磁性纳米颗粒，利用其与单克隆抗体的偶联和与抗体体系的识别作用，对肿瘤标志性分子进行富集和信号放大；⑥纳米药物的肿瘤治疗研究。采用磷脂胆碱、胆固醇为脂质体配方，将阿霉素装载于磁性纳米脂质体中，构建了磁性靶向脂质体纳米载药平台；利用动物模型研究磁性纳米脂质体在磁场作用下的靶向聚焦作用和对肺癌的治疗效果，并通过体外实验评价了磁性纳米脂质体的细胞毒性。

根据以上对国内外纳米生物与医学领域发展现状与趋势的分析显示，我国有必要进一步加强对纳米生物与医学技术领域的支持和引导，针对卫生与健康领域的重大需求，特别是为某些重大疾病，如恶性肿瘤、心脑血管疾病的早期检测、预警与有效治疗提供新技术，为国家发展纳米科学与技术提供生物医学应用的基础数据，为国家建立纳米技术生物安全性标准提供理论与技术的支撑。

综上所述，纳米科技正在以迅猛的势头快速发展，而且越来越渗透到各个学科和研究领域。纳米科技与生物医学的结合和相互渗透，为生物医学工程研究提供了重大的创新机遇和巨大的市场前景，同时，也带来了巨大的挑战，打开了新的未知领域。国家“十一五”规划已经将纳米科技列入重要发展方向之一，纳米生物医学的发展需要国家的重视和支持，同时还有赖于物理、化学、生物学、医学等多学科研究者的共同合作和努力。

# RNA 干扰（RNAi）的研究进展

## 一、RNA 干扰现象的发现具有重要生物学意义

某些小的双链 RNA 可以高效特异地阻断体内特定基因表达，促使 mRNA 降解，产生具有序列特异性的 RNA 依赖性转录后基因沉默现象（posttranscriptional gene silencing，PTGS），称为 RNA 干扰（RNA interference，RNAi）。1995 年康奈尔大学的 Guo 和 Kemphues 等利用反义 RNA（antisense RNA）技术特异性地阻断秀丽新小杆线虫（C。elegans）中的 par - 1 基因的表达，以期得到与对照组注射正义 RNA（sense RNA）相反的结果，但最终的结果却令他们费解，二者同样阻断了 par - 1 基因的表达途径。直到 1998 年 Fire 等的研究证明，在正义 RNA 也阻断了基因表达的试验中真正起作用的是双链 RNA 分子（siRNA，small interfering RNA）。这些双链 RNA 是体外转录正义 RNA 时生成的。这种双链 RNA 对基因表达的阻断作用被称为 RNA 干扰。RNAi 广泛存在于从真菌到植物，从无脊椎动物到哺乳动物的各种生物中。目前，RNAi 技术已被广泛用于基因功能鉴定、信号传导研究及基因治疗等方面，显示了非常广阔的应用前景。

## 二、RNAi 的作用机制

自然界中的 siRNA 分子由 5′磷酸末端和具有两个碱基冗余的 3′羟基末端构成的长约 21 ~ 25 bp 的双链 RNA（dsRNA）分子。它们是从内源或外源长双链 RNA 分子上由 Dicer（RNaseⅢ家族中的 dsRNA2 特异性核糖核酸酶）以一种 ATP 依赖的方式切割而来。Dicer 能够产生两种功能不同的小 RNA：microRNA（miRNA）和 siRNA。miRNA 能干扰 mRNA 的翻译，siRNA 则能与沉

默复合体（RISC）结合，介导 RISC 对靶 mRNA 的切割。RISC 对靶 mRNA 的切割通常发生在与 siRNA 同源部分的中间，离 siRNA 的反义链 5′端 10 个碱基处，并且需要靶 mRNA 含有与 siRNA 的反义链 5′端 1～10 个碱基完全互补。如果靶 mRNA 3′端含有 2 个以上碱基不能完全配对，siRNA 介导的基因沉默功能将大大降低。切断后的 mRNA 或者被核酸外切酶降解，或者可能成为异常 RNA，在 RNA 依赖多聚酶（RNAdependent RNA polymerase，RdRP）的作用下又形成了新的 dsRNA，进一步作用于另外的靶 mRNA。这种不断被放大的瀑布式作用形成大量新的 siRNA，使 RNAi 在短时间内达到迅速，有效地抑制 mRNA 翻译形成蛋白或多肽，从而有效地抑制靶向基因蛋白质或多肽的形成。

到目前为止，人们发现 siRNA 除了介导 mRNA 的降解，引起特定基因表达沉默外，也可能对染色体的结构产生影响，也能沉默靶基因的转录。在植物中，RNAi 能通过甲基化抑制基因的转录活性。在纤毛虫中，RNAi 能够调节染色体的重排。

## 三、RNAi 的应用进展

### （一）RNAi 用于基因功能研究

使用 siRNA 技术下调生物体内特定基因表达的方法被称作基因下调（Knockdown）。它与传统的基因敲除（knockout）技术相比具有几点优势。对于一些使用基因敲除技术敲除后小鼠在胚胎时就死亡的基因来说，可以使用 RNAi 技术在体外培养细胞中研究功能。同时，基因敲除技术需要比较长的时间才能得到动物模型，而 RNAi 技术却可以简单有效的在体外培养细胞中研究基因的功能，因此具有很大的优势。最近，又发展了 siRNA 质粒文库技术，可以大规模高通量的研究基因功能。Chen 等使用两个突变的 RNA 多聚酶Ⅲ启动子相对排列，中间放入 20 个核苷酸的随机序列，并对随机序列进行了初步优化，构建了 siRNA 质粒文库。该文库 50μg 质粒载体可以含有 $5\times10^8$ 独立的克隆。将文库转染小鼠 MC3T3－E1 细胞，经过连续 60 天的培养，得到一些细胞增殖速度显著增高的细胞。提取质粒测序得到许多显著性增加细胞增殖速度的 siRNA（如质粒 A81 和 B7）。将 B7 的序列进行比对，发现和鼠 SET 基因相似性很高，而 SET 是白血病相关的细胞生长调节因子。siRNA 质粒文库技术的建立，使低价，快速的基因组内大范围筛查不同的表型相关基因的功能成为可能。

### （二）RNAi 用于疾病治疗

**1．病毒病治疗** 使用 RNAi 技术对于病毒性疾病的治疗主要集中于以下几个方面：乙肝病毒（HBV），丙肝病毒（HCV），艾滋病毒（HIV），SARS 冠状病毒，以及一些其他的对人类威胁很大，但又没有有效抗病毒药物治疗的病毒。本文以 HBV 为例讲述 2005 年我国使用 RNAi 技术治疗病毒病的进展。

应用 siRNA 可以在细胞水平和动物水平上有效的抑制 HBV 的复制和表达。在 HepG2．2．15，HeLa，HepG2，AD293 细胞，通过细胞内转染特异的 siRNA，可以抑制 HBV S 和 E 蛋白的表达以及 DNA 的复制。同时，Wu 等建立了乙肝病毒急性感染的动物模型，鼠尾静脉注射 RNAi 质粒载体可以有效地特异性的抑制小鼠模型中乙肝病毒的复制和表达。Chen 等证明 HBsAg 和 HbeAg，以及 HBV 的表达可以被 siRNA 抑制呈剂量反应关系。Peng 等证明甲基化修饰的 siRNA 分子比天然 siRNA 分子在细胞内稳定，并可以产生较长时间的抑制效果。两种 siRNA 在较低浓度时也有效。质粒 DNA 载体系统的抑制效果相对不依赖于浓度，并在体内大约持续 1 个月时间。使用 siRNA 治疗乙肝病毒感染，病毒基因组可能产生突变，以使 siRNA 抑制作用无效。因此，使用双 siRNA 系统分别抑制 HBs 和 HBx 基因，从而显著的抑制 HBV 蛋白的表达和 DNA 的复制。可见，siRNA 技术的发展为临床乙肝病毒治疗提供了新的行之有效的方法。

**2．肿瘤治疗** 癌症是一种基因病，包括癌基因的激活和抑癌基因的失活。除此之外，肿瘤的发生还伴随着其他遗传物质基础未知的表型改变。了解肿瘤发生的分子机制，有助于发现抗癌药物的作用靶点，以及早期诊断癌症。近来，国内采用 RNAi 技术研究癌基因的功能，并在癌症治疗上取得较大进展。

**(1) RNAi 用于抑制原癌基因的表达：**迄今，原癌基因总数已有数百个。原癌基因所编码的表达产物主要包括生长因子及其受体、细胞内信号转导通路蛋白、核内转录因子等几大类。

生长因子及其受体对肿瘤细胞的增殖是必需的。EGFR 是一种具有酪氨酸激酶活性的跨膜糖蛋白，在信号转导中起重要作用。因此抑制 EGFR 在肿瘤细胞的表达必然会抑制肿瘤细胞的生长。非小细胞肺癌 EGFR 受体过表达，有人采用 RNAi 技术抑制 EGFR 在非小细胞肺癌细胞系 A549 和 SPC－A1 中的表达，明显抑制肿瘤细胞生长，并且增加肿瘤细胞对化疗药物顺铂（cisplatin）的敏感性。同样的策略用于恶性黑色素瘤的治疗研究也取得了相似的结果。肝细胞生长因子（hepatocyte growth factor，HGF）在体内广泛分布，存在于肝、肾、脾、肺、脑、胸腺和甲状腺等处，它是多效性生长因子，具有促细胞分裂、促细胞运动和促形态形成等作用，其受体是原癌基因 c－met 产物。肝癌细胞系 MHCC97－L 和 HCCLM3 中 HGF 受体高表达，靶向 c－met 基因的腺病毒 siRNA 载体能够阻抑癌细胞在 $G_0$ ~ $G_1$ 期，体内实验也能明显抑制肿瘤组织生长。

细胞内信号转导通路蛋白的突变也是癌症发生的主要因素。ras 原癌基因家族对癌症的发生很重要，这是因为总体平均约 30% 的癌症表现出 ras 家族成员的变异，其中又包括 50% 的大肠癌和 90% 的胰腺癌都出现 ras 家族成员突变。原癌基因 K－ras，能够独立引发细胞癌前病变，不同于癌症生物学的中心原则，即必须有两个以上原癌基因的共同作用才能引发正常的细胞转变为癌细胞。因此抑制 K－ras 的表达对于肿瘤的治疗来说有重要意义。有人应用针对 K－ras 基因转录产物的 siRNA 抑制了胰腺癌细胞系 MiaPaCa－2 的生长，并促进其凋亡。

同源异型盒基因（homeobox genes，Hbx 基因）是控制细胞分化和发育的一系列转录因子，DLX4 基因是 Hbx 基因家族的成员之一，同其他 Hbx 基因功能类似，调节上皮和间充质细胞的相互作用，在胚胎发育中起重要的作用。近年来的研究发现，DLX4 基因的表达异常与乳腺癌、结肠癌以及白血病的发生有关。人们采用 RNAi 技术在绒癌细胞系 JEG－3 中抑制 DLX4 基因的表达，促使了癌细胞的凋亡。进一步发现抑制 DLX4 基因的表达能够促进 caspase－3 和 caspase－8 的表达，而不影响 Bax 的表达，推测 DLX4 基因可能通过抑制细胞凋亡使细胞恶性化。C－myc 癌基因属核蛋白基因，其表达产物定位于细胞核内，为核蛋白，具有转化细胞的能力，并具有与染色体 DNA 结合的特性，在调节细胞生长、分化及恶性转化中发挥作用。科研人员采用 RNAi 技术直接抑制 c－Myc 基因在乳腺癌细胞系 MCF－7 中的表达，发现 c－Myc 在乳腺癌的发生中有重要作用，并且体内实验中明显抑制了肿瘤组织的生长。

**（2）RNAi 用于抑制凋亡抑制蛋白基因的表达：** Survivin 是凋亡抑制蛋白基因家族（IAPs）的一个新成员，位于染色体的 17q25，Survivin 是一个 142 个氨基酸的蛋白，属于一类防止细胞凋亡的蛋白质，这类蛋白质主要通过抑制凋亡酶（caspases）的作用来阻碍其把细胞送上自杀的道路。Survivin 表达于胚胎和发育的胎儿组织，但不见于终末分化的成人组织。Survivin 只在快速分裂的细胞——胎儿细胞和癌变细胞中具有活性，对成人来说它具有肿瘤组织特异性，在人类各种肿瘤组织癌细胞中含量很丰富，但在正常细胞中却几乎不存在。survivin 基因显然在细胞的癌变过程中起重要作用，其表达可见于所有人类最常见的肿瘤组织，包括肺癌、结肠癌、胰腺癌、前列腺癌和乳腺癌等，因此它就成为 RNAi 技术用于癌症治疗的一个新靶标，并且在实际应用中抑制该基因的表达明显诱导了癌细胞的凋亡。Bcl－2 是另一种抗凋亡蛋白，基于同一策略 RNAIi 技术抑制 Bcl－2 的表达同样也能诱导癌细胞凋亡。

**（3）RNAi 用于抑制 hTERT 的表达：** 端粒是真核细胞染色体端位上的着丝点，对染色体末端有着特殊的保护、复制及稳定作用。细胞分化过程中，端粒长度的缩短会使细胞开始老化。而端粒酶逆转录催化亚单位（hTERT）能够调节端粒的作用，使端粒维持一定的长度，它在普通细胞中处于休眠状态，仅活跃于胎儿细胞、细菌和癌细胞中。hTERT 可使癌细胞染色体上的端粒从来不会缩短到使癌细胞开始衰老的长度，如果 hTERT 的作用能够得到抑制或消除，端粒就会被缩短，导致癌细胞老化凋亡。hTERT 的激活在肿瘤发生、衰老以及细胞永生化过程中起重要作用，有 85% 以上的癌细胞表达 hTERT。hTERT 的表达是诱导端粒酶活性的限速性步骤，因此 hTERT 也就成为 RNAi 技术治疗肿瘤的另一个靶标。科研人员采用 RNAi 技术分别在肝细胞癌、乳腺癌以及肺癌细胞系内成功的抑制 hTERT 活性，抑制癌细胞生长。

## 四、展望

虽然关于 RNAi 的机制和相关的应用研究正逐年增加，但到目前为止，在这两方面都还存在着很多问题。在 RNAi 作用的机制上，研究人员还需要回答以下的问题：在缺乏 RNA 复制酶的细胞，siRNA 是如何形成并发挥作用的？细胞使用 RNAi 作为机体的防御屏障是如何识别外源基因的？RNAi 的这种抑制作用如何在细胞和组织间传播？RNAi 作用如何在细胞中遗传？同时，虽然 siRNA 作为一种治疗性药物正在逐渐被人们接受，但仍然存在一些令人困扰的问题，包括如何有效的将 siRNA 导入靶组织、细胞？siRNA 这种特异性的抑制作用能持续存在多长时间？这种治疗应用有无副作用？虽然关于 RNAi 存在着上述种种问题，但我们可以乐观的相信，随着 RNAi 研究的进展和对其认识的提高，RNAi 技术必将对分子生物学，特别是功能基因组学研究产生巨大的影响。一旦 RNAi 技术应用于临床，必然对病毒性疾病，以及肿瘤的治疗产生一场新的革命。

# 蛋白质组学研究进展

随着基因组计划的成功，使得蛋白质组（Proteomics）研究迅速地成为当今生命科学研究领域的前沿。科学家们预见，基因组研究和蛋白质组研究的并蒂之花，将推动疾病诊治和药物开发取得突破性进展。

蛋白质组学是在人类基因组计划发展的基础上形成的新兴学科，主要是在整体水平上研究细胞内蛋白质的组成及其活动规律。人类蛋白质组的研究，比基因组研究计划更为复杂艰巨。DNA 和它包含的基因相对来说易于识别和分离，但蛋白质的鉴定和分离非常费时。目前，蛋白质的分析分离技术远远落后于破译基因组的工具，最好的实验室每天只能分离和识别 100 种蛋白质，而人体内可能有几十万种蛋白质；其次，蛋白质组与基因组的一个重要差别，就是蛋白质组具有多样性。对单细胞生物而言，其基因组始终保持不变；对多细胞生物来说，知道了个体内某一细胞内的基因组就知道了该个体所有细胞的基因组。然而对于蛋白质组而言，不同类型的细胞或同一个细胞在不同的活动状态下，其蛋白质组的蛋白质种类构成却是不一样的。从这种意义上来说，对基因组核苷酸序列的测定是一种“有限”的工作，而对蛋白质组蛋白质种类的确定则是一种近乎“无限”的工作。

## 一、蛋白质组学研究与技术发展现状

人类蛋白质组计划是 21 世纪第一个大规模的国际性科技合作工程，它引起了全球几乎所有生命科学家们的关注，并由此组成不同国家的联合团队分工协作攻关，展现出一幅科技界共同完成科学目标的美丽蓝图。全球人类蛋白质组计划迄今已展开七个项目，分别是美国的人类血浆蛋白质组计划、中国的人类肝脏蛋白质组计划、德国的人类脑蛋白质组计划、瑞士的大规模抗体计划、英国的蛋白质组标准化计划、加拿大的模型动物蛋白质组计划和日本的糖蛋白质组计划。

人类肝脏蛋白质组计划是中国科学家第一次领衔的大型国际科技项目，中国人民解放军军事医学科学院贺福初院士率领的中国科学家团队，于2002年率先提出这一计划并获得国际学术同行的认同与响应。它也是国际上第一个人体组织器官的蛋白质组计划。贺福初院士领导的科研团队，通过对肝脏蛋白质全景式、高通量和规模化的研究，期望为肝脏疾病的预防、诊断和治疗提供科学依据。目前，北京蛋白质组研究中心大楼在中关村生命园落成启用，新建成的北京蛋白质组研究中心已被正式确立为人类肝脏蛋白质组计划国际总部。

国际上蛋白质组的研究经过几年的积累，成立了HUPO，并组织了几个国际合作的大项目。以蛋白质表达和蛋白质功能为核心，旨在发现新的生物标志物、新的药靶和药物。近几年来，我国在蛋白质组研究方面也取得了一些成绩，特别在临床医学方面。

蛋白质组平台的经典技术是双向电泳和质谱，双向电泳仍在发展，分辨力和灵敏度是两个重要指标。近年来着眼于样品的前处理（如LCM），高丰度蛋白质的除去、低丰度蛋白质的富集；电泳过程的重叠群；电泳后提高蛋白质染色的检出灵敏度。非凝胶技术，又称多维色谱技术，加上ICAT等定量技术的发展，给蛋白质组分析带来了新的活力。蛋白质组研究得到的大量数据，如何去伪存真，如何实现数据共享，又是一个非常现实而复杂的问题，并已引起各国科学家的重视。

蛋白质组学研究成功与否，很大程度上取决于其技术水平的高低。蛋白质研究技术远比基因技术复杂和困难。不仅氨基酸残基种类远多于核苷酸残基，而且蛋白质有着复杂的翻译后修饰（磷酸化和糖基化等），给分离和分析蛋白质带来很多困难。目前双向凝胶电泳、离子交换、分子筛、色谱、质谱、免疫沉淀、生物芯片等技术已应用到蛋白质组学的研究中。

## 二、我国蛋白质组计划的进展

目前，由我国科学家领衔的人类肝脏蛋白质组计划，已有16个国家和地区的百余个实验室参加。我国科学家承担了30%以上的研究任务，成为推进该计划的主力军团，并已制定完成了样本采集等多个标准操作程序，鉴定了中国人胎肝蛋白质约3000个，法国人肝脏蛋白质约5000个，中国成人肝脏蛋白质约6000个，制备抗体1000余株，绘制出人类肝脏蛋白质表达谱、修饰谱，以及定位图、连锁图、结构图，建立样本库、抗体库和数据库（简称两谱三图三库）。我国科学家已开始进行表达谱绘制、连锁图分析、抗体分析、生物信息分析等方面的研究工作。一批肝脏疾病的诊断试剂和治疗药物有望在不久后研制成功。

## 三、蛋白质组学产业化发展前景

### （一）国际蛋白质组学产业化发展情况

寻找药物靶标和掌握寻找技术是药物研究真正的核心任务。蛋白质组技术的迅速发展，为系统地、规模化地寻找蛋白质药靶和蛋白质药物提供了强有力的武器，已经成为发现大量新型药靶的重要途径和目前唯一的快捷方式，它为蛋白质药物产业孕育了无限商机。

据《科学》杂志统计，目前治疗性药物的作用靶点共483个，其中80%以上都是蛋白质。作用在这些靶点上的现有药物大约有8000种，相当于发现一个药物靶标至少可以发现近20个药物。随着蛋白质组和其他生物技术的快速发展，大量功能蛋白和药物靶标将被发现，到2010年前后，药物作用靶标数可能上升到5000种，预示着它将导致数以万计的创新药物的发现。

蛋白质组研究和产业化，可以显著提高我国重大疾病预防诊治能力和人口素质。我国拥有13亿人口，人口素质和疾病防治不仅是重大的经济问题，而且是巨大的社会问题。人口素质的提高和重大疾病防、诊、治，最终依赖于在分子水平对人类生殖、发育机制和疾病发生、发展机理的认识。蛋白质组技术可以全面阐明人体正常生理和各种病理状态的蛋白质表达及其时空变化规律，从而认识疾病发生机制及其防治药物或疫苗的作用靶点，为疾病诊断、治疗和预防提供有效手段。同时，蛋白质组研究与产业化还可以为减少食源性疾病、提供营养结构更合理和品质更佳的食品，以及优化环境等，提供科学方法和技术手段。

蛋白质组研究一经出现，便很快促进了以蛋白质组研究为基础的生物技术产业的形成，尤其是给制药业带来了无限的商机。世界药业巨头如默克（Merk）、雅培（Abbott）、拜尔（Bayer）、杜邦（DuPont）、礼来（Eli Lilly）等纷纷加大生物制药研发投资，开展蛋白质组相关研究，以期获得新型、高效的治疗药物。Ciphergen 发展蛋白质芯片技术，以此来筛选药物靶标；Proteome Factory AG 致力于神经变性疾病和肿瘤蛋白质组研究，识别在疾病发生过程中的疾病标志物；加拿大多伦多大学和葛兰素史克合作启动一项总投资 6800 万美元，为期 3 年的药物蛋白组研究项目。另外，GeneProt 利用自己规模宏大的技术平台聚焦于血浆蛋白质组的研究，最大限度地展示血浆中的蛋白质；Cellzome 描述了酵母蛋白质组的功能图谱，以蛋白质相互作用为主导思路，直接研究功能蛋白质组。蛋白质组研究也同样给生物技术、计算机技术、分析仪器、生物信息学、生化试剂等行业带来了巨大商机，使得这一源于生命科学研究的主题迅速立体化，进而产业化。根据美国 Frost & Sullivan 咨询公司的调查，预计 2006 年蛋白质组相关产品全球市场总量不低于 1500 亿美元，2015 年全球市场总量超过 8000 亿美元。

目前蛋白质组学研究发展最快、投资最多的仍然是发达国家，特别是北美和欧洲国家。数字表明，在美国，蛋白组学以及相关生物工程方面的研究除了政府投入以外，来自企业和各类基金组织的风险资金已达 85.2 亿美元。作为世界头号科技强国的美国，其生物技术的研究重心已经从基因组测序转向了基因功能和蛋白质功能探索。继 2000 年 9 月开始“蛋白质结构启动计划”后，美国于 2002 年实施了“临床蛋白质组学计划”，用于开发以蛋白质研究为基础的癌症诊断和治疗系统。在美国，目前蛋白质组学甚至已经形成了产业和市场。美国一家咨询公司的研究显示，2005 年这一市场达到27亿多美元。目前，美国米里亚德遗传学研究所、甲骨文公司和日本日立公司已经组成联盟，计划在3年内完成人体所有蛋白质的图谱。美国国立心肺血液研究所（NHLBI）投资1.57亿美元，研究蛋白质组新技术及其在心、肺、血液和睡眠等相关疾病中的应用；美国国立肿瘤研究所（NCI）和美国国家食品药品管理局合作启动“癌症蛋白质组计划”；美国能源部启动了一个旨在研究涉及环境和能源的微生物蛋白质组研究项目。

西方发达国家和地区都争先恐后地纷纷投巨资，全面启动此领域的研究。欧盟也先期资助酵母蛋白质组研究，随后又在“第六框架计划”中将蛋白质组学研究列为优先资助的重要领域。英国、法国、德国、澳大利亚、日本等国也建立了多个蛋白质组研究基地，其中日本科学与技术委员会也已先期由政府出资逾1.6亿美元开展蛋白质组研究。日本、新加坡和澳大利亚把发展蛋白质组学研究，作为增强国家实力和推动经济发展的重要举措。2004年4月，日本启动了“Protein3000”蛋白质组学研究计划，投资5.7亿美元，计划5年内解析3000个蛋白的结构及其功能，该国有近70家企业参与这一计划。

## （二）国内蛋白质组学产业化发展情况

我国研发机构和企业也紧紧盯住该领域的发展空间，相继行动，以把握前所未有的机遇。2001年5月18日，北京师范大学作为首倡单位，在北京正式成立了隶属教育部的高等学校蛋白质组学研究院。该研究院由北京师范大学、中国协和医科大学、第四军医大学、上海交通大学、北京中医药大学、中日友好临床医学研究所、首都医科大学附属北京同仁医院、北京亿利生物工程技术研究所、北京市科委高科技实验室等9家著名高校、科研单位联合组建。这是我国第一次大规模地突破院校界线，同时又与临床单位、国外高科技公司、国内企业共同组建的科研实体。

2003年10月，江西省江中制药集团投入1.5亿元与军事医学科学院、北京市科委联合成立了北京蛋白质研究中心。该中心将作为国际人类肝脏蛋白质组计划的执行总部，系统组织、协调该计划的国际合作、知识产权转让等。以此中心为依托所成立的正旦国际科技有限公司，正在为该项计划进行各类公益基金与风险投资的运作。

与此同时，中国科学院、中国医学科学院、北京大学、清华大学等国内著名科研究院所也纷纷成立蛋白质组研究中心。一些跨国药企也紧紧盯住了中国蛋白质组学计划的有利商机，全球知名的生命科学领域厂商安捷伦公司已和中国的华大基因、军事医学科学院进行合作，建立了各自的蛋白质组学实验室。此外，该公司还和上海生物芯片中心、南方基因中心和第一军医大学建立了合作关系。在蛋白质组学方面，中国市场是比较年轻的，但是，中国政府在这方面已经加大了投资的力度。

进入 21 世纪后，蛋白质组产业逐渐成为真正的朝阳产业，在整个国民经济中的作用越来越重要，成为占领未来经济竞争主动权的最重要策略，是全世界各发达国家新的战略定位，也是从根本上缩小我国与发达国家经济水平的着眼点。

我国是世界人口和地域大国，在知识经济时代，要实现整体振兴的战略目标，在关系国计民生的重要领域，不能也不可能全部依赖别国的科学研究成果来发展自己的应用技术，必须形成自己的知识积累和知识产权。蛋白质组属于大科学范畴，集中力量深入研究和加强产业化，将批量增加对关系国计民生重大科学命题的创新性认识，形成独占性的经济社会发展的战略资源，大大增强我国的科技竞争力。

我国蛋白质组学技术平台的建设已经有了飞跃发展，有些单位的技术平台已达到国际先进水平。在肝癌、白血病等疾病的蛋白质组研究上获得了不少成就，但与国外相比，无论是投资力度，还是参与研究的人员，都远远不够。蛋白质组学研究专家表示，用“三难”来形容我国的蛋白质组学研究，即现有的规模与层次，难以提供对我国生物技术产业迅猛发展所急需的、强有力的蛋白质组学学术与技术支撑，难以适应我国基因组学等现代生命科学前沿领域对蛋白质组学的广泛需求，难以应对国际在这一战略高地的激烈竞争。为了在国际蛋白质组学研究上抢占制高点，促进我国医药卫生事业和生物技术产业的发展，政府和企业都应该紧紧把握这一最佳时机，以改变我国药品生产基本上只能靠模仿的局面。

# 检验医学

过去的一年中，检验医学在蛋白组学、化学发光诊断试剂、白血病病毒诊断试剂和肿瘤异常蛋白监测系统等方面取得革命性进展，2005年，中国检验医学发展呈现五种趋势：管理方面将向标准化、规范化方向发展，技术向自动化发展，检验向量知数源方向发展，人员分工向细分化方向发展，独立实验室也成为重要的发展方向。

## 一、标准化和规范化研究受到空前重视

实现标准化和规范化是一个复杂的综合性问题，我国正在制定相关法律、临床试验室管理办法，主要体现在4个方面：提高检验人员思想素质；提高技术水平，加强专业人员的管理；加强实验室管理；将质量控制管理纳入法制化。

《临床实验室管理办法》的出台和临床实验室资格认可制度的建立，意味着我国检验医学质量管理进入法制化和规范化管理的轨道，为提高临床检验质量和诊治水平打下坚实的基础。

## 二、量知数源理论被广泛接受

临床医学检验面对广大患者和群众，由于检验结果差错引起不必要的治疗和得不到及时诊断而延误病情，将给社会带来损失。我国检验界强调了量知数源的问题，统一“度量衡”已成为临床实验室的重大问题。我国检验医学越来越重视分析前、分析中和分析后的质量控制环节。为此，卫生部临床检验中心启动建立了血液常规检测校准实验室网络，并成为世界相关网络的新成员。中华医学会检验学会成立了8个专业委员会，制定了

《心肌损伤标志物应用总则、微生物检验操作规则》等多项标准，有效地提高了临床检验工作的质量。2005 年，中国人民解放军总医院临床检验科成为我国第一个通过中国实验室国家认可委员会（简称 CNAL）认可的医学实验室，也是我国第一个达到国际标准化组织《医学实验室质量和能力专用要求》（ISO15189）的医学实验室，这标志着我国临床检验学科迈出了国际标准化的第一步。

实验室要获得可靠的测定结果，需要建立一个全面的质量管理体系。在全面质量管理体系中，实验室内部质量控制和室间质量控制是两个重要由环节。它控制着从接受样本到获得测定结果并对结果进行分析由整个测定过程，是保证高质量操作由必要措施，所有临床检验科向患者提供测定报告的检验项目，都应开展室内质量控制和室间质量控制。我国检验医学界建立了室内质量控制体系，参加由权威机构组织的室内质量评价活动，从而使单方面的室内质控转变为全面质量保证，提高了结果的准确性，稳定性和可靠性。

## 三、自动化和分子生物学发展成为亮点

近年来，一些高科技、分子生物学技术在检验医学方面应用也较多和迅速，主要包括新的免疫标记技术、流式细胞术、体外基因扩增技术、生物芯片技术、床边快速检验方法等，目前在常规检验工作中逐渐得到应用。这些方法的应用缩短了检测时间，提高了检测效率和检测灵敏度。

目前血常规、尿常规、生化、免疫、血液、微生物等检测已有自动化或半自动化的仪器。这些仪器标本用量少、检测速度快，工作效率高，所得结果比较准确、可靠。

随着分子生物学的发展，人类基因突破性的解密，个性化治疗将会逐步成为发展的趋势。疾病诊断由现在的事后检验向前瞻性转变，提高早期诊断的比重，还会对用药进行针对性的指导，对治疗效果进行积极的评价。

医学检验将趋向于更早地发现微小的病变，例如生物芯片技术的发展，可以同时检测出肿瘤等很多疾病早期病变的特异性标记物，提醒病人接受

早期治疗或增加检验密度。检验还将在个体化治疗和药效评价上发挥重要的作用。在长期的医疗实践中人们发现，人对同样药物的反应是有个体差异的，对部分人有疗效的药，对部分人不但不灵敏，还会产生副作用。通过检测捕捉个体基因组上存在的与药物作用的不同靶点分子是当前的研究方向。临床检验还可以对疗效进行评价。医学检验将由被动变为更主动，给临床医生诊断提供更为准确的建议。

# 药 物 研 究

药物作为特殊的商品，不仅与社会的经济发展密切相关，而且直接关系到人民健康水平的提高和社会的发展，具有重要的经济价值和社会意义。特别是我国加入 WTO 以后，研究开发具有我国自主知识产权的药物，直接关系到我国的经济建设和人民的医疗健康事业。

我国有 13 亿人口，生活环境和生活水平差异显著，不仅发病人口的总数高，而且疾病的种类多，新发疾病不断出现，严重影响着我国人民的健康水平和社会发展。药物作为预防和治疗疾病主要工具和手段，不仅可以解除病人病痛，防治疾病，提高人民的健康水平和医疗水平，产生巨大的社会效益，而且可以通过直接和简介途径产生巨大经济效益，在国名经济发展中发挥重要作用。

在我国，药物研究尤其重要，一方面我国人口众多，对药物的需求量大，不可能依赖进口药物满足人民的需要；另一方面，我国疾病的种类和总体发病率有着明显的特点，存在大量需要研究解决的问题。特别是在我国人民对医药费用的承受能力与需求愿望存在极大差距的经济发展时期，药物研究具有十分重要的意义。

2005 年，是我国药学科学研究具有重要意义的一年，在这一年中，我国完成了第十个五年计划，药物研究工作也进行了全面的总结。经过“十五”期间的努力，我国基本实现了药物研究和开发的战略转变，初步改变了以仿制为主的研究模式，建立了创新药物研究的相关技术平台，研究了一些创新药物品种，为我国药物研究奠定了良好的基础。

药物研究是一个复杂的过程，又是一个多学科融合的研究领域，药物研究的发展可以受到多种因素的促进和影响，近年来生命科学的迅速发展，为药物研究提供了良好的机遇。同时，由于生命科学的快速发展引起的一些盲目乐观和种种原因引起的国内科学研究的浮躁现象，也在药物研究领域汇集，但在2005年开始了新的思考，将是我国药学科学发展走向健康发展的新起点。

## 一、我国创新药物研究的技术体系基本建立

药物研究是一个复杂的科学过程，又是一个多学科相结合的研究领域，实现我国药物研究的持续和稳定发展，必须具有良好的研发基础条件，形成符合新药研发需求的多学科合作和联合，建立一支创新能力强的人才队伍。“十五”期间，国家根据新药研究的基本要求和规律，进行了新药创新能力建设和技术平台建设，为创新药物研究奠定了良好的技术基础。

2005年是“十五”计划的最后一年，药物研究的平台建设在2005年接受了一次全面的检验和考核，结果证明，我国新药研发的技术支撑系统已经基本建成，并进行了良好的运行，取得了较好的成绩。

根据药物研究不同阶段的技术特点及每一个环节的特点和要求，针对重要的技术环节包括药物发现、药效学评价、药物代谢研究、安全性评价、质量标准、生产过程、临床研究等，建立规范的、与国际接轨的技术平台，奠定了我国药物研究的基础。

### （一）药物筛选平台

药物筛选平台是药物发现的基础技术平台，也是研究创新药物必不可少的关键技术环节，是进行药物研究的起始阶段。由于我国长期以来在药物研究中以仿制为主，对药物筛选的基础研究和技术研究没有给予足够的重视，技术基础差，技术力量薄弱。而国际药物研究领域对药物发现环节长期以来给予了极大重视，发展及其迅速，到20世纪末，在传统药物筛选的基础上，形成了规模巨大的高通量药物筛选，我国药物筛选的整体水平与国际水平的差距已经非常显著。

为了实现我国药物研究由仿制为主向仿创结合、创新为主的战略转变，从20世纪90年代后期，我国政府对药物筛选给予支持，启动了药物筛选中心的建设工作，到2005年底，全国建立了2个综合药物筛选中心（中国医

学科学院药物研究所药物筛选中心，中国科学院上海药物研究所新药筛选中心）和4个具有专业特色的筛选中心（中国医学科学院医药生物技术研究所、北京大学药学院、福建微生物研究所、南京药科大学）。我国的药物筛选平台尽管建设时间短，但经过政府支持和研究机构、研究人员以及有关企业的努力，目前已经建立了设备良好、管理规范、技术先进的药物发现专业研究机构。

药物筛选平台建设的主要内容包括药物发现理论和技术体系的研究。建立了药物筛选样品库和相应的样品信息数据库，化合物样品和天然产物样品总数已经达到30余万种。样品库的建立不仅是实现样品管理科学化和保证高通量药物筛选顺利进行的需要，也是保护我国天然资源，充分利用资源的重要措施。

药物发现的策略研究是建立药物创新研究技术体系的重要内容，由于高通量药物筛选在理论、技术、过程和方法上都与传统的药物筛选有明显的区别，根据资源、技术和理论特点建立全新的创新药物发现策略，才能够实现通过高通量药物筛选，有效地发现药物候选物和先导化合物。到2005年底，已经建立高通量药物筛选模型100余个，筛选化合物样品300余万样次，发现各种活性化合物1000余个，有些已经进入临床前研究阶段。

### （二）药效学研究平台

药效学评价在药物研究过程中具有十分重要的地位，是保证药物研究成功的基础，药物的作用作为药物基本属性，早期的准确评价具有重要意义。到2005年，在国家科技部支持下，针对抗肿瘤药物药效学关键技术和抗心脑血管疾病药物药效学关键技术进行了系统研究，建立了规范、先进的药效学评价方法，为我国新药研究提供了技术支持。

通过药效学评价平台的建立，规范了研究方法，创建了一批新的药效学研究方法，提高了药效学评价的水平和质量。药效学评价的内容非常广泛，目前虽然全国有众多的实验室可以完成药效学评价的试验研究工作，但在关键技术和新技术新方法的研究方面，研究力量还比较薄弱，尚不能适应新药研究的需要。药效评价的关键技术研究还需要不断加强，不断完善和扩展药效评价的方法和技术。

### （三）临床前安全评价平台

临床前药物安全性评价是保证药物安全的重要过程，安全性评价包括毒理学研究，毒理病理学研究等多方面的内容，我国在药物安全评价方面做了大量工作，经过国家 GLP 实验室认证的研究机构已有十余家，对我国新药安全性评价和毒理学研究发挥了积极的作用。

临床前安全性评价的对象不仅是化学药物，而且在平台建设过程中，针对中药、生物技术药物的特点，研究了一系列新的安全评价方法和技术，适应了我国新药研究的需要。

### （四）药物代谢研究技术平台

药物代谢研究技术平台主要研究药物在体内的吸收、分布、代谢和排泄过程，同时研究药物在体内的代谢产物，探讨新药在体内的过程，为临床应用提供实验依据。

在药物代谢技术平台的建设过程中，根据药物研究发展的需要，对化学药物的代谢过程、中药和生物技术药物的代谢规律和特点进行了研究。同时研究了药物代谢的标准，对药物代谢研究的技术方法进行了探讨，取得良好的成绩。

药物代谢技术平台建设过程中，完成了国内大量新药的代谢过程研究工作，促进了新药研究工作。

应用新的技术方法，建立了相关的体外药物代谢研究方法，使药物代谢研究的过程提前到药物候选物的评价过程中，提高了药物发现效率，可有效降低了药物研发的成本和周期。

### （五）临床试验关键技术平台

临床试验是实现药物临床应用的关键环节，是保证药物安全有效的直接观察过程。在临床试验关键技术平台建设中，根据临床疾病的不同，充分利用全国具有临床研究基础的医院，研究了多种疾病的临床评价方法和技术规范。

研究完成的临床试验关键技术包括心血管病药临床评价（中国医学科学院阜外心血管病医院、上海复旦大学附属中山医院、哈尔滨医科大学二附院），抗肿瘤药临床评价（广州中山大学肿瘤防治中心、医科院肿瘤医院），抗感染药临床评价（北京大学第一附属医院、上海复旦大学附属华山医院），中药临床评价（广州中医药大学二附院、中国中医科学院西苑医院、南京中医药大学附属医院、成都中医药大学附属医院、辽宁中医学院附属医院、天津中医学院附属医院、中国中医科学院广安门医院）等。此外还进行了Ⅰ期临床试验的示范研究等内容。

## （六）动物细胞表达产品的大规模高效培养技术平台

动物细胞培养在生物技术药物的研究和产业化方面具有重要意义，是影响生物技术药物发展的关键技术环节。该技术平台重点研究了动物细胞流动培养技术，灌流培养技术以及固定化培养技术等，解决了动物细胞培养中的关键技术问题，为动物细胞表达产品的大规模高效培养提供了技术支持。

## （七）生物技术药物规模化制备技术平台

生物技术药物规模化制备技术的研究主要包括重组微生物高密度和高表达发酵工程研究（华东理工大学、军事医学科学院生物工程研究所），蛋白分离、纯化复性技术（华东理工大学、清华大学、华北制药集团新药研究开发有限公司、上海交通大学）等。这些技术的研究有效地提高生物技术药物的产业化水平。

## （八）生物技术产品的质量标准和检测技术平台研究

随着生物技术产品的不断出现，对这些新型产品的质量控制成为保证药物疗效和安全性的重要内容，根据生物制品药物的特点建立的生物技术产品的质量标准和检测技术平台，重点研究了基因工程药物、基因治疗及核酸药物、抗体及细胞治疗产品、病毒疫苗、细菌疫苗等产品的质量标准和检测技术平台，并对这些新产品的标准品及其制备方法进行了研究，对生物芯片产品的质量标准和检测技术进行了研究，为发展我国的生物技术药物提供了质量保障措施。

### （九）中药质量标准技术平台

中药是具有我国特色的药物产品，对中药质量标准的研究也取得了明显的进步，建立了专门用于控制中药质量标准的技术平台，重点研究了中药重金属、农药残留、中药注射液指纹图谱的检测技术，制定了中药材种子质量标准和检验规程，并对中药化学对照品进行了研究，对于提高中药质量，保证中药疗效提供了技术支持。

## 二、创新药物研究的技术创新

创新药物研究的复杂性决定了在研究过程中的高新技术的高度集中，无论在药物发现阶段还是在药物研究的各个环节，实现对药物的安全性和有效性进行准确评价，都离不开各种先进的技术。我国药物研究过程中，一些新的技术和方法得到应用，提高了研究效率，降低了研究成本，加快了新药的研究过程。

### （一）药物筛选用生物芯片

中国医学科学院药物研究所药物筛选中心在制备了用于药物研究和兴奋剂检测的蛋白质芯片的基础上，通过长期探索，完成了应用蛋白质芯片进行药物筛选的研究，通过蛋白质芯片与化合物阵列的结合，成功的制备了用于筛选受体配基的蛋白质芯片和用于筛选生物酶抑制剂的酶蛋白质芯片，极大地提高了筛选效率，降低了筛选成本，发挥了生物芯片的优势。

### （二）药物筛选化合物和天然产物样品制备技术

新药的发现依赖于大量的样品，只有通过大量样品的筛选，才有可能发现理想的药物。化学学科的发展和新的合成方法的出现，为药物筛选样品库的建设提供了大量结构新颖和具有结构多样性的样品，尤其运用固相或非固相合成方法、微波合成方法等可快速建立各种具有分子多样性的化合物库，加快了药物先导化合物发现和优化的过程。

天然产物是药物研究的重要资源，在我国天然产物资源丰富，充分利用天然产物的资源优势是我国新药研究的重要内容。通过天然产物快速提取技术和高通量药物筛选相结合建立的天然产物活性化合物快速发现技术体系已经基本成熟，并取得了一定的成果。天然产物快速分离和筛选技术的应用，对于中药研究也具有重要的意义。

手性技术、立体选择性合成、区域选择性合成、手性催化剂、立体选择性生物合成等对使得手性药物的制备更为快捷和便利，各种结构鉴定技术及分析技术的联合使用对保证药品的品质和质量发挥了重要作用。

组合生物合成技术通过对代谢工程产品产生菌的遗传基因进行改造，如替换、阻断、重组以及添减组件等，制造出很多潜在的先导化合物，获得新型活性物质。

### （三）技术集成促进了药物研究

化学、物理学、理论和结构生物学、计算机和信息科学等学科与药学的交叉、渗透与结合日益加强，使新药研究的技术发生了重大变化。计算机科学的发展为合理设计药物提供了有效的技术手段，药物分子设计及计算机虚拟筛选发展迅速，借助计算机技术进行分子模拟、虚拟筛选，药物分子设计，建立药物预测系统，在药物发现过程发挥了良好的辅助作用，提高了新药研发效率。

微生物代谢工程技术在药物发现领域也发挥了重要作用，该技术主要是利用基因组学、转录组学、蛋白质组学、生物信息组学和代谢组学等技术，阐明微生物生物合成基因和微生物代谢途径，通过基因修饰、基因敲除、代谢阻断等手段，对特定代谢途径进行修饰、改造或导入新的代谢途径，以取消代谢旁路，定向合成目标产品，提高效率和产量。

新材料技术、纳米技术提供了更多可供选择的药用辅料。新剂型、新制剂的不断出现，定时、定量、靶向给药系统的应用，有利于更好的发挥药效、降低药物副作用，对新药的研发起着重要的推动作用。

而代谢工程技术则建立在代谢组学、组合生物学和系统生物学等现代生物学重要理论和方法的基础上，被誉为继 DNA 重组技术、蛋白质工程技术之后的第三代基因工程技术。

## （四）药物质量评价技术的发展

药物分析和质量控制是药物研究的关键技术之一，随着分析技术的发展和新型仪器的出现，药物分析和质量标准的研究方法也发生了巨大变化。近年来成熟的光谱及色谱技术均已在我国新药研究中得到广泛应用，常用的光谱技术如 UV、IR、NMR、MS、X－RAD、TA，色谱技术如 TLC、HPLC、GC、HPCE 以及各种光谱与色谱联用技术 HPLC－DAD、HPLC－MS、HPLC－NMR、GC－MS、HPCE－DAD、HPCE－MS 等，都在药物研究中发挥科积极作用。

用于分析药物分子结构的 X 线衍射技术不仅可以确定药物分子的构型，而且在中药质量的研究中也发挥了积极作用，并成功的应用 X 射线衍射技术，对中药质量和中成药的质量进行研究，取得良好进展，建立了重复性好、灵敏度高、可普遍应用的波谱分析新方法。

## （五）药物作用评价的技术方法不断改进

药物的药效作用评价主要依赖动物试验，建立动物模型对于药物研究和人类疾病研究具有重要意义。我国药物研究人员在脑出血性疾病、老年痴呆、糖尿病等疾病以及治疗药物的研究中，建立了一些新的动物模型，包括转基因模型、基因敲除模型和其他更接近人类病理过程的动物病理模型。

药物代谢的评价技术也开始应用于药物的早期研究阶段，一系列体外代谢模型的建立和应用，使药物的代谢研究更便捷，代谢机制更明确，为于早期评价药物研发前景提供了更丰富的资料。大量新型仪器的应用，不仅可以对药物的体内过程进行了评价，对于药物在体内的代谢产物也有了更明确的认识，进一步提高了对药物的安全性认识，也提高了药物的质量标准。

用于药物研究的分子水平和细胞水平的评价模型研究也取得了良好进展，特别是具有操作简便、评价效率高的均相试验方法，如 FP 技术、SPA 放射检测技术等，在新模型中得到了应用。

### （六）先进技术的引进提高了研究的水平

国际药物研究领域的技术发展近年来发生了巨大的进步，新技术新方法不断出现，我国为了全面提高研发水平，引进了一系列新的技术方法，并在此基础上进行创新性研究，取得了较好的进展。用于药物研究的多种荧光技术（如荧光偏振技术，能量转移荧光技术等）、放射性同位素技术（如亲近闪烁技术），高内涵药物筛选技术等，在国内药物研究中已经发挥了积极作用。

## 三、药物研究取得系列成果

2005 年我国药物研究取得良好成绩，有多项成果得到国家奖励。如肿瘤放疗增敏药甘氨双唑钠的研究，获得了 2005 年度国家技术发明奖二等奖。该药物针对国内外放射增敏剂存在毒副作用大的难题，依据增敏药物在消除肿瘤细胞内乏氧细胞对射线的抗性，提出在增强杀灭肿瘤细胞、提高肿瘤放疗效果的同时又使不良毒副反应最小的设想。率先设计并成功地将一种浓集于肿瘤部位的载体－氨三乙酸类化合物与另一种具有放射增敏作用的硝基咪唑类化合物结合，发明国内外第一个全新结构的硝基咪唑化合物“甘氨双唑钠”一类新药。发明了一种在严格无水条件，用氨三乙酸、醋酸酐、甲硝唑在吡啶内反应合成甲硝唑氨酸，再与碳酸氢钠均匀按比例混合后反应生产“甘氨双唑钠”的新工艺。经全国多家医院数千例肿瘤患者使用结果表明，甘氨双唑钠对头颈部肿瘤、食管癌、肺癌有明显的放疗增敏作用；可提高肿瘤放疗的痊愈率，明显降低射线的照射剂量，表现出明显的放射增敏作用，毒副作明显降低。

另外，有多项药物研究成果获得国家 2005 年度技术进步奖二等奖，如枸杞新品种选育及配套技术研究与应用，对传统中药枸杞的种植发挥了积极作用；抗药性恶性疟防治药青蒿素复方的研发与应用在青蒿素研究的基础上，开发了治疗抗药性恶性疟的新复方；一类新药再畅片剂，环孢菌素A生产新工艺关键技术及其应用，肝癌放射免疫靶向药物及其靶分子HAb18G/CD147的研究和应用等成果的获奖，标志着我国新药研究已经取得了良好的社会效益和经济效益。

除了获得国家奖励的研究成果外，还有大量研究成果不仅取得了良好的社会效益，而且产生了经济效益，其中有些成果不仅解决了实际问题，而且具有自主知识产权，甚至达到了国际先进水平。在药物研究的各个专业领域，都有新的研究成果出现，如新的药物生产工艺、药物新剂型等等，这些技术支撑着我国药物产业的发展。

仿制药物研究水平也有明显的提高，一批仿制药物通过技术创新，不仅申请专利保护，获得了知识产权，而且具备了走向国际市场的条件。通过仿制，不仅提高了企业的效益，而且通过研究提高了企业研究机构的创新能力。特别是针对重要传染病等严重危害人类健康的重大疾病相关的治疗药物，例如治疗艾滋病的药物，企业通过创新研究，完成了对部分重要药物的仿制，这种研究结果可以为企业赚取大量外汇，同时也完成了国家的技术储备，可以为国家和社会的安全提供保障。

## 四、创新药物研究受到重视

在我国已经批准上市的药物中，近年来已经出现了一些创新的药物，这些药物的研究成功，标志着我国已经开始了药物研究从仿制为主向仿创结合、创新为主的战略转移。

近几年研究成功的治疗心脑血管疾病的新药如：丁苯酞、重组葡激酶、盐酸关附甲素、心肌肽素、注射用红花黄色素、阿加曲班、强心力胶囊、健心胶囊、丹参多酚酸盐粉针剂、注射用红花黄色素冻干粉针/滴注液、银杏酮酯、人尿激肽原酶（凯力康）等；治疗肿瘤的新药如：重组腺病毒－p53、氯氧喹、纳米脂质体CD147/AP－1和hCIIp250－270靶向制剂、碘131

[$^{131}$I] 美妥昔单抗注射液、H101 基因工程腺病毒、重组人源化单克隆抗体 h－R3、重组人血小板生成素、重组人新型肿瘤坏死因子、新型重组人血管内皮抑制素；治疗老年病的药物如：脂可平软胶囊、塞疏软胶囊、苁蓉总甙、孕马结合雌激素、天癸更年丸（天癸宝胶丸）等等。

在这些药物中，丁苯酞是我国首创的具有新作用机制的治疗急性缺血性脑卒中的新药；盐酸关附甲素注射液为我国首创的全新结构类型、新作用机制的广谱抗心律失常药物；比特螺旋霉素是我国首创的基因工程抗生素；马来酸替加色罗是全球第一个专门用于治疗便秘型肠应激综合征的处方药。

这些新药的问世，为临床治疗提供了新的药物，对于提高医疗水平，提高人民的健康水平发挥了积极作用，同时也促进了医药产业的发展。

## 五、中药现代化研究取得进展

中药现代化研究一直受到我国政府和研究人员的重视，经过多年的探索和努力，中药研究的技术明显提高，新的研究成果不断出现，对于全面提高中药研究的科技水平发挥了积极作用。

中药资源研究受到重视，应用卫星遥控检测技术，对我国中药资源进行研究，对于保护我国中药资源，实现中药资源的持续利用具有重要意义。

中药信息学的研究取得良好进展，经过多年的努力，已经建立了具有一定规模的中医药信息数据库，对于深入研究中医药奠定了良好的基础。

中药物质基础研究进一步得到加强，采用新技术新方法研究中药取得进展，从中药中发现新的活性物质或先导化合物已经成为国际公认的良好途径。在国家自然基金委员会和香港资助局共同支持的中药活性成分大规模集成研究顺利结题，应用快速分离和高通量药物筛选技术从中药中发现活性化合物的技术路线已经基本成熟。

中药复方研究取得进展，以六味地黄汤的研究为代表的一系列中药复方研究，初步阐明了中药复方的科学性和合理性，为中药复方研究提供了经验。以中药复方有效成分组为特点的研究，对于认识中药的作用机制和物质基础提供了新的思路，应用这种方法对中药复方的研究，在国家自然科学基金的支持下也取得阶段成果。

由中药中开发出的具有重要临床价值的新药不断出现，如从丹参中提取制备的丹参总酚酸注射剂在临床研究中证明对于脑缺血性疾病具有良好的治疗效果，对心血管疾病也有良好作用。我国第一个抗艾滋病中药新药——唐草片已经用于临床。用于治疗丙型肝炎的中药新药松栀丸，根据中医络病学说治疗慢性心衰的新中药强心力胶囊等等，都已经在临床上发挥了较好的作用。

## 六、生物技术药物研究取得突破

我国生物技术药物研究与国际社会的起步差距不大，整体研究水平与国际先进水平接近，与国际生物技术药物的发展历程一样，在经历了一段时间的快速发展以后，有相当长的一段时间处于技术稳定期，虽然目前生物技术药物在临床上或是市场上都还没有达到预期的结果，但经过一段时间的完善以后，将成为发展最迅速的重要领域之一。

我国在生物技术药物研究方面已经取得了一定的突破，目前已经上市的基因治疗药物——重组腺病毒－p53 抗癌注射液，就是世界上第一个获准上市的基因治疗药物；用于治疗原发性肝癌的药物——碘$^{131}$［I］美妥昔单抗注射液，也是世界上最先研究成功的抗体治疗药物。此外，在国际上领先研究成功的药物还有，如世界上第一种重组人血管内皮抑制素类药物——重组人血管内皮抑制素也首先在我国批准上市；另外如重组人源化抗人表皮生长因子受体单克隆抗体（泰欣生），“重组葡激酶”类溶血栓药物——注射用重组葡激酶等药物，都是我国首先批准临床使用的。

## 七、“十五”计划“创新药物与中药现代化”重大专项全面完成

2005 年药物研究领域重要的工作是对十五期间实施的“创新药物与中

药现代化”重大专项支持的417个项目进行了检查和验收，总结了十五期间我国新药研究的总体成果和进展。

“九五”和“十五”两个五年计划期间，我国在创新药物研究及产业化开发方面取得了重大进展。我国已经初步建立了完整配套、装备精良、技术先进的药物创新研究技术平台；通过引进和培养形成了一支勇于创新、富有朝气、献身药物创新事业、以中青年科学家为主体的研究队伍；处于各研究开发阶段的创新药物明显增加，一些具有自主知识产权的创新药物显现良好的市场前景，有的已经在海外完成Ⅱ期临床试验，显示明显的特色和优势，为我国药物创新研究跨越式发展奠定了重要基础。

“九五”期间，我国通过“1035”计划实施，初步部署和建立了部分药物创新研究的关键技术平台，跨出了药物创新研究的第一步。“十五”期间，通过国家重大科技专项“创新药物和中药现代化”的实施，完善和加强了我国药物创新研究的技术平台，初步形成了体系和规模。目前面临的任务是全面提高我国药物自主创新、集成创新的能力，推动医药产业发展，参与国际竞争，实现我国新药研究和医药产业发展的第二步目标。

## 八、药学科学基础研究水平稳步提高

药学科学是一门多学科高度融合的学科，药学学科的发展与生命科学、化学、物理学、材料科学、计算机科学以及信息科学的发展密切相关。药学科学又是一门应用科学，其学科发展的标志是产生可以治疗疾病的安全有效的药物。药学科学的基础研究是药学发展的基本保障，我国药学科学的基础研究力量薄弱，长期以来处于跟踪国际发展的状态，研究水平明显落后于国际水平。

生命科学的发展，促进了药学科学基础研究，特别是在药物靶点研究方面，我国药物科学研究人员对已知药物靶点、新的潜在药物靶点以及候选药物靶点的研究方面做了大量工作，利用这些靶点建立了一些药物筛选模型，进行了药物筛选。通过对药物靶点的研究，提高了药物发现的水平，特别是在药物靶点的确证等方面取得一定进展。

在药物作用机制的研究方面，阐明了一些常用药物的作用机制，为临床用药提供了理论基础，例如我国研究人员阐明了三氧苯胺治疗乳腺癌而导致子宫内膜癌这一长期倍受公众和科学界关注的重要问题，为子宫内膜癌的治疗和预防提供了新的思路和药物靶点，同时对肿瘤分子生物学的理论发展也做出了贡献。在对中药黄连有效成分的研究中，我国科研人员初步阐明了中药黄连有效成分小檗碱新的降血脂机制和重要的分子靶点。这些研究都具有重要的理论意义和实用价值。

药学学科近年来研究论文数量和质量都有明显的提高，特别是在国际专业期刊上发表论文的数量不断增加，反映研究结果受重视程度的引用次数也在不断增加，显示出我国药学科学的发展状况。

与国内其他学科发展相比，药学学科的发展展现出前所未有的良好势头，在全国各科研机构发表论文数量的比较中，药学研究机构（中国医学科学院药物研究所）2004 年度被 MEDLINE 收录的论文数在全国各科研机构中排名第三，展示药学学科基础研究已经取得良好的进展。

## 九、药物研究的战略正在转变

我国是药物消费大国，这种局面随着经济发展和人民生活水平的提高将会更为突出，因此，药物研究是长期的任务。我国也是药物生产大国，生产量巨大，但效益非常小，我国还不是一个医药强国。为使我国由医药大国逐渐向医药强国转变，应该采取分步走的发展战略。

首先，搭建我国医药科技创新体系框架，建立我国创新药物研究平台。我国经过多年努力，这部分工作已在“九五”、“十五”期间得到落实，基本完成了初步建设的工作；

然后，完善医药科技创新体系，进一步加强平台建设，加强理论创新，知识创新，使我国的医药科技创新体系能与国际创新药物研究规范接轨，使我国自主研发的创新药物得到国际认可，研发接近发达国家的水平。这些工作在“十五”期间已经进行，并取得良好的效果和进展，为我国新药研究奠定了良好的基础。

我国医药科技创新体系的目标是利用已建立的符合国际规范的我国医药科技创新体系，运用各种新理论，新技术，新方法，研发疗效好，副作用小、具有国际市场竞争力的新药，并为我国进入小康社会作出积极贡献。实现新药研制从仿制为主向创新为主、创仿结合的战略转轨，使我国新药研究和开发的综合实力接近发达国家水平，全面提高中药现代化水平，为我国医药产业发展的战略调整和保证人民用药提供科技支撑。

目前我国临床应用的自主研制的具有知识产权的新药已有十余个，个别药物已经出口国际市场；进入临床研究的具有知识产权的新药有数十个，处于临床前研究阶段的新药有百余个。这说明，我国创新药物研究已经受到广泛重视，形成了良好的发展态势。

## 十、药物研究面临良好机遇和严峻挑战

20 世纪下半叶以来，生物技术的发展使人们认识到，在信息时代之后，可能出现一个以生命科学为主导的时代。随着生命科学各个领域不断取得突破性进展，特别是人类基因组计划初步完成后，功能基因组学、蛋白组学的进展，给新药研究开发带来了更大的发展空间。随着对各种功能基因在人体生理生化及发病过程中所起作用的不断认识，利用功能基因寻求药物作用的新靶点，进而发现新作用机制的新药；通过转基因动物模型的建立，使得动物疾病模型与实际发病机制更为接近，更有利于提高新药发现的命中率。对药物研究提供了良好机遇，化学药物不仅是医药市场的主体，也是药物研究领域重要的研究内容。

生物技术药物快速崛起，全球研制中的生物技术药物超过 2200 种，其中 1700 余种进入临床试验。美国是现代生物技术的发源地，也是应用现代生物技术研制新型制药发展最快的国家；欧洲在发展生物药品方面进展也较快，在生物技术的某些领域甚至赶上或超过了美国；日本目前已有 65% 的生物技术公司从事生物医药的研究，并取得了一定的成绩；生物医药产业正快速由最具发展潜力的高技术产业向高技术支柱产业发展。

建立在现代技术基础上的天然药受到广泛重视，天然药物的需求量正

在快速增长，世界各国普遍看好这一市场，竞相采用现代技术研究开发天然药物。我国在这一领域的研究具有较强的优势，需要把握机遇，给予充分重视。

传统中药已逐步走向科学化、规范化的道路，突出特色，强化科学规范的研究，提升传统中药产品的科技含量和科技水平是我们面临的重要任务。

创新人才队伍建设需要加强，目前我国具有创新意识和创新能力的人才缺乏，由于目前企业创新意识还不够强烈，专业人才多从事常规性、一般性或跟踪性的研究工作。加强创新型人才是我国医药科学教育领域的重要任务。

我国第十一个五年计划即将开始，创新药物研究方面临新的发展机遇，在机有工作基础上，经过药学科技人员和企业的共同努力，将取得新的成就。

# 新药药效学评价关键技术及平台建设

## 一、历史背景

新药物临床前研究与评价是保证药物安全、有效、稳定、可控的重要环节，目前我国新药研究水平低、创新能力差，药效学评价技术的不规范是一重要因素，因此，如何提高各项临床前研究与评价技术的科学性、规范性、真实性，完善符合国际规范、符合中西医理论的各种技术平台，全面提升我国药品标准，接近和达到发达国家水平，所提供的临床前研究与评价数据能够得到国际认可，是我国新药开拓国际医药市场的前提和重要的技术支撑。药效评价关键技术及平台建设就是充分利用现代生物技术包括功能基因组学和药物基因组学技术的新进展，在我国药理学工作者前期建立的各种药效学模型基础上，研究和建立准确反映药物治疗作用的新型药效学模型和实验方法，建立更加接近疾病发病机制的病理模型、证的动物模型，开展药效评价及数理统计模型研究，建立药效评价示范实验室，积极推动我国药物创新体系发展。

恶性肿瘤及心脑血管疾病是危害我国人民生命健康的重大疾病，且发病率仍呈逐年上升趋势，近年来已经成为了城市前两位主要疾病死亡率及死亡原因。抗肿瘤药物和治疗心脑血管疾病药物是目前世界上新药研究开发的热点领域。生命科学的迅猛发展提供了许多新的靶点、新的治疗途径，诞生了新类型的药物。我国的抗肿瘤药物和治疗心脑血管药物多依赖进口，这些药物价格昂贵，难以普及。缺少具有自主知识产权的创新药物与药效评价领域落后直接相关，具体表现在：药效评价方法的先进性、系统性以及规范性上与发达国家尚有很大差距；缺乏某些重要的疾病动物模型；新型药物缺少完善的评价方法和体系；早期评价不充分或缺乏，对化合物的特异性和选择性认识不足；中药的研究缺乏特异性药效学评价方法等。因此，建立和完善符合国际规范标准的、科学系统的抗肿瘤及治疗心脑血管病药物的药效学评价技术平台，是研发有效药物的前提和基础，对于推动创新药物的产业化和国际化，促进中药走向国际市场具有重要现实意义。

## 二、“十五”期间药效评价平台建设进展

多年来我国具有自主知识产权的抗肿瘤、抗心脑血管病药物很少，国家投入资金也较少，总体研发水平不高。因此国家科技部高度重视，“十五”期间，国家科技部“创新药物与中药现代化”重大专项立项了“抗肿瘤、抗心脑血管病药物临床前药效学关键技术及平台研究”课题，使我国在有关抗肿瘤、抗心脑血管病药物临床前药效学关键技术的研究中获得了若干较显著的进展。

在中国科学院上海药物研究所、中国医学科学院医药生物技术研究所、英国 Aston 大学、美国哈佛大学、法国施维雅公司、日本大正公司等单位的合作下，抗肿瘤药物药效学评价关键技术与平台研究课题建立和完善了抗肿瘤药物药效学评价技术平台和数类新型抗肿瘤药物评价技术及标准，包括具有中国特色的达到国际标准的人类体内外抗肿瘤药物药效学评价技术平台；肿瘤耐药逆转剂和抗肿瘤耐药药物的评价模型和评价标准；细胞、组织、体内多水平的肿瘤新生血管生成抑制剂系列评价模型以及相应的药效评价标准，并有多个候选新生血管生成抑制剂正在进行药效评价；建立了 8 个分子水平的受体或非受体型酪氨酸激酶模型和系列酪氨酸激酶高表达肿瘤细胞（肺癌、乳腺癌）模型，并利用这些模型对大量化合物进行了抑制酪氨酸激酶活性的测定，发现了数十个具有不同的酪氨酸激酶抑制活性的化合物；建立了检测酪氨酸激酶抑制剂的先进的荧光偏振技术及其标准操作规程和评价标准，细胞周期调控和凋亡诱导剂的药效评价模型和评价标准，DNA 损伤模型的标准操作规程以及评价标准，系统的微管抑制剂评价模型的标准操作规程以及评价标准。通过原位接种和克隆选择，建立了人乳腺癌 MDA – MB – 435、MDA – MB – 231 两个裸小鼠移植瘤高转移模型以

及四种抗转移评价方法，建立了单克隆抗体导向药物的关键技术和检测标准。

在中国中医研究院西苑医院、第二军医大学、中国医学科学院药物研究所、北京大学医学部、香港大学、法国里昂第一大学药学院、美国 Michigan 州立大学、美国宾西法尼亚大学、澳大利亚西悉尼大学等单位的合作下，抗心脑血管病药物药效学评价关键技术与平台研究，建立和完善了包括整体、器官、细胞及分子的多层次、多水平的评价治疗缺血性心血管疾病、缺血性脑血管疾病、血栓和栓塞性疾病、脂代谢紊乱和动脉粥样硬化、高血压、血管性痴呆、心功能不全、脑出血等疾病的药效学评价模型和方法 124 种。其中新建立了 21 种动物模型和实验技术，如冠脉介入自体血栓法制备中国实验小型猪心肌缺血模型、导管介入血栓法制备犬局灶性脑缺血模型、大鼠脑血管动脉粥样硬化模型、去窦 - 弓神经大鼠模型、ABR - DR 模型、快速起搏致慢性心功能不全模型、脑缺血引起线粒体功能改变模型、钾通道调节剂的寻找及药物评价方法、与脑缺血相关的基因组学和蛋白组学指标和检测技术等，其中有 8 个模型是国内首次建立，3 个模型属于世界首创。

抗肿瘤、抗心脑血管病新药药效学评价关键技术和平台边建设边实践，对 73 个抗肿瘤候选新药、107 个心脑血管系统药物进行了临床前药效学评价，其中有 6 个新药获得新药证书，18 种新药进入了临床研究，6 个正在申报临床。其中为烟台麦得津生物工程股份有限公司评价的国内第一个抗肿瘤血管生成抑制剂—重组人血管内皮抑制素（Endostatin）已经获得国家药监局的新药证书，使我们建立的系统、规范的新生血管生成抑制剂的药效评价模型和评价标准得到了进一步的实践和应用。该药在临床Ⅲ期的联合用药试验中，显示出明显的抗肿瘤增效作用。为石家庄制药集团评价的左旋丁基苯酞（l - NBP）不仅能用作治疗急性缺血性脑卒中，而且可用于脑卒中的二级预防，预防心肌梗死以及治疗外周血管疾病等，该药的研制成功为实现我国新药研制从仿制为主向自主创新为主的战略性转轨，为我国开发自主知识产权的药物起到了示范作用。自主开发的治疗血管性痴呆的中药新药获得了澳大利亚 TGA 的认可，目前正在与澳大利亚西悉尼大学合作，进行随机、双盲、安慰剂作对照的临床研究，为我国中药新药的国际合作和进入国际市场提供了很好的示范意义。尤其是该平台为国外医药公司进行临床前药效评价，报告得到好评，表明该平台的评价技术和标准已与国际的规范要求一致。

整体来看，建立的抗肿瘤、抗心脑血管病药物药效学评价技术平台系统完整，起点高，应用大量高新技术，且有中国特色，即针对中国人常见的恶性肿瘤、发病率极高的缺血性心脑血管疾病。如酪氨酸激酶抑制剂的药效评价技术平台应用大量现代分子生物学实验方法，转染系统具有独特性，达到国际先进水平，国外仅个别大医药集团拥有类似的技术平台，一些新型抗肿瘤药物的药效学评价模型和评价标准已经与国际接轨。“抗肿瘤、抗心脑血管病新药药效学关键技术和平台”的建立大大缩短了我国在抗肿瘤、抗心脑血管病药物药效药理学研究领域与国外的差距，在药效评价方面已与国际标准一致，为今后治疗肿瘤、心脑血管疾病新药的研发和科学评价提供了一个完整的技术平台和强有力的技术支撑；大大促进了这两类新药的研发速率，有利于我国研制的新药与国际市场的接轨。另一方面，本项目建立的肿瘤、心脑血管疾病的一系列动物模型不仅可用作候选新药的药效评价，而且为生命科学领域的研究提供了理想的工具，可促进其他如疾病发展、靶点确证、结构生物学、药物作用机制和病理生理演进过程等的研究。本项目通过规范并创造性地建立药效学评价的新方法和新模型，使之尽可能逼真地模拟人体的病理生理过程，准确快速地评价新药作用强度和规律（效价、效能、效时），探索新药的作用靶点和机制，可以形成并发表高水平的研究论文，从而提高我国在国际上的学术水平和学术地位，增强我国的科技竞争实力。

## 三、我国新药药效学评价关键技术发展面临的问题及建议

我国每年有170万人死于癌症，且发病率仍呈上升趋势。缺血性心脏病是发达国家的主要致死因素之一，在我国，随着生活习惯的改变，心脑血

管病患者也呈明显增长趋势。抗肿瘤药物以及抗心脑血管病药物的研发一直是国内外医药集团和科研机构的重点研究领域。针对国际上抗肿瘤、抗心脑血管病药物的研发热点，尽管在科技部重大专项“抗肿瘤、抗心脑血管病药物临床前药效学关键技术与平台研究”的资助下，抗肿瘤、抗心脑血管病药物药效评价平台对已有常用药效评价模型进行了完善和规范，但考虑到这项工作的基础性、常规性、精确性和示范性，这项工作仍需要做大量的探索性工作，在使用模型的数量和质量上还要有一个不断完善、规范、创新的过程。在今后的工作中，要学习借鉴国际 GLP 管理规范系统，以十五期间建立的药效学平台为试点，建立药效学评价实验室计算机管理系统，加强管理软件与数据库的建设，实现各药效平台的网络互动和数据资源共享，实现药效学评价的在线管理和实时监控。同时，新药药效学评价工作不仅仅是抗肿瘤、抗心脑血管病药物，治疗其他疾病药物的药效学评价同样面临这方面的问题，因此，十一五期间应该在继续加强抗肿瘤、抗心脑血管病药物临床前药效学关键技术与平台研究的基础上，增大资助力度，扩大支持范围，全面提升我国的新药药效学评价水平，加强国际合作，争取得到更多和更广泛的国际认可，开展对国外的药品进行评价以及互动，在平台评价的药品能够到国外药监部门注册、上市，使我国的药效学评价工作尽快与国际接轨。

# 卫生保健伦理学

## 一、学科发展

对医疗卫生领域中伦理问题的研究源于20世纪50～60年代的美国。20世纪80年代以来，医疗卫生实践和生物医学研究中的伦理学逐渐成为各国决策者、学术界和社会公众关注的焦点之一。加拿大、西欧、日本等国家的医科大学开始建立研究中心、设置伦理学课程、招收研究生。在国际社会，不少相关的学术刊物（如 *Bioethics*、*Kennedy Institute of Ethics Journal* 等）和专业学会（如联合国教科文卫组织的国际生命伦理学委员会、亚洲生命伦理学学会等）也相继创立。大批高水准的学术论文和专著如同雨后春笋般涌现。

医药卫生科技的迅猛发展，一系列棘手的伦理的、社会的和法律的问题接踵而来。在认识和解决这些彼此交织的复杂问题时，伦理学（尤其是应用伦理学）所提供的理论、论证方法和基本原则引人注目。把伦理学应用于解决医疗卫生领域的社会性问题的尝试催生了这个新的学科。关于该学科的名称，有多种叫法：如医学伦理学、临床伦理学、卫生保健伦理学、生命伦理学等等。

卫生保健伦理学（health care ethics）是在跨学科跨文化的情境中，从伦理学角度对生命科学和卫生保健中的伦理问题进行系统研究的学问。从广义上讲，卫生保健伦理学包括如下主要内容：①在分析和解决医疗卫生领域中伦理问题时，现有的各种伦理学理论的优点和局限性等；②在临床实践中，如何正确面对日趋紧张的医患关系、如何看待看病难问题、如何看待辅助生殖、产前诊断、人工流产、遗传咨询、临终关怀中的伦理问题；③在涉及到人体的生物医学研究中如何保护受试者的权益，如何开展对临床方案的伦理审查等；④在公共卫生领域，如何维护和促进人群的健康，如何处理个人权利与群体健康的关系；⑤在管理法规方面，医疗卫生改革的基本价值取向是什么、如何做到医药卫生资源的公正合理分配，高新科技在生物医学中应用时所带来的管理、法律问题；⑥在跨文化语境下的知情同意难题、以及是否存在普遍伦理问题。

实际上，对卫生保健伦理学的上述界定涵盖了医学伦理学、临床伦理学、公共卫生伦理学、研究伦理学等学科内容。在传统上，以医学伦理学或临床伦理学为代表，学者关注较多的是临床实践中的医患关系、医德医风等伦理问题。但随着医疗卫生实践领域的拓展，以及生物医学研究在广度和深度上的延伸，伦理学探讨的范围已经被拓展。两个显著的特征是：其一，由于涉及到人的生物医学研究的加速发展，研究伦理学异军突起，它从不同的社会、文化、道德、价值视角审视生物医学研究中的伦理问题；其二，由于人们对公共卫生方面的需求日益增高，以及人们对 SARS、禽流感疫情的切身感受，作为一个研究领域，公共卫生伦理学渐渐进入决策者和研究者的视野。

## 二、卫生保健伦理学在中国

在我国，从伦理学角度关注生命科学、卫生保健领域起步于 20 世纪 80 年代。1988 年有几件标志性事件：在上海举行的全国安乐死社会、伦理和法律问题研讨会；在湖南岳阳举行的生殖技术引发的社会、伦理和社会问题学术会议。20 世纪 90 年代以来，卫生保健伦理学蓬勃发展，越来越多的医科大学开设了相关课程。不少大学建立了相关的学术研究机构，如中国协和医科大学、华中科技大学、东南大学的生命伦理学研究中心，大连医科大学的国际人文社会医学研究中心等。在中国社会科学院、北京大学、北京理工大学的应用伦理学研究中心，也有一支从事生命伦理学研究的专业队伍。在我国，专业性期刊有《医学与哲学》、《中国医学伦理学》、《医学与社会》等。《基础医学与临床》、《中国医学理论与实践》和《自然辩证法研究》等期刊也开辟了专栏或不定期地刊登卫生保健伦理学方面的文章。

20 世纪 90 年代以来，卫生保健伦理学在中国的体制化建设加快。1989 年，在西安召开了中华医学会医学伦理学会成立暨第五次全国医学伦理学学术会议，通过了《中华医学伦理学会宣言》。该学会的建立推进了学科建设、学术研究和交流、改进高校伦理学教学质量。目前有 20 多个省市成立了医学伦理学分会。在伦理审查方面，不少医院或研究机构成立了伦理审查委员会（ethical review board）。在我国，国际合作研究项目接受伦理审查几乎已是常规，而且越来越多的国内研究方案送交伦理审查委员会审批。2000 年 8 月，我国卫生部成立了医学伦理学专家委员会，这对于建立全国的伦理审查体系大有裨益。很少有一个人文社会科学学术领域，能在短时间内，受到医学家、生物学家、哲学家、社会学家、法学家、宗教界人士、新闻界人士、立法者、决策者和公众的关注。

## 三、2005 年的重大伦理事件及其评述

### （一）国际合作与交流进一步加强

2005 年 3 月和 5 月，中国协和医科大学和华中科技大学分别与哈佛大学公共卫生学院合作，成功地举办了两期生物医学研究伦理高级研讨班。哈佛大学的 Daniel Wikler 教授、Richard Cash 博士和世界卫生组织的 Alex Capron 教授与国内的邱仁宗等专家莅临授课。2004 年，中华医学会领导根据专家建议决定申办第八届世界生命伦理学大会，这是一次生命伦理学和医学人文学科的奥林匹克。2004 年 11 月在悉尼举办的第 7 次大会期间投票决定 2006 年会议地点为北京。2005 年在中华医学会的组织下和中国医学科学院/中国协和医科大学的协办下，各项筹备工作正在有条不紊地进行。大会主题将涵盖如下方面：专业精神、临床伦理、公共卫生伦理、研究伦理、生命科学和生物技术伦理问题、政策、人权、管理和生命伦理学、生命伦理学与伦理/哲学理论、生命伦理学与文化和其他领域。国际合作与交流的扩展，使得更多的人了解了生命伦理学，接受了相关教育，也会让国际社会进一步了解生命伦理学在中国的发展情况。

## （二）对医疗卫生改革目标的伦理思考

2005年，国务院发展研究中心发表了一项研究报告：对中国医疗卫生体制改革的评价与建议（概要与重点）。其基本结论是：改革开放以来，中国的医疗卫生体制发生了很大变化，在某些方面也取得了进展，但暴露的问题更为严重；从总体上讲，改革是不成功的。一个政府的研究机构能够对改革开放以来的一个重要领域做出总体不成功的评价，这种广开言路的做法在过去是不多见的。

这个研究报告也引起了伦理学界的关注。20多年的医疗卫生改革成功与否既是个事实判断，也是一个价值判断。人们对医疗卫生改革评价不一的一个原因在于，人们对改革目标有不同的价值取向。在改革目标选择上存在两种价值取向："以减轻政府负担为目的"和"以建立一个理想的公正的卫生保健体系为目的"。不可否认，对于我国医疗卫生体系基本目标的选择涉及到诸多方面，但在过去很长时间，为人们所忽视的是伦理学的视角。伦理学，尤其是卫生保健伦理学探讨的一个主要方面是，在医疗卫生改革中哪些是有义务做的，哪些是可做可不做的，而哪些是不必做的。

单纯的市场化道路违背了医疗卫生事业发展的自身规律。医疗卫生服务体系应该是多层次的、布局合理的，而不是在服务内容上向"豪华医疗服务"集中，在地域布局上向富裕地区集中。市场化的一个严重后果是，医疗机构在市场自发的引导下追求经济效益最大化，而忽视社会效益。出现轻预防、重治疗，轻常见病、多发病、重大病，轻适用技术、重高新技术的倾向。

在欧美国家，卫生保健伦理学已经越来越多地介入到医疗卫生体制改革、公共卫生政策制定、医药卫生资源分配等现实领域中，为科学决策提供鲜活的思路。例如，美国哈佛大学教授Norman Daniels提出了医疗卫生改革的伦理基准，包括服务可及性、需要适宜性、负担公平性、效率、负责、扩大选择范围等。这些伦理基准也可供我国医疗卫生改革实践所借鉴。若过分强调市场效率优先，则社会公平性难以保障，而在政策导向上忽视了公平，则既丧失了公平，也可能丧失了效率。

## （三）艾滋病治疗和研究的伦理学关注

对艾滋病的预防、治疗和研究涉及到的不仅是医学问题，而且包括诸多伦理、社会和政策问题。因此，对于这种深刻地触及人的尊严、权利和隐私的疾病，其防治工作比其他任何疾病都需要对相关的伦理问题加以研究和妥善解决。2005 年 6 月召开的国务院常务会议进一步明确艾滋病防治工作思路，提出了防治艾滋病的九项措施。在防治艾滋病方面，要坚持预防为主、防治结合、综合治理，重实效，以求有效遏制艾滋病的流行和蔓延。

为了成功地遏制艾滋病的传播，各级政府和社会各界都有不可推卸的责任。2005 年，国务院继续落实“四免一关怀”政策，即向艾滋病感染者免费提供抗病毒药物、免费匿名检测、免费提供母婴阻断药物、艾滋病患者的孤儿免费上学，对艾滋病患者家庭实施关怀救助。这充分体现了中央政府对艾滋病病人健康权的尊重，因为获得抗逆转录病毒药物治疗是 HIV 感染者的基本权利。要明确政府和个人的责任划分，制定相应的伦理准则，促进立法，加强卫生宣传教育，消除对艾滋病人的歧视和其他不公正待遇。

加强抗逆转录病毒药物的研发是预防和控制艾滋病的长远大计，但在研发中却存在诸多棘手的伦理问题。在招募病人参与艾滋病临床试验时，获得受试者的知情同意是一项基本的伦理要求。研究者需要向受试者说明：潜在的受益和可能的风险，可能的不良反应，治疗的内容和方式，检测或研究的结果是否向受试者纰漏，是否有长期的随访计划等。要避免诱导参与，不可剥夺受试者的知情权和自主选择权。受试者有拒绝参加 HIV 检测和拒绝药物治疗的自主选择权。当存在疗效肯定的艾滋病治疗药物时，如果继续以安慰剂作为对照药物，那将是违反“有利”、“不伤害”和“公正分配”等伦理原则的。

2005 年 3 月，在广西疾病预防控制中心共有 8 名志愿者参加了国内首次艾滋病疫苗临床随机试验。如今，HIV 疫苗研究在包括中国在内的许多国家开展，但在疫苗研究中要采取必要的措施来保护试验参与者的权益。在病人或健康自愿者参加试验前，研究者应该充分告知该疫苗研究的目的、潜在的风险和受益等信息，并在充分理解的基础上获取每个参与者的独立的同意。对于那些没有行为能力的人要采取特殊措施来保护他们的权益。疫苗试验往往与 HIV 的筛查和检测相伴进行，这就涉及阳性血清结果的保密问题。研究者应在研究方案中采取相应的保密措施。在不少艾滋病疫苗研究中，为更好地保护参与者的权益，社区参与是一种有效的方式。社区代表可以参与研究设计、实施和研究结果的分享，以保证疫苗研究合乎伦理学要求，并能为参与者所在的社区接受。

### （四）对防控高致病性禽流感的伦理思考

据农业部兽医局局长贾幼陵称：截至 2005 年 12 月中旬，我国共有 11 个省区的 30 个县（市、区）发生了 30 起高致病性禽流感疫情，共有近 16 万只禽发病，死亡 15 万只，扑杀家禽约 2200 万只。目前已有 23 个疫区解除封锁，我国防控禽流感工作取得了初步成效。同时值得注意的是，2005 年湖南、江西、辽宁和福建等省确诊多例人感染高致病性禽流感病例。那么，如何从伦理学角度对此重大的公共卫生事件加以评述呢?

2003 年 SARS 在中国的爆发使政府和社会公众对“公共卫生”有了更深刻的认识，相应地，深入探讨中国公共卫生领域中的伦理学问题也成为国内乃至国际学术界的焦点之一。下面，我们参照 SARS 爆发期间的讲演教训来对禽流感进行公共卫生伦理学分析。

**1．防止疫情报告制度带来的“贴标签”现象** 在 SARS 爆发期间的一个基本经验是，为了及时掌握疫情和发现新的人感染病例，建立健全疫情报告制度是十分必要的。但疫情报告制度本身却需要伦理学论证。理由在于：伦理学的一个主要原则是尊重个人的自主性、不可侵犯个人的隐私，但疫情报告制度却有可能干预了检疫区居民自由，忽视了对其隐私权的尊重。例如，一旦某地的禽流感疫情被公开，当方式不恰当时会给检疫区的居民（尤其是患者和家属）贴上“标签”或打上烙印，从而歧视或孤立他们。因此要防止疫情报告制度带来的“贴标签”现象。

**2．妥善处理个人权益与和公共利益的关系** 在 SARS 爆发期间，卫生部紧急颁布了《传染性非典型肺炎防治管理办法》，并采取了严格的隔离检疫措施。这些对密切接触者的追踪监控措施有：让 SARS 患者和疑似患者的强制住院治疗、对密切接触者的强制隔离观察、对交通工具和旅客的严密监控，等等。从公共利益角度看，这样做是完全合理和必要的。同样，为了遏制禽流感疫情的蔓延，也需要对检疫区的禽类进行严格的检疫或捕杀，对检疫区的患者和密切接触者实施隔离或强制住院治疗。但这些做法事实上会严重限制个人自由，甚至对当事人造成精神上、工作上或经济上的损失。例如，为了控制传染病蔓延，2005 年我国强制性宰杀和焚毁了百万头计的牲畜，这使检疫区蒙受巨大经济损失。

如何看待个人权益与和公共利益的关系呢？实际上，在重大的公共卫生事件中对个人活动的某些限制，归根结底也是为了保护个人的健康。维护个人的正当权益，归根结底也是有利于公共利益的维护。需要注意的是，在实践中我们不应滥用“公众利益”这一概念，不能因公众利益就可以毫不考虑和顾及个人的利益。政府和卫生部门需要立即采取有效措施将检疫区居民的损害减到最低限度，包括在检疫区内提供高质量的预防免疫和医疗保健，给检疫区居民以合理的补偿。

**3．政府的责任** 我国人口有 13 亿，流动人口多，家禽牲畜多，卫生条件不理想，各种传染性疾病难以完全杜绝，建立健全公共卫生和医疗系统势在必行。2005 年禽流感疫情的严峻态势再次唤起人们对伦理问题的思索：到底政府应该对医疗和公共卫生承担什么样的责任？一个不争的事实是：我国政府在对付 SARS、艾滋病和禽流感等传染病时表现出了极大的勇气和决心，以对人民高度负责的精神，投入空前大量的资金和人力，采取果断措施，全民动员，群防群治，以积极和透明的姿态与国际组织合作，赢得了全世界的赞誉。在操作层面，这个问题似乎已经有了较为明确的答案：医疗和公共卫生是一项社会公共产品，中国应该、也有足够的财政力量去履行这项责任，从而切实实现将政策向“以防为主”的方向倾斜。

### （五）“脑外科戒毒治疗”难以得到伦理辩护

毒瘾是一个迫切需要解决的严重的健康问题和社会问题。一般戒毒后复吸率在 95%以上，通常吸毒者本人及其家庭都有强烈的戒毒要求。近年来，在广州、上海等地的医院利用立体神经定位等技术对吸毒者进行脑外科戒毒治疗手术。例如，从2001年到2004年底，广州某医院已经进行了190余例开颅戒毒手术，对每例手术收费2~4万元。在市场利益驱动下，不少医院一哄而上的混乱局面引起了社会的热烈讨论。

2004年11月卫生部根据《医疗机构管理条例》发出了对脑外科戒毒手术的叫停通知。2005年3月卫生部在西安再次召开手术戒毒临床技术研讨会，再次重申了基本立场。卫生部还表示：即使在确认戒毒手术技术安全有效后，卫生部还会制定严格的准入制度。在伦理学上，卫生部的做法可以得到伦理辩护。因为，多数医院只是要求吸毒者在入院治疗时要签一份“入院知情同意书”，让不少就诊者误以为这是一项成熟的临床治疗，而实际上这样的方案仅仅是一项临床试验研究而已。众多医院还通过媒体报道来宣传脑外科手术戒毒的有效性，但在国内外的权威文献中尚未发现有分量的科学证据。这些医院夸大了手术的效果和成功率，而对认知能力、人格、神经系统功能方面的长期影响没有充分的估计。至少在当前风险极高但疗效又不显著的情况下，叫停此类主要受经济利益驱动的脑外科戒毒手术乃明智之举。

### （六）限制“豪华医疗”是正本清源

2005年8月6日，年过七旬的老人翁文辉因抢救无效在哈尔滨医科大学第二附属医院病逝，共住院66天，花费139.7万元。病人家属还在医生建议下购买了400多万元的自费药品作为抢救急用。但550万元的天价没能挽回他的生命。尽管医疗机构乱收费由来已久，但哈尔滨的这所医院却创造了“中国之最”。类似的于事无补的“豪华医疗”惨痛个案屡屡发生，却屡禁不止。究其原因，既有医疗体制方面的原因，也有具体医疗机构自身的原因。调查显示，在用药方面，医院多收、漏收情况严重。由于医生和患者在专业技术信息方面的不对称性，患者及其家属的诸多权益（尤其是知情权）被剥夺或侵犯。“豪华医疗”仅仅是社会上业已存在的医疗机构高收费、乱收费现象的一个缩影，这些痼疾已经直接导致了广大人民群众就医难和过高的医疗负担，也加剧了业已紧张的医患关系。这也是医疗体制改革必须正视和解决的一个重点问题。2005 年以来一直在酝酿的“平民医院”设想值得尝试：在限制“豪华医疗”的同时，以平民的价格为困难群体提供基本的医疗保障和服务。

### （七）黄禹锡论文造假对我国的警示

2005 年 12 月 13 日韩国首尔国立大学调查委员会公布了 2005 年该校黄禹锡教授发表在《科学》杂志上的论文纯属蓄意造假。经调查核实，黄禹锡的论文所指 11 个克隆胚胎干细胞均为伪造的。黄禹锡研究小组伪造数据的不端行为严重损害了科学的诚信。造假真相大白后，韩国陷于一片悲哀、失望之中。韩国人普遍感到“羞愧得在世人面前抬不起头”，韩国政府停止了对他的科研资助，民众一致敦促应建立科研工作公共审查机制。这起事件的祸根是来自资助者、媒体和公众的巨大压力，急功近利的心态。与快速发展的生命科学研究相比，韩国的监督体制不完备，科学欺诈和科学丑闻的出现有其必然性。

尽管此事件发生在韩国，却引起了包括中国在内的世界各国科学界的高度重视。同韩国类似，我国的干细胞研究也发展迅速。可喜的是，我国政府一直高度重视干细胞研究中的伦理问题。例如，2004 年我国科技部和卫生部联合发布了《人胚胎干细胞研究伦理指导原则》。但同英美等科技发达国家相比，中国的伦理审查体制尚处于建设之中。我国决策部门要尽快依照国际惯例建立伦理审查制度，并不断完善审查机制，对涉及到人体的生物医学研究进行严格审查。

## 四、展望

医药卫生科技的快速发展不断引发新的伦理、管理的和社会问题，这对一个年轻的学科——卫生保健伦理学——来说既是机遇又是挑战。在今后相当长的时间内，作为一门新兴的交叉领域，卫生保健伦理学的学科建设任重而道远。

# 中国亚健康问题的发生状况、起因与治疗进展

20世纪80年代中期，前苏联N·布赫曼教授通过研究发现，除了健康状态和疾病状态之外，人体还存在着一种非健康非患病的中间状态，称为“亚健康状态”（sub health status），也称为“第三种状态”（the third status）或“灰色状态”。世界卫生组织认为，健康是一种身体、精神和交往上的完美状态，而不只是身体无病。根据这一定义，一项全球性调查表明，真正健康的人仅占5%，患有疾病的人占20%，而75%的人处于亚健康状态。亚健康虽然不是一种病，但毕竟是现代人身心不健康的一种表现。处于亚健康状态的人，工作、学习效率低下，对社会、环境适应能力降低，人体免疫功能明显下降。

亚健康状态是不断变化发展的，既可向健康状态转化，也可向疾病状态转化。究竟向哪方面转化，取决于自我保健措施和自身的免疫力水平。向疾病状态转化是亚健康状态的自发过程，而向健康状态转化则需要采取自觉的防范措施，加强自我保健，合理调整膳食结构等措施。

需要指出的是，亚健康过程有着较大的时空跨度，对它的研究还处于起步阶段，若干问题还有待于探索。由于人们在年龄、适应能力、免疫力、社会文化层次等方面所存在的差异，亚健康状态的表现错综复杂，较常见的是活力、反应能力、适应能力和免疫力降低，出现躯体疲劳、易感冒、稍动即累、出虚汗、食欲不振、头痛、失眠、焦虑、人际关系不协调、家庭关系不和睦、性功能障碍等。亚健康的表现形式主要有慢性疲劳综合征（chronic fatigue syndrome，CFS）、信息过剩综合征、神经衰弱、肥胖症等若干种。

亚健康状态在经济发达、社会竞争激烈的国家和地区中普遍存在，亚健康人数一直呈逐年增加的趋势，使之成为国际上医学界研究的热点之一。亚健康概念的提出并非偶然，正是现代人注重健康，重视在疾病前防范其

发生、发展的健康新思维的充分体现。虽然亚健康在症状上表现的是医学领域的问题，但从整体看，它与社会环境、经济文化、心理因素及自身体质密不可分。

目前亚健康研究已经进入了空前活跃的阶段，并被普遍视为“关心人类身心运动”的重要部分，很多国家进行动态追踪，表示了对这一问题的积极关注。对亚健康状态的研究已经成为一个由医学、心理学、社会学、哲学、人体科学等多学科交叉的最前沿的有关人类健康的边缘科学。亚健康理论的提出意味着我们已经开始发现人类长期遭受的莫名苦痛的根源，并有了解除这种苦痛的希望。

## 一、亚健康的发生状况

WHO 的一次全球性调查显示，全世界约有 70%以上的人处于亚健康状态，其危害性已经被医学界认为是与艾滋病并列的 21 世纪人类健康头号大敌。澳洲处于这种状态的人口达 3700 万。美国每年有 600 万人被怀疑处于亚健康状态，真正健康者仅占 5%，有病者占 20%，75%人处于亚健康状态。俄罗斯约有 1/4 的人处于亚健康状态。日本处在亚健康状态的比例高达 60%～70%。

中国长沙、上海、无锡、深圳等地 1197 例中年人调查中，66%有失眠、多梦的现象，57%的人感到记忆力明显减退，60%～70%的中年人处于亚健康状态。上海国际医学交流中心对 6000 名无明确疾病诊断的“健康人”进行系统检查发现，72.8%的人处于亚健康状态。据对我国 16 个百万人口城市亚健康率的调查发现，高居榜首的北京人亚健康率达 75.31%、上海是 73.49%、广东为 73.41%。另一项专题调查显示，高级知识分子、企业管理者的亚健康发生率高达 70%以上。

我国青少年的亚健康问题同样令人担忧。国家教委对 12.6 万大学生的调查发现，近 40%的大学生有体虚、易疲劳、失眠、注意力不易集中、情绪不稳定等亚健康状况，体质较弱，眼睛患近视率增加。大学生的近视患病率为 76.7%，小学生近视率已达 40%，中学生近视率为 70%，以近视为主的眼病日趋蔓延。此外，46.9%的中小学生没有达到睡眠要求。通过对我国万名中小学生心理健康测试显示，1/3 的中小学生有不同程度的心理异常表现。

处在亚健康状态的人群，会出现慢性疲劳综合征，若不及时治疗，进一步恶化就有可能转变成过劳死。过劳死是一种未老先衰、猝然死亡的生命现象，它指的是长期慢性疲劳后诱发的猝死，即由于工作时间过长、劳动强度加重、心理压力过大导致精疲力竭，甚至引起身体潜藏的疾病急速恶化，继而出现致命的症状。随着社会竞争日趋激烈，许多人承受着超负荷的工作强度，过劳死正越来越严重地威胁着人们。据世界卫生组织统计，"过劳死"的发病率正在逐年增加。

我国猝死发生率占总死亡人数的 10% ~ 25%，发生猝死的人以中老年人居多，他们工作常常超负荷运转，往往身体透支，积劳成疾。他们从发病到死亡时间不超过 1 小时。由于现在检测网络不严格，许多猝死者来不及救治，所以现有的统计数据不够准确，往往对整个社会真正猝死的人数估计不足。专家指出，由于诸多方面的原因，因心、脑血管突发性发作疾病引起猝死目前已呈向低龄化发展的趋势。

研究还发现，越是发达地区，越是社会精英阶层，亚健康问题越严重，且有急速蔓延之势。如果任其发展，这些人中的 2/3 将死于心、脑血管疾病，1/10 将死于肿瘤，1/5 将死于吸烟引起的肺部疾病和糖尿病等代谢障碍性疾病，以及过劳和意外，只有 1/10 的人有希望安享天年，亚健康已经成为迫在眉睫需要解决的问题。

## 二、中国亚健康问题的起因

归纳引起亚健康状态的起因，既有社会学因素、心理学因素，也有环境学、生活方式和遗传学因素的不良影响，是多方因素作用的结果。而各种应激源、精神因素等均可加重亚健康的病情。其中社会学因素是一个相当重要的起因，也是在传统的医学范畴之外关注人类健康的新视角。

### （一）导致中国亚健康问题的社会因素

**1．各行业人员工作压力普遍增加** 在这样的压力下，一些心理承受能力弱的人，开始感觉躯体和心理不适，这就是亚健康状态或亚健康前期。

**2．中国新时期的贫富差距加大** 除了城镇居民收入差距日益拉大，城乡差距与地区差距也在扩大。贫富悬殊太大也挫伤了一部分人的积极性。值得注意的是，中国民众贫富差距扩大，并不单纯是因为发展市场经济的结果，一个重要原因是机会的不平等，无关乎个人能力的强弱或努力与否，而是不公平与不公正。强烈的贫富对比，使人容易产生不平衡心理，引发心理上的亚健康。

**3．多数人尤其是中年人在超负荷工作** 很多人承受着过重的工作负荷，不仅在工作时间要埋头苦干，还要加班加点。2005 年 4 月，中国青年报社会调查中心和央视资讯科技有限公司合作实施了一项调查，在接受调查的 1218 人中，每天工作不足 8 小时的人占 34.4%，而工作时间在 8 小时以上的人占 65.6%，其中，每天工作 10 小时以上的人已经超过 20%。

**4．现阶段居民生活压力普遍感觉大** 经济压力、住房压力、教育压力和个人的健康状况是最大的压力源，对下岗或者失业造成的压力反应最强烈。低收入的家庭对于生活压力的感受更为明显。

### （二）不良生活方式

慢性非传染性疾病是多种因素综合作用的结果，除遗传、环境污染、职业危害等因素外，不良生活方式包括吸烟、过量饮酒、膳食不当和过少运动等。而亚健康作为慢性病的前期，被称为“新文明病”，与生活方式因素同样密切相关。

**1．我国居民中存在着一些不良嗜好** 中国居民主要的不良嗜好是吸烟。令人担忧的是，我国青少年吸烟率近年来有上升趋势，开始吸烟的年龄大大提前，15 ~ 19 岁吸烟率为 9.7%，与 1984 年相比，吸烟率上升了 3.74%，开始吸烟的年龄提前了 3 岁。据此估计全国有 900 万 15 ~ 19 岁青少年吸烟。青少年被动吸烟率高达 48.9%。处在生长发育阶段的青少年吸烟人数如此之多，后果堪忧。

**2. 现代都市人大多睡眠不足** 进入现代社会，科技与信息的快速发展，使得现代都市人的睡眠时间越来越少。很多人为了工作和其他活动常常要挤占睡眠时间，这是不足取，也是得不偿失的。如果睡眠不足的亚健康状态得不到解决，久而久之将导致抑郁症、神经官能症、心脏病等。

我国有关文件规定小学生睡眠应达到10小时，中学生达到9小时。但据中国青少年研究中心最近对我国城市少年儿童生活习惯进行的调查表明，小学生平均每天睡眠9.03小时，其中不足10小时的占66.6%，7%的小学生还不足8小时。中学生平均每天睡眠也只能达到7.88小时，不足9小时的占77.1%。调查数据显示，我国7成中小学生“睡不够”。对于造成睡眠不足的原因。选择“作业太多”的最多，占49.5%；“学校要求到校时间早”占24.4%；“校外学习”占13.4%；“家教补习”占6.7%。

**3. 我国居民从事体育锻炼的人少，花费在体育锻炼上的时间少** 造成运动过少有两个主要原因，一是对体育锻炼的认识不够，感到可有可无，特别是在身体好时更是觉得无所谓；二是由于我国的体育场馆和体育设施太少，想锻炼而没有条件。

### （三）膳食不平衡

**1. 中国膳食习惯存在缺点** 传统的中国饮食方法存在着一些缺点，如没有分餐习惯，每日三餐制，每餐进食多，请客规模大且暴饮暴食。这些都对身体极为有害。喜欢烹炸食品，烧菜者会吸入较多的油烟。这些习惯是不科学的。不采用分餐制容易互相传染疾病。

**2. 我国居民忽视早餐质量，一部分人存在着不良饮食偏好** 很多人不吃早餐或不注重早餐质量。其实从生理需要来看，早餐应该是高质量的，否则会严重影响脑组织功能活动，思维迟钝，精神萎靡。如果不吃早餐容易引起血糖降低和胆汁分泌减少，导致心慌、头晕和胆石症；中餐营养不足会引起血压降低、脑部供血不足，致使出现胸闷、气短、眩晕；晚餐过好过饱，会使血液中氨基酸和脂肪沉积于血管壁，造成动脉硬化。

**3. 高盐、高脂饮食摄入过多，钙摄入不足** 我国居民生活水平提高以后，人们对高脂类食品摄入增加了。脂肪摄入过多直接导致肥胖。WHO 建议日人均食盐摄入量为 3～5g。我国营养学家建议每人每天不超过 8g。如果长期食用高盐饮食，不但会诱发心血管病，还会引起胃炎、消化性溃疡等疾病。

最近一次全国营养调查显示，上海地区城乡居民人均日食盐摄入量平均高达 13.3g，较 WHO 建议的每人每人每天摄入量高 2.6～4.4 倍。另据调查表明，有 51%的男性和 60%的女性摄入钙不足其“每日推荐营养素摄入量（RDA)”的 50%，儿童钙摄入更差，只达到这个标准的 1/3 左右。钙摄入严重不足，进而导致人体钙生理性透支，造成血钙下降。在缺钙初期，会出现情绪不稳定、睡眠质量下降等反应，持续的低血钙，特别是中年人的低血钙，会导致骨质疏松和骨质增生。牛奶和豆制品是富钙食品，我国居民对牛奶的饮用量是全球较低的，对豆制品的使用也非常有限。

**4. 饮食文明病的出现** 伴随着饮食状况的改善，出现了两种倾向，营养过剩和营养不足。教育部对 10 省、市数万名中小学生进行检测，发现贫血率高达 44%。在物质文明相对发达的上海市区，竟有 1/3 以上的学生营养不良。另一方面，儿童肥胖症的发病率由 20 世纪 70 年代的 8%上升到今天的 20%左右。在 1.5 岁～14 岁的儿童中，超体重儿发生率达 44%，其中 97%为单纯性肥胖，原因在于进食过多，体力活动过少。一边是贫血，一边是肥胖，可见我国居民膳食平衡令人担忧。高、精、细食品的过度食用，使营养失衡越来越严重。

### （四）环境污染

**1. 空气污染** 中国的环境污染造成了我国居民生存环境较差，由于人口众多，我国居民的居住条件不理想，住房紧张，几代同堂的现象屡见不鲜。交通拥挤，道路严重堵塞，绿草地、体育场馆、体育设施少得可怜。居住地周围噪声不断，扰乱了居民休息。

中国拥有草地近 4 亿公顷，居世界第 2 位，但人均占有草地仅 0.33 公顷，为世界人均草地面积 0.64 公顷的一半。中国草地可利用面积比例较低，优良草地面积小，草地品质偏低，90%的草地存在着不同程度的退化。

人类生产和生活产生的空气污染源种类繁多，除煤燃烧后产生 CO、$SO_2$、$CO_2$ 外，汽车尾气中的烃类化合物和氮氧化物，经阳光照射产生的臭氧、醛、酮、过氧酰基硝酸酯和游离基，这类光化学烟雾强烈刺激眼和呼吸道，对人类健康造成危害。室内空气污染源主要有：燃料燃烧时产生 CO 和 $CO_2$、香烟的烟雾、炒菜时逸出的油烟、建筑材料和室内装饰材料中的氡气等。此外，还有许多生活用品，如洗衣粉、清洁剂、各种化妆品等，也在不断散发出 CO、甲醇等气体，从而使室内有毒成分高出室外 10～100 倍。

**2．噪声** 噪声对人的损害是全身心的。噪声会使大脑皮质兴奋和抑制的平衡受到破坏，自主神经系统紧张，造成心慌、头晕、耳鸣、失眠；会使人肾上腺分泌旺盛，促使动脉血管收缩，导致心率加快、血糖增加；出现血压升高、血管痉挛等心血管系统疾病；噪声阻碍维生素的吸收和利用，加快维生素的排泄；噪声使眼睛对运动物体的对称平衡反应迟钝，并破坏了人体内某些维生素的平衡损及视力；还会导致疲劳、消化不良等。

**3．电磁辐射** 随着科技的发展和应用，电磁辐射水平在迅速增加。长期受电磁波辐射可引起血管扩张、血压异常、脑功能障碍、白内障以及流产和不孕等，甚至可以导致免疫功能低下，患白血病、脑肿瘤等。有关研究表明，现代人受到的电磁波损害是祖辈们的 1.5 亿倍。在手机辐射方面，根据英国一项研究表明，如果成人打手机的时间超过 20 分钟，儿童超过 5 分钟，手机产生的辐射肯定对身心健康产生影响，由于手机与身体的贴近性，加上其普及性，其产生的污染尤其不可小视，在西方被称为 21 世纪的“香烟”。

**4．水源污染** 据有关部门统计，我国有 82%的人口饮用江河水和浅井水，水质污染严重，细菌超标占 76%，有 1.6 亿人口饮用被有机物污染的饮水。我国有监测的 1200 多条河流中已有 850 多条河流受到污染。由于乡镇企业的盲目发展，近年来相当一部分山区、农村的小河小湖污染加剧，必须引起高度警觉。水中污染物主要来源于工业废水、生活用水污染、医院污水污染和农业用水污染。按污染物的性质分为化学性污染、生物性污染（生活污水和牲畜粪便等）和物理性污染（水面上的固体污染物以及核放射性物质等）。其中化学污染物对生态环境的破坏最为严重，对人体健康危害最大。

**5．人口密度过大，城市拥挤** 许多人口学家对中国最大人口容量进行了分析，得到的结论是：中国的最大人口容量约为15亿人或16亿人左右，而超过18亿人到20亿人，可能使中国的社会经济发展遭到灾难性的打击。首先，从社会致病因素来说，拥挤造成的环境污染、噪声和交通不畅等，使人出现头脑发胀，性情急躁，也容易造成疲劳、心悸、胸闷。其次，从心理致病因素来说，长期处在拥挤环境下生活的人们，由于高度的紧张与焦虑不安，容易导致心理状态失衡。其实，这正是由于拥挤使人们大脑皮质调节功能紊乱，进而出现心理障碍。再其次，从生物致病因素来说，拥挤情况下既可因人多而杂，空气中混杂各种细菌与病毒，又可因人的热量积累而不易发散，造成环境温度升高，有利于细菌与病毒活力增强，这样细菌与病毒便容易侵入人体，造成疾病传播或流行。

## （五）家庭教育不当与家庭暴力

**1．大多数家庭存在着望子成龙的心态使家庭教育走向误区** 每个家长都希望自己的子女将来能事业有成，但很多人总是把自己的子女同那些更强的孩子比较。很多家长往往把自己没有取得的成就强行寄托在孩子身上。很多家长为了孩子的学习而放弃了自己的事业，身心疲惫。孩子在这样的压力下，身心健康受到损害。有关机构对几个大城市的在校生进行的调查显示，有20%～30%的大、中、小学生都存在不同程度的心理卫生问题。有70%的家庭教育方式不当。

**2．我国一些家庭存在着感情危机和家庭暴力事件** 现代社会人的情感越发脆弱，夫妻之间冲突增多，造成离婚率越来越高。从医学心理学的角度来看，离婚是仅次于丧偶的一种社会心理应激源，是一场危及身心健康的地震。我国大约有2.7亿多个家庭，近年来，发生在家庭成员之间的暴力伤害问题越来越突出。令人担忧的是，家庭暴力竟然出现了“知识化”的趋势。上海市妇联的统计表明，有1/10的施暴者受过高等教育。家庭暴力对家庭成员的伤害不仅在躯体，更严重的在心灵，对心理的不良影响很大。

**3．家务劳动多是都市女性的烦恼也是女性亚健康原因之一** 适量的家务劳动有益于健康，过于繁重的家务劳动则会使人觉得不堪重负，对身体则是有害无利。在我国，妇女是家务劳动的主要承担者。家里装修档次高了，清洁卫生工作量越来越大。过重的家务劳动往往令女性感到委屈、压抑，引发心理障碍。

### （六）工作方式呆板不积极参加休闲

与西方人相比，我国居民的工作方式过于呆板。在工作之余的生活也很单调，不能很好地调剂业余生活。这样显得工作和日常生活太苍白。近年来，关于假日休闲的话题逐渐多了起来，对于久坐办公室工作、承受压力较大的上班族来说，更要提倡工作方式的革新，推行弛张有度的工作方式，倡导假日休闲、健身与旅游，才能减缓压力，提高工作效率，预防脑疲劳的发生。由此看来，我国科学文明的休闲方式应该积极提倡，假日经济应该不断发展。积极更新观念，崇尚文明的休闲文化，是提高生活质量的重要组成部分。

### （七）人际交往中存在着缺陷

随着社会的进步，交往的频繁以及竞争的激烈，在人际交往上出现的问题越来越多，受人际交往性亚健康状态困扰的人越来越多。都市高楼大厦中各自封闭的套房使人际交流疏远，出现了“都市性格”。这种“都市性格”的重要特征之一是孤独性格。从传统的人际关系包括邻里关系过渡到目前的人际隔阂，人与人之间的距离在逐渐加大。

## 三、亚健康研究中存在的问题

### （一）对导致亚健康状态的确切病因没有达成共识

关于亚健康状态中的慢性疲劳综合征的成因有多种说法。有人认为与病毒感染有关，病毒感染引起病理生理或免疫病理变化，其中心理压力在其中起一定的作用。中枢神经系统、内分泌系统以及免疫系统之间存在相互作用已经是一个成熟的理论，心理紧张状态可以通过影响三者间的相互作用而下调免疫应答作用。这种相互作用很复杂，包括下丘脑－垂体－肾上腺轴和自主神经系统。

日本大阪大学近藤一博教授最近揭示出慢性疲劳综合征的发病机制，认为它与疱疹病毒 HHV6 有关。近藤一博对这种患者与健康人进行比较后，在大约 20%的患者血液里检测出了与 HHV6 病毒分泌的特有蛋白质结合的抗体，而健康人血液里则没有这种物质。他认为，这种病毒释放出来的蛋白质引起了过剩的免疫反应，从而在血液里产生了大量的炎症物质，使人感到疲惫和浑身无力。据认为，人多在幼儿时感染 HHV6 病毒，当时会有轻微的发热和出疹现象，然后，这种病毒就潜伏下来。

日本帝冢山大学和英国牛津大学的医学专家研究发现，色氨酸是引发慢性疲劳综合征的原因，色氨酸过多被摄取到脑内后，就会抑制全身的行动，使动物陷于昏睡般的疲劳状态，因此应阻止色氨酸进入脑内。但他们也发现，过早地限制色氨酸的摄取量会影响发育。英国伦敦帝国学院的莱恩小组认为是患者肌肉遭病毒感染而引起，研究小组认为他们发现了慢性疲劳综合征的新病因，与肌肉功能相关的疲劳源于外部因素，也就是病毒的感染。

### （二）亚健康诊断标准尚未统一

关于亚健康状态尤其是慢性疲劳综合征的诊断，美国、澳大利亚、英国、日本相继制定出了诊断标准。然而各国在诊断标准上都有一定的区别，例如关于亚健康的诊断，美国诊断标准认为只要日常活动减少一半以上即可确诊属于疲劳，而英国和澳大利亚的诊断标准则强调疲劳必须很严重。在其他许多方面的诊断上也存在分歧。看来有必要达成世界范围的统一标准，这样有利于更好地开展亚健康的研究和治疗。

### （三）亚健康的治疗缺乏针对性

亚健康状态严重影响患者的生命质量。由于关于导致亚健康的原因一直未彻底明确，在确定治疗方法上缺乏针对性，只能对症治疗，如小剂量药物改善睡眠，增强免疫系统功能、抗疲劳和抗抑郁治疗等及支持疗法（补充膳食等）。我国最早提出亚健康概念的杨延明认为，亚健康者不要盲目地用市场上各种补药，最好在加强体育锻炼的同时，用中草药进行调理，以避免疾病的发生。亚健康状态的产生，有不良生活习惯、性格孤僻等原因造成，也有因工作紧张等因素产生。

## 四、亚健康的治疗进展

亚健康状态的主要原因是由于现代社会生活节奏加快、现代文明带来的环境污染、生活水平提高带来的膳食结构不合理等因素造成人体免疫功能低下，从而引起亚健康。那么针对引起亚健康的原因进行社会心理干预、环境治理，通过调整饮食及适度运动等从生活方式入手，改善身体状况，这是一项复杂的社会系统工程。

### （一）心理治疗

当今社会瞬息万变，竞争激烈，心理压力大，精神负担重，必须要调整好心态，迎接人生的挑战。此外，要调整生活节奏，在紧张的工作之余要注意休息。提倡健康的休闲文化，劳逸结合，定期旅游休假，缓解紧张的情绪，调整紊乱的内分泌系统，让生活有张有弛。一般情况下，人在碰到挫折、失败时，个体若能自己启动心理防卫功能而达到心理自愈的话，暂时的亚健康状态可以不治而愈。大多数人具有这种启动自我心理防卫机制的能力。而作为亚健康状态者多是心理防卫机制较弱，需要得到生活的指导，亲人的关怀，也迫切需要医生的启示、指导、疏通。

### （二）倡导健康生活方式

**1．远离不良嗜好** 吸烟是人类健康的大敌，吸烟对健康可以构成多种危害，不仅会导致心脏病、高血压、脑血管疾病，还与癌症密切相关。吸烟与健康的研究世界上各国都很重视，都在积极采取控烟措施，欧美等发达国家的吸烟率正在逐年下降，不少国家已制定相应的法律法规，来减少吸烟对健康的危害。过量饮酒可促进血管硬化，引起心脑血管疾病等多种疾病，此外，过量饮酒可引起多种意外，车祸使生命受到威胁，斗殴闹事引发违法犯法，这方面的教训很多。

**2．合理营养，科学进食** 人处在营养不良和营养过剩的状态下，容易出现疲劳。相反，营养合理，科学饮食，满足人体对各种营养素的需要，不仅能使身体健康，也有益于防止疲劳的过早产生。疲劳综合征患者的饮食调整不容忽视。处在疲劳状态的人对酒精不能耐受，其他不宜食用的有咖啡、糖等，对疲劳综合征患者重要的是摄取营养补充剂以补充机体，还要注意对体重的控制。

**3．保证充足的睡眠** 睡眠是预防和消除疲劳最有效、最彻底的方法。平时应严格遵守作息制度。有条件的可以午睡。睡眠不好的人最重要的在于调整。大多数人睡眠不佳是由于紧张、压力、心理应激导致的。要根本改善睡眠必须放下心理包袱，调整心态，乐观地看待人生中的种种得与失，成功与失败，保持平和的心态。因此对失眠者来说，要调整代谢，调整心脑血管功能和血液循环，调整心身功能状态。

### （三）环境治理

搞好城乡环境污染治理至关重要，这关系到当代人类的健康和未来人类的健康。倡导绿色工程。此外，还要改善工作、学习和生活环境。人在洁净、幽雅、空气清新和温度适宜的环境中工作或学习，不仅可以提高效率，还能防止疲劳的过早出现。居室内应经常开窗通风换气。减少室内污染源，多做户外活动。

### （四）运动疗法

体育运动可增加人体免疫力，抵抗疾病的侵袭。健康始于健身，健身促进健康，重视健身已成为当前世界性潮流。中华民族有着源远流长、博大精深的健身文化，太极拳、气功等健身活动在西方也得到崇尚。适量体育锻炼能改善循环功能和呼吸功能，促进新陈代谢，增加食欲，促进睡眠。

## （五）中医中药

**1. 推拿按摩针灸治疗** 中医认为脏腑气血功能紊乱是亚健康状态的病理基础，推拿按摩针灸是一种物理疗法，通过手法激发和引导经络系统，实现扶正祛邪、平衡阴阳、调节脏腑气血功能，从而使机体的正常活动得以恢复和维持，将机体各脏腑组织器官的功能调节到或接近于最佳生理状态，使机体内部正气旺盛，增加免疫功能，从而起到预防疾病、强身健体的作用。

**2. 中药治疗** 现代西医在对亚健康状态治疗上尚无特别有效的药物，主要是对症治疗，常用药物有能量合剂、消炎镇痛类药、维生素、抗抑郁药等。近年来，国内外广泛开展了中医药对亚健康的研究并取得了较理想的疗效。国内学者依照张仲景治疗百合病、虚劳病的法则，用百合地黄汤、百合知母汤和酸枣仁汤加用人参、次五加、沙参、麦冬等治疗亚健康，获得较好疗效。此外，针灸及理疗对亚健康状态的治疗效果也较为理想。

## （六）自然疗法

自然疗法是目前一些国家正在兴起的一种新疗法。自然疗法没有或很少有毒副作用，较易为患者所接受。从营养上考虑，为了预防和治疗富贵病，必须把饮食的能量调整到正常比例，其中特别要注意食用天然的、未精炼过的食品，即绿色食品的摄取。从运动方面看，适当的运动能增强心肌的力量，改善血液循环，增加血红蛋白的携氧能力；促进肠蠕动，改善消化功能；使骨骼中的钙不流失，改善新陈代谢，消耗体内多余能量；降低血压，改善脑功能和呼吸功能。对于饮水要求成年人每天应喝 7 至 8 杯水。水能促进新陈代谢，清洗人体内脏，预防结石和泌尿系统疾病的发生。阳光、空气、水是自然界的生命赖以存在的基础，也与人类健康息息相关。阳光既可杀菌、消毒、刺激皮脂腺分泌，又能使皮下胆固醇转化成维生素D，促进钙的吸收，改善心肌功能。日光照射可以改变大脑中某些信号物质的含量，使人情绪高涨，愿意从事富有挑战的活动。在上午光照半小时，对精神萎靡、有抑郁倾向者效果尤为明显。森林里的空气中负离子浓度较高，不仅能调节神经系统，而且可以促进胃肠消化、加深肺部的呼吸，在体力、脑力、心理等各方面起到良好的调节作用。

### （七）音乐疗法

心理治疗家认为，音乐能改善心理状态。音乐通过艺术感染力影响人的情绪和行为，调理情志，恢复心理平衡；音乐对人的生理作用主要体现了镇静、兴奋、镇痛、降压、怡情的作用。根据心身障碍的具体情况，可以适当选择音乐欣赏从而促进健康。

### （八）物理疗法

物理疗法是指用光、热、电、磁、声、气体、水等因子作用于机体，进行保健和疾病治疗，就是物理因子治疗，简称理疗。物理因子在保健和疾病治疗方面有其独到的作用，尤其在亚健康状态的治疗中，显示出不可比拟的优越性。随着科技的发展，物理因子治疗的设备及手段日趋完善。

迄今为止，亚健康的研究还存在着许多问题，如亚健康与疾病和正常人之间的明确界定；研究与测量工具的规范；诊断及疗效判定标准的统一等。目前亚健康状态的研究在基础及临床方面有一定进展，但在治疗方面尚无有力的措施。亚健康状态的干预治疗非常迫切，急需我国医务工作者加紧研究、早出成果，使患者早日摆脱亚健康的困扰。对亚健康状态的研究与治疗，是21世纪生命科学研究的重要组成部分。要采取医学、哲学、社会学、经济学、心理学等多学科交叉的方法，应从心理、行为、生活方式等各个环节入手，使心身交互作用，阻断亚健康向临床病变的发展，从真正意义上提高人们的生活质量。

# 中国人口老龄化问题和生殖健康

依据国家统计局的人口变动抽样调查，2005 年 1 月 6 日中国大陆总人口已达到 13 亿。巨大的人口问题一直是我国必须要面对的基本国情，严格的计划生育政策，老龄社会提前到来，男女性别比例严重失调，劳动人口趋向高龄化等问题，使我国直接面临着前所未有的新挑战。

人口老龄化是当今世界各国普遍面临的一个重大社会问题，中国也不例外。中国作为一个未富先老的国家，如何维护老年人健康，怎样改革和完善养老保障制度，才能化解人口老龄化所带来的压力，延缓老年病发生，怎样防治老年病等日渐成为关注的焦点。

## 一、我国人口老龄化问题突出

### （一）我国人口老龄化现状

目前，国际上通行的界定老龄社会的标志，是 60 岁以上人口占总人口比重 10%，或 65 岁以上人口占总人口比重 7%。根据全国第五次人口普查显示，2000 年 11 月底我国 65 岁以上老年人口已达 8811 万人，占总人口的 6.96%；60 岁以上人口达 1.3 亿人，占总人口的 10.2%，标志着中国已跨进老龄化门槛。更为严重的是老龄化速度，在未来的 30 年间将持续呈加速态势。预计到 2010 年，65 岁以上的老年人口比例将超过 8%；2040 年将超过 20%。届时全国每五个人中就有一位是 65 岁以上的老人。

据联合国预测，1990 年至 2020 年世界老龄人口平均年增速度为 2.5%，同期我国老龄人口的递增速度为 3.3%；世界老龄人口占总人口的比重从 1995 年的 6.6%上升至 2020 年的 9.3%，同期我国由 6.1%上升至 11.5%。中国老龄化进程无论从增长速度和比重都超过了世界老龄化进程。到 2020

年我国65岁以上老龄人口将达1.67亿，约占世界老龄人口6.98亿人的24%，全世界四个老年人中就有一个是中国老年人。

促使我国社会老龄化进程加速的因素，不仅有我国的计划生育政策，还包括我国经济、社会高速发展，疾病控制、卫生条件及生活质量快速提升。目前，我国人口老龄化状况具有以下特点：

首先，老年人口基数大，目前，我国60岁以上老年人口是世界老年人口总量的1/5，是亚洲老年人口的1/2。其次，老年人口增长速度快，从1980年到1999年，我国用不到20年时间，就基本完成了人口年龄结构从成年型向老年型的转变。而国际上已进入老龄化的国家多数都用了40年以上的时间，如法国用了115年，瑞士用了85年，英国用了80年，美国用了60年，瑞典用了40年。第三，高龄化趋势明显，目前80岁以上老年人口达1300万，约占老年总人口的9.7%，并以年均约4.7%的速度增长。第四，老龄化程度地区差异较大，经济发达地区率先进入老龄化。城镇人口中65岁以上老人比例为6.42%，而农村这一比例已达7.5%，且农村人口老龄化速度比城市更快；另外，上海的人口年龄结构早在1979年就进入了老年型，而青海、宁夏等西部省、自治区预计要到2010年左右才进入，相差约30年。第五，老龄化超前于社会经济发展，与西方国家“先富后老”不同，中国是“未富先老”。西方发达国家进入人口老龄化社会时，人均GDP一般在5000美元以上，有的甚至达到8000美元，相比之下，2003年我国人均GDP仅为1000多美元，与发达国家的差距很大，是典型的“未富先老”国家。

## （二）人口老龄化的挑战与机遇

人口老龄化是社会经济发展的标志。老龄化不仅是社会现象，也会影响经济、政治和人类的发展，也是对经济社会协调发展的挑战，老年人口的比重加大，劳动年龄人口比重下降，社会赡养比上升，财政压力加大，对社会经济的发展会产生影响。

人口老龄化不仅带来一系列社会问题，还带来诸多经济问题，如

**1. 社会养老压力加大，造成养老保障难题** 我国老年人口中农业人口、受教育程度低的人口占了很大比例，许多老年人既缺乏经济积累，又

缺少知识储备；养老保障机制尚未健全，只有部分富裕地区建立了养老金制度，至2001年底农村养老保险覆盖率只有12.4%。随着人口老龄化加速趋势日益严重，老年人口的病残率上升，社会养老和医疗的压力加大。劳动年龄人口减少，养老保险和医疗保险基金储备不足，支付越来越多的老年人口的社会保险基金的风险加大。

我国城乡老年人不能得到完全的医疗保障，其主要原因是：政府投入的卫生支出增长缓慢、比例下降，在全社会医疗总费用中，政府投入比例从1991年的22.8%降至2001年的15.5%，个人支出比例从38.8%上升到60.5%，在医疗资源十分紧缺的情况下，又有80%集中在城市，农村卫生经费比例从1991年的20%降至2000年的10%。其次是医疗费用增长过快，综合医院每一诊疗人次的医疗费，由1990年的10.9元上涨至2002年的99.6元，上涨了8.1倍，同期平均每一住院者的医疗费由473元上涨至3598元，上涨了6.6倍，医疗费的上涨幅度超过了城乡居民收入的增幅和承受能力。

由于广大农村缺乏基本的养老和医疗保障，致使全社会的养老、医疗保障的覆盖面均较低，基本保障的覆盖面还达不到国际最低标准。农村老年人由于医疗资源分配不合理，缺医少药、看不起病的现象更普遍。

**2．老年人的生活质量与健康问题** 人在步入老年后，一般要经过健康期、带病期、伤残期等阶段，相应的也就需要关怀抚慰、医疗保健、护理照料等服务，加上老年人是各种慢性疾病的高发人群，因此老年疾病的防治研究倍受社会关注。

我国老年人的健康状况是：虽然平均寿命延长，但总体健康状况欠佳，慢性病患病率逐年升高，且经常同时患有多种疾病，老年人带病存活期延长。除躯体疾病外，脑功能、心理健康水平也是影响老年人健康的常见问题。

据卫生部调查，身体健康状况下降是影响老年人生活质量的重要因素之一。老年人发病率比青壮年要高3～4倍，住院率高2倍，目前我国因病和因高龄生活不能自理的老人有一千多万人；有大约1/3左右的老年人存在失落、孤独、抑郁、焦虑等心理问题；老年心脑血管疾病、糖尿病、骨质疏松、老年痴呆、精神抑郁等疾患；城市部分老年人体重超重，农村部分老年人营养不良。此外，老年病防治工作中还存在防治队伍薄弱，基层专职人员业务水平有待提高等问题，这些因素也严重地影响老年人的生存质量和老年健康。

研究表明，老年人和青年人间最大的代沟是在大脑的活动能力方面。因此，一切针对衰老和老年病防治的临床措施都应立足于改善老年人的生命质量上，包括合理膳食，营养的指导，戒烟少酒，注意工作和家庭的安全性，适当的体力劳动，精神卫生及合理应用中西药等，以积极预防或减少与年龄增长相关的疾病及残疾。

**3．养老支出增加** 人口老龄化会导致养老经费的不断增加，从而导致消费基金的增加，加上老年人口的不断增加，使得退休金总额也在不断地上升。随着人口老龄化的发展，领取退休金和养老金的人数将不断增加，社会保险、社会救济和医疗卫生等社会福利的支出将不断增加。国民生产总值中用于老年人的费用份额大幅度增加，势必限制社会扩大再生产，影响生产部门的资本投资和经济效率的提高，加重国民经济的负担。

**4．人口老龄化对消费支出的影响** 就一个国家的整体消费而言，在老龄化过程中，费支出呈现逐渐扩大趋势；在老龄化社会，消费支出则呈现减少趋势。随着人口老龄化的迅速发展，这就在某种程度上抑制了经济发展。

**5．人口老龄化对储蓄的影响** 人口老龄化对增加储蓄也会产生相当的减退效果，这主要是由养老金制度的推广引起的。根据经济学理论，储蓄等于投资，储蓄减少等于投资减少，从而对经济发展产生不利影响。

**6．人口老龄化对提高劳动生产率的影响** 由于老龄劳动力接受新的知识和科学技术比青壮年要慢，对新兴产业的适应能力相对较弱，企业的新产品开发和技术革新也受到一定影响。在科学技术迅速发展，知识进步速度加快和竞争日趋激烈的情况下，劳动力人口老龄化对劳动生产率的提高和经济增长更显不利。

不过，我们也应重视人口老龄化对社会经济的有利影响，如人口寿命延长带来的有效劳动岁月延长，从而使劳动力资源增多，劳动力成本下降，节约了国民经济的资金，如果能充分挖掘老龄人口的潜能，充分发挥他们的价值，那么人口老龄化的一些负面因素就有可能转化为积极因素，推动社会经济与人口之间的协调发展。另外，人口老龄化不仅已经大幅度地刺激或提升了市场消费，也给老年特需商品与服务的市场造就了极大的市场潜力，在有些地方已经形成了新的经济增长点，大有形成一个生机勃勃的老年产业的势头。

### （三）积极应对老龄化策略

提高人口健康水平是世界性社会目标，主要是提供物质和精神方面的健康服务，提倡健康的生活方式，创造有利于健康的生活环境。老年人不仅要长寿，而且要健康，要尽可能长久的保持生活自理能力；老年人不仅要生存，而且要活的有尊严，保持老年人的独立、自尊、自立、自强，提高他们的生命质量。

针对我国老龄化现状，结合我国的实际情况以及科研水平和能力，提出如下建议：

第一，改革社会保障制度，建立健全社会养老保障体系，调整和优化卫生资源的配置，加强农村卫生工作，扩大全社会医疗覆盖面，加快城镇医疗保险制度的改革，加强基础生物学对衰老机制的研究，尤其要加强病人心理方面的研究；

第二，加强老年疾病防治研究等战略举措，防治重点放在老年心脑血管病事件、感染性疾病、肿瘤、糖尿病、骨、肌肉、关节疾病、视力及听力方面疾病以及前列腺病、抑郁症、痴呆、失眠及肥胖等常见病方面，不仅使老年人“老有所养”，还要提高老年人生命生活质量。第三，探索和创造一套中西医结合、适合老年人特点的疾病防治和健康促进方法和模式，不仅使中国老年人受惠，也为世界老年医学发展做出我们的贡献。

## 二、应加强生殖健康研究

生殖健康的概念是1994年在开罗召开的国际人口与发展大会上由世界卫生组织再次定义并得到与会所有国家认可的，以后在1995年于北京召开的第四届世界妇女大会上得到重申。1999 年在海牙召开的国际人口与发展大会五年回顾与展望的会议上又提出了 2015 年实现人人享有生殖健康的目标。

根据 1994 年人发大会行动纲领，人人享有生殖健康，是体格、精神、社会适应性三个层面的健康，意味着人们能够过上满意和安全的性生活，具有正常的生育能力，并能决定是否生育以及何时生育；男女双方均能得到足够的科学信息，以便做出正确的决定与选择；男女双方不必担心罹患与性及生殖系统有关的疾病，能得到及时有效的咨询与健康服务；孕产妇及新生儿保健切实加以保证；生殖健康是每个人的基本权利，同时也是每个公民对社会的责任。

生殖健康已成为全球的一个共识，以人为本的生殖健康服务已成为世界卫生组织以及世界各国研究的热点。国际上越来越重视人类生殖领域的基础研究，并将其列入前沿科学计划。美国国家科学院药物研究所在 2003 年 7 月组织召开的避孕前沿领域国际研讨会上，指出在分子和细胞生物学基础上加强对生殖领域的基础性研究，是当前生命科学领域具有挑战性的前沿科学，这一领域的开创性基础研究，将会使新一代避孕药物研制取得突破。世界卫生组织 2002 - 2003 年度工作计划中列出的 8 项工作重点，也都与生殖健康的基础研究密切相关。

我国政府根据国情，积极引进生殖健康概念和以服务对象为中心的理念，把人口控制拓展为以人为本的生殖健康优质服务，将人人享有生殖健康服务作为法律保护的公民权利加以提倡，为我国的人口和计划生育科技发展创造了良好的国际国内环境。

我国政府在实施“避孕节育优质服务”、“生殖道感染干预”、“出生缺陷干预”为重点的生殖健康推进计划，建立“以群众需求为导向、以社区发展为基础、以技术服务为重点”的具有中国特色的计划生育/生殖健康服务模式中，计划生育/生殖健康服务的综合性研究已经取得了一定的成效。

我国的生殖健康产业发展渐成气候。具有中国特色的生殖健康基础研究和高技术发展也取得了长足的进步，一些常见出生缺陷的发生机理研究和大规模人群筛查、检测技术发展及人类遗传资源库和科技资源共享平台建设取得了可喜的进展，辅助生殖技术治疗不育症的基础研究也已取得了重要成果。

然而，与国际现状相比，我国在本领域中还存在一定的差距，仍面临一些战略性挑战，如自主科研能力和技术发展能力急需加强，生殖系统相关疾病仍呈上升趋势，出生缺陷危害依然严重，避孕方法知情选择刚刚起步，现行的避孕节育方法存在着安全性、有效性、可接受性方面的诸多缺陷，男性避孕面临着“可逆的男用方法不可靠，可靠的男用方法不可逆”的困境，老龄群体人数不断增加，3 亿多育龄妇女的生殖健康需要先进的技术作为保障等。

根据历史与现实情势，结合人口领域科学技术发展趋势、我国的现状和需求，为全面落实计划生育基本国策和依法保障公民生殖健康权的要求，应加强生殖健康研究，发展生育调节与辅助生育相关技术；为适应增进全民生殖健康的要求，应发展出生缺陷控制与遗传病防治相关技术；为适应提高提高人口素质的战略要求，发展生殖健康相关疾病防治与保健相关技术；为适应健康人群服务的高度安全性的要求，发展环境生殖健康相关技术；为适应全面推行避孕方法知情选择的要求，发展支持生殖健康全程优质服务和人口数据全程管理的网络技术；为提高国家在人口健康领域自主创新能力，发展数字化、智能化、网络化的生殖健康医疗保健设备。

# 中医药学

# 中医药传统知识保护

## 一、背景

随着知识经济时代的到来，知识成为了社会进步和经济发展的重要资源。现代化的推进与西方文化的渗透，逐渐影响并改变着人们的思想，世代相传的传统知识则相继失去了生存的空间。然而，经济与文化的全球化趋势与现代工业文明的负面作用，迫使人们把目光又投向传统之中，期望找回失落的传统文明，传统知识的价值被现代科学技术“挖掘”了出来。持有发达科学技术的一些国家“如鱼得水”，利用资金和技术上的优势大肆研究开发传统知识，这使得经济技术落后的发展中国家在肩负保护发达国家知识产权义务的同时，又被发达国家无偿利用并占有他们世代传承的知识资源而得不到任何回报。一些国家由此而提出对本国传统知识要求保护的主张，从这种主张提出到现在，短短的十几年，在国际已经受到了普遍的关注与认可。

### （一）国际背景

**1．传统知识的价值得到普遍认可**　世界知识产权组织在《知识产权与传统知识》的手册中说到：“传统知识所具有的更大意义是它产生于一系列问题的国际讨论中——食品和农业，生物多样性，荒漠化与环境，人权，特别是土著人的权利，文化多样性，贸易和经济发展。”传统知识往往在一些如食品、农业和医疗卫生事业等与人类生存密切相关的领域起着重要的作用。另外，传统知识具有的生物多样性和文化多样性价值，为人类生存与发展做出了巨大贡献，甚至构成了许多社区整体世界观的一部分，并与他们的生活方式、文化价值、精神信仰以及习惯法律紧密相关。

**2. 传统知识利用中的矛盾日益突出** 传统知识曾被认为是任何人都可以无偿使用的“人类共同遗产”，随着传统知识被不断地开发利用，发生了形形色色的不当占有，在传统知识持有者与要求权利的使用者之间产生了矛盾。如：①直接将传统知识申请为专利的案例，如“姜黄案”和“死藤水案”；②利用传统知识开发出新技术的案例，如“楝树案”和“Hoodia 仙人掌案”；③利用原住地基因资源开发新产品的案例，如“墨西哥干豆案”和“孟山都大豆案”。

**3. 有关国际组织已将传统知识保护作为重要议题** 世界知识产权组织（WIPO）、联合国粮农组织（FAO）、世界贸易组织（WTO）、世界卫生组织（WHO）、联合国环境规划署（UNEP）、联合国教科文组织（UNESCO）等都在积极关注遗传资源、传统知识保护的问题，通过了一些具有重要意义的条约，如《生物多样性公约》（CBD）、《粮食和农业植物遗传资源国际条约》、WIPO - IGC 第七次会议起草的“传统知识保护的政策目标和核心原则”、2003 年世界卫生组织形成的“传统医药”决议，都不同程度的涉及到传统知识保护的问题。

**4. 传统知识已经被承认是一种有主权的财富** 针对一些发达国家滥用传统知识所发生的一系列案例，发展中国家在国际上积极争取自身的权利，传统知识已经作为有主权的财富得到认可。《生物多样性公约》第 3 条“各国具有按照其环境政策开发其资源的主权权利”、第 15 条“确认各国对其自然资源拥有的主权权利，因而可否取得遗传资源的决定权属于国家政府，并依照国家法律行使。”2003 年的《保护非物质文化遗产公约》第 11 条（a）“采取必要措施确保其领土上的非物质文化遗产受到保护”。这一系列的国际公约表明传统知识已被承认是具有主权的。

### （二）国内背景

**1. 中医药传统知识是我国传统知识的重要组成部分** 世界知识产权组织认为：传统医学知识，包括相关的药物和疗法属于传统知识的一种。在我国，中医药传统知识源于中华民族世世代代历经数千年的医疗实践活动，形成了具有中国传统文化特色的中医药学体系，成为我国传统知识的一个重要组成部分。中华民族世世代代尊重、亲和并延续着这一优良传统，使其保持至今并显示出旺盛的生命力。

**2．中医药传统知识的价值再度凸显** 继1996年美国食品和药品管理局（FDA）批准针灸作为治疗方法后，针灸在大多数国家的医疗体系中获得认可。1999年，第一个中药复方经美国FDA批准进入了临床实验，2000年至2002年间，中药先后在古巴、俄罗斯获准以治疗药品形式注册，这是国际社会首次针对特定的传统医药进行立法管理和药品注册，相对于其他传统医学，中医药在进入国际医药主流市场方面获得了先期突破。

中医药在我国医疗卫生方面扮演着重要的角色。同时，中药产业逐渐成为国民经济支柱产业。我国已经形成了中药种植、饮片加工、中药制药、中药提取物贸易等具有一定规模、结构完整的产业体系。中医药不但在中医医疗以及相关产业方面发挥着重要作用，其自身具有的社会人文特征，如自然观、生命观、疾病观、养生观以及“治未病”的思想等，带有浓厚中国传统文化特色，中医药学与中华民族人们的日常生活息息相关。

**3．中医药传统知识面临着不当占有的问题** 国外的一些商家不断扩大对中医药研究开发的力度，同时也获得了巨大的商业利益。但是，我国目前尚没有相的地监管制度，因此，国际上把这种现象称作对传统知识的“不当占有”。

日本的Teikoku Seiyaku Co．，Ltd．公司于2001年向美国申请了治疗溃疡性结肠炎的专利，明确对以芍药为活性成分的包括加味逍遥散、当归芍药汤、芍药甘草汤、桂枝茯苓丸四个复方进行保护，并于2003年获授权，专利号为6586022；韩国把我国传统中药牛黄清心丸进行改造，又向我国申请了专利。

**4．中医药传统知识面临着“失落”的问题** 19世纪以后，西方文化迅速涌入我国，传统文化受到一次又一次强烈的冲击，中医药传统知识也陷入被质疑、被补充验证、被改造的境地。新中国成立后，党和政府重视中医药发展，但是，中医药传统知识仍然面临着“中医西化”，后继乏人等严重问题。

**5．中医药传统知识缺乏有效的法律保护** 我国《宪法》有“发展现代医药和我国传统医药”的规定，涉及中医药的有《执业医师法》、《药品管理法》，行政法规有《中华人民共和国中医药条例》、《中药品种保护条例》，还有一系列的指导性意见和发展规划纲要等等，都对中医药的行业规范和发展发挥了作用。但是，这些法规都只是对某一方面做出了规定，不能从整体上满足中医药传统知识保护的需要。

**6. 我国政府开始重视对传统知识的保护** 20世纪90年代初，我国政府和地方开始认识到传统知识保护的重要性，陆续开展了相关的研究工作。启动了“中国民族民间文化保护工程”、成立了“中国履行《生物多样性公约》工作协调组”，国家知识产权局增设了专门机构（条法三处）以具体处理传统知识和遗传资源的事务；国家中医药管理局也将中医药传统知识作为重点项目进行研究。国家知识产权战略将“中医药知识产权保护与利用研究”纳入其中，是代表国家对传统知识保护的专题。

## 二、中医药传统知识的概念

### （一）传统知识

世界知识产权组织目前用术语“传统知识”来表示：基于传统的文学、艺术或科学作品；表演；发明；科学发现；设计；标志、名称和符号；未公开信息；以及其他一切的基于传统的，由工业、科学和文学艺术领域中的智力活动所产生的革新和创造。基于传统是指知识体系、创造、革新和文化表达具有如下特征：通常是世代相传的；通常被视为属于一个特定人群及所在地域；且随着环境的变化经常在发展。传统知识的类别可以包括：农业知识；科学知识；技术知识；生态知识；医学知识，包括相关的药物和疗法；与生物多样性相关的知识；以音乐、舞蹈、歌曲、手工艺、设计、传说和艺术品的形式存在的民间文艺表达；语言要素，诸如名称、地理标志和符号，及活动的文化财富。

### （二）中医药传统知识

中医药传统知识是：基于中华民族传统的、世代相传并持续发展、具有现实或潜在商业价值的医药卫生知识；同时包括了由该领域中智力活动所产生的革新和创造。

中医药传统知识可以文字、语言、声音、图像、符号、标志、名称、姿态、动作等方式存续和表达，如基于传统的中医文献、医药文物、医疗器具、传承者及传承的规则方法，以及与之密切相关的社会文化背景、生态环境、动植物资源等；其类别包括生命知识、养生知识、疾病知识、诊法知识、疗法知识、针灸知识、方剂知识、药物知识。

### （三）中医药传统知识保护

中医药传统知识保护既是一项重大的公益事业，也是国际上知识产权保护新一轮探讨的议题。因此，“中医药传统知识保护”的定义对两方面均应有所顾及，保护的宗旨应是“保持完整性，促进可持续发展和利用”，同时，也将“防止相关权利的不当占有”涵盖进来。根据这一原则，对中医药传统知识保护作如下定义：

在尊重和维护中医药传统知识的完整性和相关特征原则下，旨在推动和促进中医药传统知识的可持续发展和合理使用，防止相关权利的不当占有和不公平使用，保证在此基础上所产生的利益公平分享而采取的一切政策、法律及其他措施。

## 三、中医药传统知识保护的现状及存在的问题

### （一）现行知识产权制度在中医药传统知识保护中的运用

**1．专利制度** 中医药技术领域的发明创造，只要符合专利法规定的授权条件，就可受到专利法的保护。能够申请发明专利的中医药知识的具体情况如：产品专利、方法专利、用途专利。

专利制度在中医药传统知识的保护实践中尚存在一些问题，如：①已文献化的中医药传统知识不符合专利法新颖性的要求；②现行专利法明确将诊疗方法和理论知识排除在外；③专利制度不考虑传统知识原始提供者的利益；④专利检索手段的局限性易导致传统知识被不当授权。

**2．商标制度**　商标对中医药的商品及服务可起到保护作用，如中药企业可通过注册商标、运用商标战略来保护自己产品的品牌。商标制度在保护中医药传统知识中存在一些问题。如：①对已经公开的中医药特有名称没有明确规定；②对传统知识商标的注册主体没有限制措施。

**3．地理标志制度**　我国商标法对地理标记的保护体现在《集体商标和证明商标注册和管理办法》中。目前我国已有几百件证明商标的申请，注册了100余个，如中药材“文山三七”国家工商行政管理总局商标局已于2005年核准注册为地理标志证明商标。“文山三七”地理标志证明商标注册后，不仅有利于创立其质量品牌，而且有利于保护消费者利益。

国家质量技术监督局1999年8月17日专门发布了《原产地域产品保护规定》，对原产地域产品及原产地域产品专用标志进行保护。

我国目前还没有对传统知识地理标志注册主体的认定制度，滥用地理标志与混淆地理标志的行为缺乏相应规范，不利于对道地药材等的保护。

**4．著作权制度**　著作权制度保护中医药传统知识的方式：作为我国中医药传统知识重要组成部分的中医药古籍，由于已超过了著作权（著作财产权）的保护期限，使著作权法难以对其进行保护。但是，我国著作权法对作者的精神权利保护没有期限的限制，《著作权法实施条例》第十九条规定：“使用他人作品的，应当指明作者姓名、作品名称”。另外，我国著作权法能够对中医药古籍的演绎作品实行保护。

**5．保密制度**　符合商业秘密构成要件的中医药传统知识，可通过《反不正当竞争法》加以保护，而且这些传统知识的主体必须是从事商品经营或者营利性服务的法人、其他经济组织和个人。中医药商业秘密范围涉及中医秘方、中药药材的炮制或加工方法、诊疗技术、健身功法以及包装技术、营销技术或信息技术等。

《中药品种保护》第十三条规定：“中药一级保护品种的处方组成、工艺制法，在保护期限内由获得《中药保护品种证书》的生产企业和有关的药品生产经营主管部门、卫生行政部门及有关单位和个人负责保密，不得公开。负有保密责任的有关部门、企业和单位应当按照国家有关规定，建立必要的保密制度”。如上药牌六神丸已被定为国家级保密产品，国家一级中药保护品种；“云南白药散剂”、“云南白药胶囊”也被列为国家中药一级保护品种。

**6．植物新品种保护制度** 我国先后发布并实施了五批农业植物新品种保护名录和四批林业植物新品种保护名录，使受保护植物属和种的数量达到119个，其中农业植物品种41个、林业植物品种78个，远远高于《国际植物新品种保护公约》规定的最低数量。中药材中符合植物新品种授权条件的木本药材或草本药材可申请获得植物新品种保护。如品种权号为20040011的金连翘，是由连翘的芽变植株经多次选育、嫁接而培育出的黄色叶品种。由于我国中药材资源日益匮乏，植物新品种保护制度在促进开发新的可替代药用植物方面起到了积极的作用。

## （三）其他制度在保护中医药传统知识中的作用及问题

**1．中药品种保护制度** 现行中药品种保护主要是1993年施行的《中药品种保护条例》。到2004年，中国大陆国家中药保护品种已达1668个，其中有12个品种列为国家一级保护品种，1656个品种列为国家二级保护品种，涉及883个中药生产企业。

中医药传统知识至少应该包括中药制剂、处方、制药工艺、药材资源、诊疗方法等内容。中药品种保护仅仅保护中药制剂等制成品，不能有效保护中医处方，也不保护制药工艺、药材资源、诊疗方法等。这样不仅不能全面保护中医药传统知识，也不能有效全面保护中药制剂等制成品。

中药品种保护与专利保护制度从设计上是完全对立的，不允许重叠保护。《中药品种保护条例》对申请专利未取得授权的中药品种、因某种原因失去专利保护的中药品种是否可以适用中药品种保护，未作明确规定，因此可能产生与相关专利的冲突。缺少中药品种保护与专利保护产生纠纷的解决办法。

**2．中药资源保护** 国务院于1997年3月20日制定并发布了《植物新品种保护条例》，人工培育的新的药用植物或新发现的野生药用植物，均属于植物新品种保护的主题。

我国中药资源相当丰富，但除培育新品种和野生药用植物外，对大部分中药材的种植和中药资源的保护都还重视不够。目前对中药资源的管理和使用除了《野生动物保护法》和《野生药材资源管理条例》等部分涉及到中药资源外，尚没有建立国家级的对中药资源保护的法律规范。对中药材的物种和基因没有法律上的保护规定。地方编制的《中国珍稀濒危保护植物名录》，其中有169种药用植物。尚没有针对整个中药资源的保护名录，不利于中药资源的可持续发展。

## 四、对策和建议

### （一）制定中医药传统知识专门保护法

一些国际组织如生物多样性公约组织、知识产权与遗传资源、传统知识、民间文艺政府间委员会以及一些发展中国家等，对传统知识保护问题的研究已取得实质性的进展。一致的意见认为，在取得国际上的保护之前，首先必须建立国内法。印度、巴西、泰国等国家已经相继建立起保护本国传统知识的专门法，这为我国制定中医药传统知识专门保护法提供了借鉴。建议政府应尽快协调国家中医药管理局、国家食品药品监督管理局等相关部门开展《中医药传统知识保护条例》的起草工作。

“传统医药法”（筹）是对中国传统医药知识原则性和指导性的管理法，是中国传统医药的基本法，应是“中医药传统知识保护条例”的上位法。”“中医药传统知识保护条例”是“传统医药法”（筹）中的一个分支，是对中医药传统知识实施保护的专门法。

“中医药传统知识保护条例”是对所有中医药传统知识涉及的权利方面的内容进行规定，它与《中药品种保护条例》和“中药资源保护法”（筹）应当是平行的关系，并且应当包含后者中的大部分内容。我们建议在具体操作中可以将《中药品种保护条例》、“中药资源保护法”（筹）和“中医药传统知识保护条例”合并立法。其理由是：①解决《中药品种保护条例》中亟待解决的问题，如对国外无约束力、与现行专利法冲突、不能全面保护中医药传统知识、不能解决财产权等问题；②考虑立法成本和一致性原则。合并立法，可以减少立法负担，避免法条冲突，有利于对中医药传统知识的整体、综合保护。

## （二）建立中医药传统知识保护名录及标志清单

对亟待保护的中药、方剂、传统疗法等先期建立保护名录，可在较短时间内提交到国际上，为中医药传统知识的保护从形式上提供依据。名录的纳入标准主要依据文献的记载。

## （三）建设中医药传统知识保护数据库

国际上对保护传统知识普遍提出要求“披露来源”，而中医药传统知识“海量”的内容与历时的久远使这一要求难以实现。CBD缔约方大会第Ⅵ/24号文件要求缔约方和各国政府“在知识产权申请中鼓励公开关于生物多样性的保护和持续利用相关的土著和地方社区的传统知识、创新和实践。”应CBD缔约方大会的要求，WIPO编写了“关于与遗传资源和传统知识有关的公开要求问题的技术研究报告草案”。WIPO－IGC在《传统知识保护的政策目标和核心原则》中确认了“事先知情同意原则”，并要求“事先知情同意原则的适用措施和机制，对于所有相关的持有和管理人，特别是对传统知识持有人，都应当是易懂、适当和不繁琐的”。目前，国家知识产权局正在实施对专利法的修改，准备将“生物遗传资源来源的披露问题”作为主要的修改内容。根据传统知识保护的实际需求，国际上许多国家已经表示出建立传统知识数据库的愿望，尤其是一些传统知识保有量大的国家。

## （四）建立相应的权利保护制度

**1．实行中医药传统知识登记确权制度**　可以结合中医药传统知识保护名录的认定，将中医药传统知识分为国家、集体和个人所有，分别进行登记并确定权利。

国家持有。主要是对特定疾病有特殊疗效的知识；相当于国家一级保护野生药材物种的人工制成品；用于预防和治疗特殊疾病的；其他对国家利益有重大影响的中医药传统知识。集体或个人所有（持有）。按照现行法律规定，集体或个人依法取得的中医药传统知识，包括自身依据中医药理论在临床中自创获得、通过继承获得、通过合法手续登记取得、通过合法受让取得等。

**2. 对中医药特定标志、符号的使用实行审核许可制度** 中医药特定标志、符号及地理标志中含有巨大的商业和文化价值，这对市场运作非常有利。建议国家制定《中医药特定标志、符号使用管理规定》，以法律的形式将一些标志、符号列为中医药特定标志，委托"中医药传统知识管理委员会"进行管理或按照《中医医疗行业从业标准》等规定进行审核许可使用。

**3. 调整现行知识产权制度加强对中医药传统知识的保护**

**(1) 专利申请若涉及中医药传统知识，应要求公开来源：**我国已经把标明出处列为第三次修改专利法的内容之一。根据我国目前的实际情况，建议修改我国《专利法实施细则》，对申请中国专利的申请人，其技术方案若涉及中医药传统知识时，应要求申请人表明所依托知识的来源。可以将《专利法实施细则》第十八条第二款"背景技术：写明对发明或者实用新型的理解、检索、审查有用的背景技术；有可能的，并引证反映这些背景技术的文件"修改为"背景技术：写明对发明或者实用新型的理解、检索、审查有用的背景技术；有可能的，并引证反映这些背景技术的文件；涉及法定传统知识的，需具体表明其技术依托知识或来源。"在专利制度中公开传统知识来源的问题还有一些理论问题，比如是否应作为授权的条件和披露来源的范围、方式等。

**(2) 扩大反不正当竞争法的主体和客体范围：**建议将对中医药等传统知识的不当占有、不当使用作为一种不正当竞争行为纳入反不正当竞争法进行规范，这样可以有效地利用反不正当竞争法保护中医药等传统知识。

**(3) 通过商标对中药产品的商品名进行保护：**根据我国《药品管理法》和《关于药品注册管理的补充规定》的规定，是允许中药如同化学药品一样，将专用名称（商品名称）注册为商标保护。中药企业应该建立中药产品商品名制度，给研制的新药上按规定使用通用名称表示产品成分、功能或用途的同时，另起一个商品名称，进行商标注册，以区别于其他生产厂家生产的同类产品，以利于中药产品创名牌，发展我国中药事业。

**(4) 利用地理标志加强对于道地药材的保护：**中医药的道地药材与中医药传统知识中的文化、质量、疗效等有着密切的关系，而地理标志的地域性、无期限性又非常适合中医药传统知识的保护，因而，我们建议国家有关部门应当加强对道地药材地理标志保护的引导和管理，充分利用地理标志，强化对道地药材的保护。

**4. 在获取和使用中医药传统知识中贯彻知情同意原则** 中医药传统知识的事先知情同意可以用合同、许可或协议方式给出。适用的范围可先针对国外对中药资源及中成药的开发。

应由专门的管理部门或国家中医药管理局代表中医药传统知识的持有人对事先知情同意予以监管和保障。

**5. 规范民间疗法/单验方的注册管理制度**

(1) 成立专门的注册登记管理机构，由政府管理人员和技术专家共同组成，负责受理、审核相关申请，同时，专门的管理机构可以充分整合现有的调查研究资源，提高工作效率，防止重复调研。

(2) 可以申请注册的标准应当符合“传统知识”的条件。

(3) 对于价值较高、含有秘密的，应该是注册登记的重点。

(4) 注册制度可以与保护名录实现互补。名录制定是“自上而下”的，主要依靠行业专家和文献调查；注册登记则是“自下而上”的，主要依靠民间和地方政府的积极参与。

**6. 成立中医药传统知识管理委员会** 现行知识产权制度并不排斥法人可以作为知识产权的主体，这在 TRIPS 和我国知识产权法律法规中均有体现。我国《著作权法》在规定著作权集体管理的同时，还规定国家也可以作为权利主体而享有著作权中的财产权。泰国、巴西、印度等国的立法实践也证明了传统知识集体管理的可行性，如泰国的“传统医药知识保护和促进委员会”、印度的“生物多样性国家管理局”、巴西的“遗传资源管理委员会”、葡萄牙的“作物遗传资源注册机构”等等。

“中医药传统知识管理委员会”应为独立的法人机构，归属国家中医药管理局领导，接受中医药传统知识发源地（中国）持有人（或政府）的委托，具体实施中医药传统知识的管理和保护工作。

该管理机构的职能应当是：

（1）负责中医药（包括少数民族传统医药）传统知识的登记、管理、对外交流与合作。

（2）负责有关许可使用和获益分享的事务（包括监督传统知识的使用、许可、获益分享权益的要求、收益的合理分配、纠纷的解决等）。

（3）接受国家或有关集体、个人的委托，负责中医药传统知识的登记并组织专家评审核定。

**7. 建立中医药传统知识保护发展基金** 泰国已经建立了“泰国传统知识发展基金”，我国设立发展基金的来源是：争取国际援助、国家拨款、社会赞助或相关的获益分享等。建议建立“中医药传统知识发展基金会”。基金管理由国家中医药管理局管理或委托中医药传统知识管理委员会进行管理。

# 中医理论主体建设与自主发展的新开端

## 一、历史背景

中医学理论体系，是中华民族基于中国系统思维、长期的临床实践体会，对人类生老病死的生命活动及其调控规律、原理与法则的系统理性认识。中医学独特的生命科学认知体系和医疗保健诊疗体系，体现了中华民族在卫生保健方面的原创性思维和独特的方法论。几千年来，中医理论始终在汲取同时代其他领域学术精华的过程中，随着时代的发展而不断地进步。历史表明，中医理论的不断提高和完善，是推动中医药学发展，推动中医临床诊疗水平提高的原动力。在这一过程中，读书、临证、心悟，将临床实践经验不断上升为理论，又在实践中不断加以补充完善，是中医学理论发展的重要途径。未来，这种按照中医学自身发展规律与时俱进的发展模式仍将继续下去。

从另一方面来看，在中医学术发展史上，缺乏对中医学理论体系的系统整理与研究。从政府组织修订、编纂的医学典籍来看，绝大部分为本草、方书和针灸类著作，如隋《四海类聚方》、唐《新修本草》、宋《铜人腧穴针灸图经》等。作为少数官修医学类著作，如《诸病源候论》侧重于疾病病候，并非对中医学理论体系的全面阐述；《古今图书集成·医部全录》为文献汇集，虽有分门别类的整理，但并非属于系统的理论研究；《医宗金鉴》属医学入门普及型读物，且偏于临床实用，理论深度明显不足。历代医家往往侧重于对中医典籍的注释与发挥，个人临证体会的总结等，虽各具特色与创新，但在理论阐释上往往缺乏系统性。

近现代以来中医理论自身建设未受到应有重视。首先，近代民国年间《废止中医案》给中医理论建设带来负面影响。自 1916 年余云岫刊布《灵素商兑》率先向中医基础理论宣战始，中西医日趋对立，论争日益激烈，最终导致 1929 年民国中央卫生委员会议上《废止旧医以扫除医事卫生之障碍案》，简称《废止中医案》获得通过，给中医学的发展带来了很大的冲击，对中医学及中医理论的全盘否定成为科学界的主流思想。中医人士忙于自我辩护，无暇顾及自身理论建设与学术发展。当时以中医西化的学术思潮占据统治地位，不仅潜移默化地影响着中医理论的继承，也阻碍了中医理论的创新发展。

近五十年来的中医科研，重于对中医基础理论的科学实证性解释，相对淡化中医自身理论建设与研究，对理论思维在理论创新中的作用和主导性缺乏认识。现代以来，虽然中医教材编写和中医古籍整理，对中医学理论建设有所促进，但总体上来看仍未能很好地解决中医理论的继承与创新问题。现代对中医学方法论的研究，缺乏系统整理和本质阐发。通过实践验证的临床诊疗思维，由于缺乏深入挖掘梳理和有机整合，而没有完整准确地继承下来，有效地指导现代中医临床实践。

由于具有理论思维能力的研究人才匮乏，以致对既有的中医理论缺乏深刻的把握，也难以拓展新的理论视野；中医药学固有的理论优势，在养生保健和现代疾病防治中没有得到充分发挥。特别是在中医基础理论研究方面，有过于依赖现代科学实证研究解决中医理论创新问题的倾向。

## 二、发展现状

近年来，中医理论的主体建设与自主发展的现状及问题，已经开始受到国务院领导和国家科技部及行业主管部门的重视。开始认识到“中医药的整体优势是在其原创的基础上建立和发展起来的，中医药的理论体系和概念是原创性的，其他医学还不能模仿。而开发中医药的原创优势是一项极其重要的基础性工作。”（科技部程津培副部长在政协十届三次会议大会上的发言）“要坚持不懈地推动中医药的理论创新。当前和今后一段时间，要在对中医药理论系统整理的基础上，加强中医药学术和理论规范研究……加强对中医药预防保健、养生康复理论和技术的挖掘整理和推广运

用。”（吴仪副总理在全国医药卫生工作会议上的讲话）

由中国中医科学院中医基础理论研究所完成的《中医理论现代发展战略研究报告》（以下简称《研究报告》）中指出，中医理论的现代发展，需要坚持以人为本、全面、协调、可持续发展的科学发展观，确立未来发展的战略目标和战略重点。当前，需要从以下几个方面入手，奠定中医学理论主体建设与自主发展的坚实基础，即：①首先要坚持“以人为本”，实施国家中医理论人才工程，遴选和组建高素质的中医学理论研究队伍；②通过实施“中医学理论建设与研究工程”，全面梳理中医经典著作、各家学说、不同流派的思想和观点，完善中医学理论体系的框架结构，准确表述中医学理论概念的内涵与外延；总结、提炼、阐明中医学理论中蕴涵的规律、原理、法则、思维方式；对50年来的临床科研实践进行理论概括和总结反思；通过一系列研究成果的出版和发表，为现代中医药学术界打开新的中医理论视野，切实系统继承和发展中医学理论体系；③通过实施初、中、高级中医学理论教材编写工程，为今后培养各种层次中医药人才及向大众普及中医药学养生保健理念与常识，提供中医理论基础和保障；④通过启动面向临床需求的重大理论研究专项，充分发挥中医药学原创性的理论优势，在现代卫生保健中的作用。

《研究报告》中还指出，从中医学理论的现代发展来看，既面临着迫切需要解决的自身建设与发展问题，也面对着如何回答时代难题的重要机遇与挑战。中医学理论体系，是历经长期历史积淀的浩大而繁复的知识体系，但古今皆缺乏对中医学理论体系的系统整理研究。因此，应通过对中医学理论体系系统整理和现代诠释，对国家与社会及学科发展的重大需求有所贡献。中医学原创性理论优势，在现代卫生保健中未得到充分发挥，理论建设滞后已成为制约中医药学术和事业发展的关键。对中医学理论体系的系统整理与现代诠释，是中医药自身发展的重大需求。是关系到中医药学术前途命运的基础工程、战略工程，是建设具有中国特色的卫生保健体系的健康工程、生命工程，也是提高现代人们自我保健意识和能力，构建和谐社会的民心工程、文化复兴工程。从中医基础理论和科学方法论层次追根溯源，深层次开发中医药学原创优势，可为建设具有中国特色的卫生保健体系，促进中医药原创优势转化为我国核心竞争力中最具优势的部分提供坚实的理论支撑。其次，有助于在国际上打造中医药的国家整体形象。

中医药的疗效，来自于和还原论思维方式不同的整体论，亦即在整体上把握自然、社会和人本身之间的关系；中医药整体的动态的思维方式是理论联系实际的纽带，是中医药学活的灵魂，是发扬中医药的理论优势和临床疗效优势的根本。同时，中医擅长个体化治疗，讲究因人、因地、因时制宜，这是中医学有别于西方医学的特色和优势。因此，要通过对中医方法论及临床方法学的深入开发与系统阐释，强化中医学理论对临床实践的指导作用。因此，需要在制定我国未来中医药发展战略时，从整体论的高度确立战略目标，发挥中医药在整体上把握自然、社会和人本身之间关系的优势。中医理论的现代发展，要从中医基础理论和科学方法论层次追根溯源，深层次开发中医药学原创优势，为促进中医药原创优势转化为我国核心竞争力提供坚实的理论支撑。

中医学理论的主体建设和自主发展，是中医药事业发展的重大需求，应予以高度重视和合理规划，以实现中医药学术全面、协调和可持续发展。对中医学理论体系的系统整理与研究，旨在丰富完善中医学原创性理论体系，保障中医药学术可持续发展；系统阐明中医学方法论，强化中医学理论对实践的指导作用。

中医学理论的主体建设与自主发展作为一项系统工程，拟解决的关键科学问题是：①探索和揭示中医理论与中国文化在思维方式上的内在联系，对中医学的思维方式进行深入解析和阐发，回答“中医学理论从何而来”的问题；②对中医学理论的概念、规律、原理、法则，进行深入考证与研究，从学术理论梳理、概念考证定义、理论体系结构等不同层次，回答“什么是中医理论”的问题；③通过对中医各家学说的研究，探索中医学理论传承与创新的模式，理论源流与各家学说的内在统一性，回答“如何继承与发展中医理论”的问题；④研究中医方法论及临床方法学在现代的应用规律与法则，回答“中医理论如何指导当代临床实践”的问题。

2005年，国家“973计划”（国家重点基础研究发展计划）首次设立“中医理论基础研究专项”。该专项以中医理论基础研究为主，国家投入

5200万元经费支持。中医理论基础研究专项中，分为“络病学说与针灸理论的基础研究”、“方剂配伍规律研究”和“中医基础理论整理与创新研究”等3个项目。其中，“中医基础理论整理与创新研究”项目包括6个子课题，侧重于中医理论精髓的挖掘、整理与创新研究，以及中医独特诊疗思维及评价方法的研究。

由河北以岭医药研究院吴以岭教授担任项目首席科学家的“络病学说与针灸理论的基础研究”项目，将结合现代医学血管病变研究的最新进展，寻找“脉络－血管系统病”发生发展的共性规律和病理环节，把络病治法方药应用于血管病变防治研究，从而建立对心脑血管病及糖尿病微血管病变防治具有普遍指导意义的新理论学说。

由天津中医药大学校长张伯礼教授担任首席科学家的“方剂配伍规律研究”项目，通过研究构建中药组分配伍的理论基础，发展形成以组效关系辨识为核心的技术体系，创立中药组分配伍优化设计理论及方法学，揭示中药组分配伍的生物效应及体内过程机制，为现代中药创制提供理论基础和技术方法学。

由广州中医药大学邓铁涛教授担任首席科学家的“中医基础理论整理与创新研究”项目，通过对中医基础理论的整理研究，形成体系严谨、源流清晰，与临床结合紧密，在内容和形式上既具备现代性又保留传统应用价值的中医基础理论体系。在研究周期内，将完成中医学理论体系框架结构的建构，对重点关键问题如五脏相关学说和中医体质学说进行深化研究，并指导对重大疑难疾病的治疗。

中国中医科学院院长曹洪欣教授主持的“中医基础理论整理与创新研究项目子课题——中医各家学说及其理论创新研究”，拟通过温病学说与痰瘀相关学说的源流及理论特点研究，系统整理温病学说与痰瘀相关学说的理论内涵及临床积淀，从温病学说与痰瘀相关学说的学术源流和学术特点入手，系统整理和挖掘古代温病学说与痰瘀相关学说相关医案中的潜在知识；通过温病学说与痰瘀相关学说的古今发展及比较研究，研究和总结温病学说与痰瘀相关学说的发展规律，总结其在现代应用中的理论创新。在建立温病学说和痰瘀相关学说临床数据库的基础上，针对温病各类证候及痰瘀互结证病例的临床特点，分析各证候与症状、体征、治则治法及方药应用的规律；开展临床数据挖掘，发现其中的潜在知识。在系统研究古代文献和现代文献的基础上，特别是总结现代应用中的理论创新，结合临床数据挖掘的成果，提出温病学说与痰瘀相关学说的新概念，丰富和完善温病和痰瘀相关理论，增强其对现代中医临床实践的指导作用。

中国中医科学院中医基础理论研究所所长潘桂娟研究员主持的“中医基础理论整理与创新研究项目子课题——中医学理论体系框架结构与内涵研究”，重点开展“中医学理论概念体系研究”和“中医学理论体系框架结构研究”。在中医学理论概念体系研究方面，拟以《黄帝内经》为代表的早期医学文献为基础，系统梳理和深入考证中医理论概念创生时期的初始内涵与外延。基于历代代表性文献，以古代医学著作为主，全面搜集和梳理其中的中医学理论概念，研究中医理论概念在不同时代发生与衍化的来龙去脉；研究中医理论基本概念在历史和现实发展过程中的创新背景、创新因素、创新依据。在中医学理论体系框架结构研究方面，拟通过提炼理论命题，梳理理论概念，界定概念范畴，明确逻辑关系，理论结构解析等不同层次、不同角度的研究，对中医学理论体系的整体框架和内在结构，进行深层次系统解析与有机整合，特别是要深化对理论体系内在结构的研究，对理论体系框架结构与内涵提出层次清晰、概念明确、结构合理的新的系统认识，实现中医学理论的集成创新。

以上两项中医理论研究课题的立项，是现代以来首次基于国家意志和政府决策，对中医学理论建设与研究给予国家层面的重大支持。以上两项中医理论研究课题的研究，将在更深层面解决影响中医学术自身发展和关系到提高中医药防病治病水平的重大理论问题，将为提高中医学自主创新能力、解决重大临床问题的能力，提供理论依据和科学基础。此外，将通过课题研究培养和造就一批适应 21 世纪发展需要的、善于继承和勇于创新的优秀中医理论人才，还将为建设国家中医基础理论研究基地奠定坚实基础。

## 三、存在问题与展望

由于多方面因素的影响和冲击，近百年来中医理论的主体建设和自主发展未受到应有的重视和支持，以系统整体为主要优势的中医理论未能在现代卫生保健中发挥应有的作用，具有深厚中国文化基础和中医理论素养的优秀理论研究人才缺乏，中医理论研究科研机构缺乏发展条件保障等，均影响到中医理论的现代传承与健康发展。从未来发展需求来看，中医理论的主体建设与自主发展，是发扬不同于西方传统认识的人类健康观念的需求，是更好发挥中医理论实践指导作用的需求，也是中医理论体系不断丰富和完善的需求，更是建设具有中国特色的卫生保健体系的需求。

未来十五年是我国科技、经济、社会发展的战略机遇期，也是中医药学提高自主创新能力的关键时期。未来国家科技、经济、社会发展的战略目标，对具有先导作用的基础研究提出了更高的要求。未来，在中医理论的基础研究方面，应该坚持继承与创新并重、基础研究与临床研究相结合、传统研究方法与现代研究方法相结合的原则，加强跨学科、跨领域的合作，集成优势资源开展系统研究。基于中医药防治现代重大传染性和非传染性疾病的迫切需求，在具有中医药优势、特色的基础研究领域，取得能在国际上产生影响的创新性中医理论研究成果，提升中医药在现代卫生保健体系及国际医学科学界的地位。吸引、凝聚、培养中医理论创新人才，造就服务于国家战略目标的将帅人才和研究团队；促进重点研究基地的建设，显著提升我国中医药的自主创新能力和解决重大医学问题的能力，为中医药学应对重大传染性、流行性疾病，及重大非传染性疾病的发生提供科学理论依据，以中医药基础研究原创性成果跻身国际科学领域前沿。

# 中医现代化发展战略研究

## 一、历史背景

从20世纪40年代提出“中医现代化”以来，中医现代化就成为了行业内外关注的热点问题和争议的焦点问题。据不完全统计，1979年至2005年期间，在期刊上发表的与“中医现代化”相关的文章共有1416篇，仅2005年1年就有162篇。涉及的内容主要有：中医现代化的重要性、研究思路与方法、战略重点与任务、存在问题和制约因素、发展前景，以及中医现代化与中西医结合的关系等。近50年来，中医现代化在医疗、教育、科研和管理等方面取得了显著成绩，为我国医疗卫生事业的发展也做出了多方面的贡献，为保障社会稳定、促进经济建设发挥了重要作用。

关于中医现代化的认识，也随着时代的变更有了不同的变化。19世纪40年代提出的中医现代化，就是“应该毫无反顾地去接受新学理与新见解。而且要用新学理、新见解来扬弃中国医学，使它在新的基础之上发出光和热来”。50年代以来有人认为，中医现代化的主要方向是中医科学化。也有人明确提出中医科学化，其实质是中医西医化，认为中医“落后”于西医，中医“有技术而无科学”，中医不科学，需要改造。20世纪90年代中叶起，中医药现代化引起高度重视，尤其是广泛深入地推进“中药现代化”的研究。如1992~1995年，由中国科学技术信息研究所、中国中医科学院中医药信息研究所，共同组织了“促进中药出口创汇的战略与政策研究”课题。该课题首次分析了我国中药出口在世界医药市场中的地位，促进了中药出口工作的开展。1996~1997年，由国家科委与国家中医药管理局共同组织了“中药现代化发展战略研究”。该项目促进了国家科技部、国家中医药管理局的“中药现代化科技产业行动计划”的实施。1999~2000年，由国家发展计划委员会与国家中医药管理局共同组织完成了“现代中药产业化关键问题研究”。其后，国家计委实施了中药产业现代化专项。2000～2001年，由国务院发展研究中心、国家中医药管理局和国家科技部，共同组织完成了“中药现代化产业推进战略研究”。2002年，国家科技部、国家中医药管理局等八部委联合发布并实施“中药现代化发展纲要”。在此期间，有人对中医现代化持反对意见，认为“中医现代化”就是改造中医，就是“中医西医化”，就是“中医灭亡化”；但主流仍然是认同和推进中医现代化。国家科技部和国家中医药管理局在1999～2000年期间，联合开展了“中医现代化科技发展战略研究”，该项目推进了中医科技现代化研究的进一步展开。近三年来，中医现代化的发展问题又重新成为人们关注的热点问题。2004年国家中医药管理局设立了软科学研究专项“中医现代化发展战略研究”。该项目由中国中医科学院承担，课题负责人为中国中医科学院院长曹洪欣教授。共有100余名行业内外专家参与了此项课题的研究。课题下设8个子课题，分别为“中医理论现代发展战略研究”、“中医现代化关键技术发展战略研究”、“中医标准化发展战略研究”、“中医医院内涵建设与办医模式研究”、“中医国际发展战略研究”、“中医现代化人才战略研究”、“中医知识产权保护战略研究”、“中医现代化政策保障研究”。经过一年多的调查、研究和反复论证，课题已取得阶段性成果。

## 二、研究现状

近10年来，关于中医现代化的认识主要有以下几种观点：①中医现代化就是否定中医，是打着现代化的旗号否定中医的优势和特色；②中医的文化特征是中医现代化的最大障碍，首先应该剥去中医学概念、理论的文化哲学外壳，还原其医学内核，才能将其置于现代科技条件下来研究；③中医现代化是用西医的理论来阐释中医的内涵；或运用诸如数学方法、实验方法、系统科学方法等，对中医学理论进行合理架构和重建；④“中医现代化”不是“西医化”，不是把西医学思想的形式和方法移植到中医学上，也不是用西医学思想来同化中医。中医现代化，应该用现代人的思维方式和方法去证明和论证中医的科学性。中医现代化的目的在于把问题提出来，从传统思想的注解方式中开发出一条新途径，使之符合目前现代科学的标准，能随科学的发展而发展，与现代医学思想沟通并融合，对整体医学的发展起促进作用；⑤中医现代化是坚持中医学理论体系，遵循自身的固有规律，实行自主发展。在保持优势特色的基础上，不断吸取现代科学技术成果，与多学科广泛融合，使中医诊疗和临床疗效能够满足人类健康需求，与时俱进。“中医现代化发展战略研究”课题组，在以往研究的基础上，结合新时期中医发展的趋势，提出了中医现代化的概念为：“中医现代化是在新的社会发展条件下，遵循中医自身发展规律，有效利用现代科学技术，继承和发扬中医特色优势，丰富和发展中医理论，提高临床实践能力和水平，使中医在我国医疗卫生保健体系与人类健康事业中发挥更大作用的实践过程和发展目标。”

关于中医现代化的主要任务，《中医现代化科技发展战略》中提出了中医现代化科技发展的重点任务有：基础研究包括①重大基础理论研究：证候分子生物学研究；方剂药效化学基础及作用原理研究；经络研究与针灸作用原理研究。方法学研究：现代中医“四诊”多维信息集成式诊断诊断系统；功能性检测在中医诊断中的应用研究；中医临床疗效系统评价体系研究；②现代中医信息技术的应用研究：基于虚拟专用网络技术中医药研究新模式；中医智能化信息系统研究；中医药古代文献资源系统研究开发工程。临床研究包括①重大疾病的中医药防治研究；②疑难病症的中医药防治研究；③情志疾病的中医药防治研究；④养生保健康复理论和方法的研究。基础性工作包括①中医证候学诊断标准和基础资料库；②中医药相关数据库建设；③中医药实验室规范操作规程（SOP）工程建设。

“中医现代化发展战略研究”中提出了未来15年的发展战略为“主体战略”和“创新战略”。战略重点为“建设中医医疗卫生保健体系”和“建设中医科技创新体系”。主要任务有：中医理论整理与创新工程；中医养生与诊疗技术创新工程；中医临床优势建设工程；中医标准化工程；中医数字化工程；中医基层建设工程；中医科普工程和中医国际发展工程。

## 三、趋势展望

随着中医事业与时俱进的发展，中医现代化将会越来越受到关注和重视。人类健康观念和疾病谱的改变，建设具有中国特色医疗卫生保健体系的需求，东西方科学理念融合的趋势，社会经济的发展，科学发展观的提出，国际社会对中医药的需求等，都为中医现代化发展提供了新的机遇。“中医现代化发展战略研究”课题组，提出中医现代化未来15年的发展目标为：“到2020年，中医现代化的发展能力和医疗服务质量水平得到全面提升，中医药特色优势得到全面继承和发扬，中医药理论得到丰富和发展，现代中医医疗体系和科学研究体系更加完善，中医药防病治病能力和自主创新能力显著提高，关键科学问题与关键技术研究取得重大进展，中医药在我国医疗卫生保健体系中的作用明显增强，城乡社区广大民众能够得到中医医疗保健服务，普及程度和国际化程度显著提高。”

通过中医现代化，扩大中医服务领域，提高中医医疗服务能力，保持和发扬中医特色优势，有效利用现代科学技术，全面促进中医自主创新，提高中医在我国医疗卫生保健领域中的贡献度，奠定中医可持续发展的坚实基础。

## 四、存在问题

### （一）基础设施薄弱

中医基础设施相对落后，科技投入严重不足，已经不能适应中医现代化发展的需要。以中国中医科学院为例，科研机构多年来设备投入经费低于设备折旧费，几乎没有基本建设投入，导致总体上设备陈旧，科研条件较差，影响了科研水平的提高。全国中医研究机构状况基本如此。

### （二）优秀人才缺乏

尽管几十年来已经培养了大批中医药人才，然而面对中医学术继承的紧迫形势，面对中医自主创新的良好机遇，面对中医医疗保健的广泛需求，中医优秀人才仍然相对缺乏，特别是中医临床、中医理论创新及多学科复合人才不足，影响着中医现代化的发展进程，中医人才队伍建设已迫在眉睫。

中医现代化是中医事业发展的重要途径。推进中医现代化，是为了更好地促进中医事业的发展，为我国医疗卫生事业、为人类健康事业发展做出更大贡献。

# 中医药公共卫生事件应急机制和平台建设

公共卫生突发事件是指突然发生，造成或者可能造成社会公众健康严重损害的重大传染病疫情、群体性不明原因疾病、重大食物和职业中毒，以及其他严重影响公众健康的事件。在当今社会，工业化发展的负面影响，以及各地区经济和社会发展的不平衡，使得公共卫生突发事件的发生频率不断提高，其种类也在不断变化，人类在享受现代文明的同时也在不断面临各类危害健康因素的挑战。传染病暴发流行、化学性污染、自然灾害及恐怖事件屡屡发生。我国每年因突发公共事件造成的损失惊人，据国家行政学院公共管理教研部副教授李军鹏提供的资料显示：2003 年，我国因生产事故损失 2500 亿、各种自然灾害损失 1500 亿元、交通事故损失 2000 亿元、卫生和传染病突发事件的损失 500 亿元，以上共计达 6500 亿元人民币，相当于损失我国 GDP 的 6%。

根据世界卫生组织的报告，全球每年有 1400 万人死于传染性疾病，其中 90%以上发生在非洲、亚洲和南美洲。主要的致死性传染疾病是艾滋病、呼吸系统传染、疟疾和结核病等。我国自 2002 年 11 月非典型性肺炎（也称作“重症急性呼吸系统综合征”，SARS）在广东爆发以来，已造成 7758 人感染，死亡 730 多人；而艾滋病的感染更是进入了高发期，感染人数突破 80 万，我国艾滋病村有 40%的村民感染了艾滋病病毒，死亡人数逐年上升。近两年来禽流感病毒导致的人类感染病案时有发生，引起人们对流感暴发的严重担忧，显然，公共健康危机的频发对公众健康和社会安定带来了严重威胁。

## 一、建立突发公共卫生事件应急机制是一项关系国泰民安的紧迫任务

突发公共卫生事件如果不能得到有效的应对和及时的处理，往往诱发

社会问题，从而导致危机。2003年的SARS蔓延是人类进入21世纪后遭遇的首次全球性公共卫生突发事件，在短短数月间，便从初始的单一、区域性的公共卫生突发事件，发展成为以公共卫生事件为核心的全球复合型社会危机。2003年突如其来的SARS疫情，以及目前全球范围内不断暴发的禽流感疫情，对社会所造成的极大恐慌和危害，再次让人们感受到传染病等公共卫生突发事件对人类健康、社会稳定、经济发展所构成的威胁，也向政府及医疗卫生部门提出了警示。

在认真总结抗击非典的经验教训后，我们深刻地认识到，造成非典疫情早期流行和蔓延的主要原因是我国公共卫生体系存在缺陷，有效应对突发公共卫生事件的机制不健全，处理和管理危机能力不强，缺乏应对突发事件的必要准备。为了保障人民健康和社会安定，2003年5月国务院及时发布了《突发公共卫生事件应急条例》，标志着我国突发公共卫生事件应急处理工作纳入法制化轨道，突发公共卫生事件应急处理机制进一步完善。2006年1月8日国务院又发布《国家突发公共事件总体应急预案》，该总体预案是全国应急预案体系的总纲，明确了各类突发公共事件分级分类和预案框架体系，规定了国务院应对特别重大突发公共事件的组织体系、工作机制等内容，是指导预防和处置各类突发公共事件的规范性文件。党中央和国务院明确提出了公共卫生建设的总体目标，争取用3年左右的时间，建立健全突发公共卫生事件应急机制，提高应对突发事件的能力。这套机制主要包括：建立应对突发重大公共卫生事件工作预案；建立畅通的疫情信息网络；建立医疗救治体系；建立应急卫生救治队伍等。

## 二、中医药在防治传染性疾病方面具有独特的理论和丰富的经验

世界卫生组织（WHO）发表的危害人类健康最严重的48种疾病中，传染病和寄生虫病有40种，占病人总数的85%。十多年前美国《时代周刊》就载文警示："世界不同地区爆发的霍乱、肺结核、军团病、HANT病毒、腺鼠疫、还有链球菌病，已经使人认识到下面这个令人惊恐的事实：对付

传染病的斗争未有穷期。由于细菌形成的抗药性及新发现的病毒，医学实际上似乎在对付疾病的斗争中处于下风。”2003年之春，当SARS形成疫情，汹汹而来的时候，我们不得不予以正视，传染性疾病在我国乃至全世界，仍是危害人民健康的最大因素，是医学界必须认真对待的重大问题。

中医学在长期与传染病做斗争中积累了丰富的经验，创立了独具特色和优势的理论和方药，为中华民族的繁衍昌盛做出了巨大的贡献。新中国成立后，在中国共产党的领导下，中医药在防治传染病方面也取得了很大的成就。1954年河北省石家庄地区流行性乙型脑炎大流行，中医运用温病学理论为指导，应用白虎汤加减治疗，取得显著疗效，在当时医学界引起强烈反响。同时中医在治疗流行性脑脊髓膜炎、流行性出血热、肺炎、流感、麻疹、白喉、细菌性痢疾、肠伤寒、钩端螺旋体等多种传染性疾病方面也取得了很好的疗效。

在2003年“非典”流行的预防和治疗方面，中医药也发挥了令世人惊叹的积极作用，得到了世界卫生组织的肯定和支持。世界卫生组织专家经过对中医药参与防治SARS的理论与实践进行分析、评估后做出了中医药防治SARS是“安全的，具有潜在效益”的评价，并建议早期、全程、合理使用，认为中西医结合治疗SARS的成功经验可以作为其他国家防治急性传染病的参考。

## 三、构建中医药应急信息平台和救治辅助决策系统，科学应对公共卫生突发事件

由于急性传染病类公共卫生突发事件的发生，具有高度不确定性和严重危害性，事件演变迅速，救治机会稍纵即逝，政府部门在制定干预和救治方案时，既要求时间上迅速果断，又必须保证救治措施的恰当可行，在疫情紧急的情况下，如何发挥中医药的特色和优势，在事件发生、发展过程中，及时将各种临床诊疗信息进行准确发布，广泛汇集全国各地名老中医专家的临床经验，快速形成具有中医特色的救治方案，提高中医药在SARS、禽流感类传染性疾病的救治参予程度，是中医药公共卫生事件应急

机制和平台建设的重要任务。目前现有的决策方式缺乏技术支撑，决策系统和救治方案常常相互脱节。例如SARS的救治方案，主要来自部分专家的临床经验和意见，科学性不强，效率不高，可行性受限，对于救治效果缺乏反馈、跟踪与评估系统，严重地影响了中医药对突发公共卫生事件的应对处理能力和效率。

因此，研究与建立公共卫生突发事件中医药救治方案辅助决策技术平台，是联结预警、监测网络与决策系统的纽带，是医疗救治和政府决策的桥梁，利用原有的救治方案或信息资料，进行优化筛选，提供给决策系统，是非常必要的。构建临床救治方案辅助决策平台，能够为公共卫生突发事件的救治提供技术支撑，对于今后出现类似SARS等公共卫生突发事件时，中医药能够及时有效地发挥救治作用，具有非常重要的意义。

由中国中医科学院承担的科技部国家科技基础条件平台工作重点项目——“公共卫生突发事件救治辅助决策技术平台”研究课题，通过两年的努力，目前已达到了第一阶段的预期目标。该“应急救治辅助决策平台”依据快速、准确、科学、有效的原则，引入科学决策的方法和机制，融合循证医学、决策学等多学科的技术和理念，应用现代信息技术，以专业的基础数据库群为基础，构筑一个基于Internet的“公共卫生突发事件临床救治方案辅助决策技术平台”，以现有公开发表的海量研究资料为基础，汇集专家经验和智慧，采用人机结合，以人为主导的原则，旨在为快速应对公共卫生突发事件、提高临床救治水平提供科学依据。

## 四、“信息平台和救治方案辅助决策系统”目前已完成的主要功能模块

### （一）开设专题网页，提供信息交流平台

随着全社会信息化进程的加快，信息获取和传递手段发生了质的变化，只有及时、准确地提供信息服务，才能发挥应急平台的作用，满足政府决策部门和临床科研人员不断增长的要求。如何在浩如烟海的大量信息中迅

速提炼出有价值的信息，如何充分共享现有资源，最大限度地发挥现有资源的作用，如何变目前被动性决策支持为主动性决策支持，实现快捷和超前的信息服务，同时合理配置和利用资源，提高信息咨询人员工作效率，是“公共卫生突发事件临床救治方案辅助决策技术平台”必须解决的关键问题。建立公共卫生突发事件救治方案辅助决策技术平台是以预警与快速科学决策为目的，就是针对现有信息系统工作流程中存在的问题，进行信息的“流程再造”，建立切实可行、操作性强的系统，在应对突发公共卫生事件中，提供科学高效的信息服务，提高中医药行业对突发公共卫生事件的快速应对能力。

专题网页是“信息平台和救治方案辅助决策系统”的门户，其建立不仅能够与相关专业网站形成快速链接，及时广泛地获取互联网上相关公共卫生突发事件的主题信息，还能将最新的研究动态和学术见解进行发布，有利于学术交流和信息沟通。

### （二）建立急门诊数据库，提供科学高效的急诊救治信息服务

根据突发公共卫生事件的特点，建立“急门诊专题数据库”，该数据库的主要内容定位为：突然发生，造成或者可能造成社会公众健康严重损害的重大传染病疫情、群体性不明原因疾病、重大食物和职业中毒，以及其他严重影响公众健康的事件的与门诊救治与处理的相关信息。本数据库的服务对象为①政府与管理部门：其需求为突发公共卫生事件的管理和事件处理决策的制定；②临床医务人员：其需求为突发公共卫生事件的临床救治以及诊疗技术的学习和提高；③领域专家：其需求为在突发公共卫生事件中，综合分析与统计相关信息，为临床救治提供方案，为政府决策部门提供专家意见。“急门诊数据库”根据三类人群用户的不同需求，分别设立不同入口，进行不同数据需求的服务。

数据库的设计体系以建立数据共建与共享平台为基础，以病、证、症为核心，以规范化的数据进行结构化处理为重点。数据库的采集范围包括：①围绕重大传染病疫情、群体性不明原因疾病、重大食物和职业中毒以及

其他严重影响公众健康主题进行相关医疗、诊断、治疗与管理等信息与数据的采集；②围绕急门诊出现的主要症状（发热等）为中心的相关疾病的诊断与治疗数据的采集；③围绕国家法定传染病为主题的相关疾病的病因、诊断与治疗。

“急门诊数据库”以信息网格 DartGrid 核心服务为基础设施，一方面，建立信息网格数据信息共享应用服务平台，在信息网格上为急门诊数据平台提供多种灵活可扩展应用，具有开放性动态性和分级权限安全机制，为急门诊数据的多用户多类型多方式应用提供支撑。另一方面，建立协作共建数据采集服务平台，为急门诊数据平台的数据采集、加工和编辑提供网络协作协同软件工具，建立类似虚拟研究院的按需组合动态分配的数据库共建平台。实现远程异地加工与本地加工相结合，保证数据的及时更新，为临床救治方案的制定，提供有力的数据支持。同时，急门诊数据平台还提供多功能数据检索与数据查询，建立相关数据的关联通道，便于用户按照导航系统的指示，查询与浏览数据，在突发公共卫生事件提供科学高效的急诊救治信息服务。

### （三）文献再挖掘系统，提供决策支撑背景

借助现代信息技术构建“循证文献查询分析系统”，通过多库融合技术平台，能够实现对专业基础数据库群中相关信息的综合集成分析和多角度挖掘。其目的是通过整合现有资源，建立通畅的信息流通渠道，提高政府部门和临床专家利用信息源快速获取有效信息的能力，形成信息集合和快速处理的优势，达到对资源的高度共享和有效利用。

专业基础数据库群的组成包括：门急诊数据库；诊断标准与治疗方案数据库；疾病基础信息数据库；临床研究文献数据库；专家数据库；医学期刊全文数据库等等。在研究中，结合临床需求，运用信息学、统计学等学科的技术和方法，不断研制信息综合集成分析方法和工具软件，实现对急门诊数据库、文献数据库、诊断标准数据库等相关专业基础数据库群收录内容的查询、统计、调研与讨论，为公共卫生突发事件提供救治辅助方案，为政府部门和临床救治提供决策所需的文献参考证据。

### （四）基于 Internet 的专家研讨系统，发挥专家群体智慧

科学决策的一个重要特点就是强调建立科学的决策体制，注重集体共同决策，决策过程中非常重视专家意见的收集和归纳。网络专家研讨系统，是临床救治方案辅助决策平台中一个重要功能模块，能够针对突发公共卫生事件，利用现代信息技术，建立起基于网络环境的快速反应体系，开展针对需求主题的信息分析与方案预测，实现各专家“分散智力”的快速、有效地综合，并形成“战略性智力”。该系统是一种探究导向的研讨性活动，它是信息时代下创新思维和集体判断、预测的一种新型运作模式。它聚焦于更好地运用信息，研究者运用的信息，部分或者全部来自专题文献数据库和互联网，使参加研究的专家能够有效地利用时间对相关主题进行研究。其运作模式具有以下特点：①依托网络技术，突破空间、地域的限制，适应公共卫生突发事件时可能的强制隔离管理模式对决策形式的要求，能够在最短时间内及时联系到专家，及时发布信息和收集专家反馈意见，组织开展针对需求的主题研究；②建立专家信息库，在发生突发公共卫生事件时，能够及时汇集和咨询相关领域的专业人士，通过多学科、多领域专家群体的研讨，最大限度发挥群体决策优势；③该系统集德尔菲法和头脑风暴法等多种决策研究方法的优势，提高决策的效率和科学性；④决策参与者最大限度的享有决策支持资料，有利于决策的科学化。依靠“临床救治方案辅助决策平台”中强大的专业基础数据库群和网络及时信息的快速检索、收集为支撑，能够为专家提供大量的与研究主题相关的研究数据和文献资料。

## 五、完善中医药公共卫生事件应急体系和救治平台，提高中医药的应对能力

中医药在防治传染性疾病方面历史悠久，理论独到，经验丰富，至今仍广泛有效地应用于临床实践，其科学价值和丰富内涵正在不断地被现代科技文明所认识和揭示。但是由于中医药行业缺乏有效的应急机制，在突

发传染性疾病等公共卫生事件中，往往造成应急指挥系统不协调，各医疗单位救治方案不统一，应急预案操作性不强等问题，严重地阻碍了传统中医药防治传染病作用的及时有效发挥。因此，从行业特点出发，建立和完善中医药公共卫生事件应急机制和救治平台，是当前禽流感等传染性疾病时刻威胁人类健康时期，一个迫切而艰巨的任务。

SARS 事件所暴露出的我国公共卫生应急体制上的诸多不足，引起政府和各部门的高度重视，党中央、国务院高度重视国家应急体系建设和应急管理工作。近两年来，国务院用了很大力量组织制定国家突发公共事件总体应急预案，卫生部和国家中医药管理局，也编制了各类专项应急预案和部门应急预案，初步形成了公共卫生突发事件的全国应急预案体系，我国疾病预防控制体系正在迅速建设和完善，全国 CDC 监测网络和监测哨点基本形成，监测体系得到完善，并能将信息及时上报决策领导机构和应急指挥体系。应急管理体系建设正在加快推进。但要把各项应急预案落到实处，还需要做大量深入细致的工作。①加强统一领导，坚持平战结合原则。公共卫生突发事件具有高度不确定性，其发生具有突发性和难以预测性，有的甚至不可预测，因此，要坚持平战结合的原则，在行业管理部门的部署下，建立完善各种应急机制和应急预案，完善技术平台建设，建立中医药行业的专家信息库，在疫情暴发时，能及时、充分地发挥相关疾病领域的专家作用；②发挥行业优势，注重多部门协作。由于公共卫生突发事件对公众健康威胁严重，造成的社会负面影响大，其抢救干预、原因调查和善后处理常常需要多系统、多部门的密切配合，必须在政府统一领导下才能综合协调解决，因此，应加强与其他领域的协作。同时，应加强行业内应急管理的科学研究，在疫情暴发时，要发挥中医药行业的集体优势，避免 SARS 初期时，社会上中医药处方鱼目混珠，使人民群众无所适从的情况；③加大科技投入，提高应对能力。在中医药公共卫生事件应急机制和平台建设中，要高度重视运用科技手段提高应对突发公共事件的能力，加强和完善应急管理信息平台和临床救治方案辅助决策系统的建设，重视信息的及时掌握和既往相关研究的数据支持。但平台建设是人力、物力、财力、技术等高密集型的工作，是一个长期的过程，其数据信息需要不断进行及时更新，因而经费的投入情况，直接影响到中医药应急信息平台和救治辅助决策系统的建设，需要领导重视，加大经费投入。只有这样，才能有效地整合现有资源，建立通畅的信息流通渠道，提高政府与临床专家利用信息源快速获取有效信息的能力，形成信息集合、快速处理和准确及时发布信息的优势，达到对资源的高度共享和有效利用，提高中医药在突发公共卫生事件中的应对能力。

# 中医临床个体诊疗评价体系的构建

临床医学的共同特点是个体诊疗，因为医生面对的是不同的生命个体。由于中医与西医的不同理论体系和诊疗方法手段的差异，使其诊断结果和干预措施截然不同。面对20世纪西方医学模式由传统“生物医学模式”向“生物－社会－心理－环境医学模式”的转变，面对临床流行病学和循证医学等临床研究方法的产生和发展，面对仅以单纯临床生物指标结果评价干预效果向更关注终点结局、重大事件、生存质量及生活能力的大规模临床人体试验的转变，面对现代医学长足的进步，面对东西方文化的碰撞和科学思想的交融，促使传统医学与现代医学，中医与西医将逐渐融入生命大科学体系，这必将成为21世纪医学发展的趋势。在这种医学时代背景和条件下，如何审视和评价中医临床个体诊疗的优势和特色，是中医学自身发展面对的重大科学问题，也是使世界重新认识传统中医药的重大理论和方法论所要解决的问题。

## 一、中医临床个体诊疗评价体系的研究思路

### （一）中医临床个体诊疗评价体系研究的理论基础

人体包括形态结构和功能状态两个方面，由于遗传基因、生存环境、受教育程度、心理状态等诸多因素，决定了医生所面对的个体是不同的，临床研究面对的人体无论在形态结构还是功能状态方面所呈现的个体化特征是绝对的。然而西医借助还原论的方法和分析、分离、鉴别技术以形态结构为基础，形成的对人体生理、病理的认识具有相对局部、相对静止和具有群体特征的特点。中医从功能状态入手，在整体观念的指导下形成的人体生命规律的认识，具有整体性、动态性和个性化的特征。

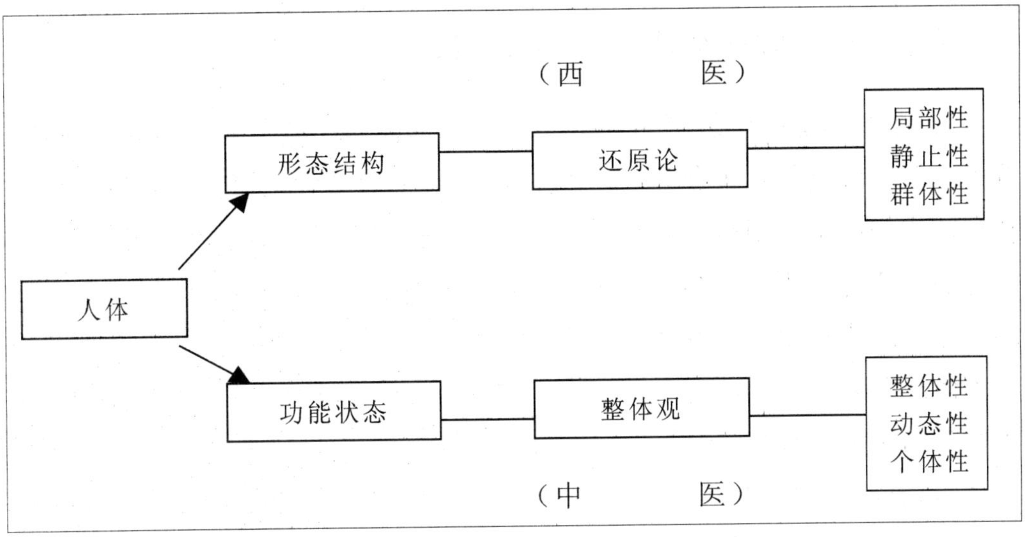


很显然，中西医双方的特色既是优势，又具有局限性。人体生命规律应该是功能与结构的统一、整体与局部的统一、静止与动态的统一、个体与群体的统一。要达到统一靠的是联系而不是对立，靠优势互补，相互借鉴。

## （二）中医临床个体诊疗评价体系研究指导思想

中医临床在运用中医基本理论和古代及现代临床经验和研究成果的基础上，强调辨证论治指导下的理法方药，不但具有个体诊疗特征，同时注重共性规律，因此中医临床个体诊疗评价体系，注重中医临床个体诊疗特色的保留与临床流行病学群体规律的统一，因此中医临床个体诊疗评价体系是共性规律与个性特征的统一体，其难点和技术关键在于个性特征的保留。只有保留个体特色所得出的群体规律才不抹杀个性。如果照搬临床流行病学临床研究的三大原则，随机、盲法和对照的方法学严格实施，就很难保持中医特色的发挥。因为随机的前提要求可比双方的同质性，而中医临床研究起点恰恰是异质性。因此随机分组的基本方法和模式给中医临床研究带来困难。

### （三）中医临床个体诊疗评价体系研究的方法

**1. 个性化生产线的研究方法** 在保持个体诊疗特色基础上进行研究，首先是个体诊疗的规范化，充分利用现代中医基础研究与临床研究标准化和规范化的成果，规范医生的诊疗行为以保障个体诊疗行为的规范化。在一定的规范与原则下，再将不同研究人员、不同单位、不同地域研究人员的诊疗信息积累整合。在大量个体诊疗信息中，探索共性规律，开展个体与个体，个体与群体的比较研究，形成保持中医临床个体诊疗特色的诊疗规律与临床评价研究结论。

信息技术与数理统计学的发展为这一研究方法的设想提供了技术支撑，首先建立中医临床个体诊疗信息采集系统，通过网络连接将个体研究形成临床研究采集技术平台。通过建立数据仓库对临床数据根据不同需求，转换成临床研究数据集，用于分析研究。

这种研究将个体化与规范化相结合，将中医学与信息学相结合，将临床与科学研究相结合，充分体现了共性寓于个性之中的哲学思想。

**2. 以数据为导向的研究方法** 个体化诊疗特色的保持，改变了临床流行病学原有的围绕具体研究目的，严格统一纳入标准、排除标准，以在同质研究对象前提下的随机、对照研究模式。在大前提和研究方向确立的条件下，采集临床信息形成海量信息。从不同层面、不同角度、不同目的提出具体问题，形成以数据为前提的二次设计的研究模式。

这种研究结果要求科研数据的不断积累，临床基础数据库的长期建设。

**3. 临床科研一体化** 在中医药发展的历史长河中，临床经验的摸索、总结、升华是主要研究方式。在21世纪信息化社会背景下，建立加速中医药发展进程适宜中医药特色的研究方法，是在不影响临床正常工作情况下，对临床诊疗及研究信息进行全面结构化采集。临床科研一体化既保持临床诊疗的真实数据，又能实现信息的分析与研究，临床科研一体化能够保持中医个体性、动态性与整体性特征，是关键问题之一。

**4. 以病人为中心** 中医药是在人体观察的临床实践中产生的，研究的主体不仅包括人体的疾病，更关注机体的状态。中医临床个体诊疗信息研究的范围应该涉及广泛的以社会、心理、生理和疾病模式的生命体征。

**5. 人机结合，以人为主** 中医临床个体诊疗评价体系的研究是以信息技术为支撑的临床研究，充分利用了计算机在记忆、运算方面的强大功能，计算机主要发挥辅助临床研究的作用。比如计算机数据库和数据仓库可以将海量的数据进行储存，数据挖掘可以计算。但是对临床和研究信息的采集，辨证论治和对研究问题的提出以及研究结果的分析解释，都要借助人脑的思维。人机结合，以人为主充分表述出研究者是主体，计算机是辅助功能的关系。

### （四）中医临床个体诊疗评价体系研究的内容

**1. 中医临床诊疗相关数字信息标准/规范的研究** 首先，通过临床组与信息组共同对建立中医药临床个体化诊疗评价平台的需求分析，在现有中医药临床诊疗标准/规范的基础上，建立符合临床研究需要的临床数据采集标准、采集词典，建立结构化数据库。研究与建立能与国际接轨的中医药临床诊疗术语、治疗方法、卫生经济学、电子病历等标准规范，成为建立中医临床个体诊疗评价体系的基础。

**2. 临床个体化诊疗信息采集系统的研究** 根据中医临床的特点，开发既可以满足临床需求，又可以满足临床科研要求的临床数据采集系统，建立关系型数据库。能够全面、规范、准确、快速的采集临床所有信息，并能够与现有的医院信息系统数据共享，要求这一系统是基于临床术语多元化、规范化的全结构化数据采集技术体系。并能够充分利用网络技术，安全、方便、快捷的将分布在不同区域、不同医院的数据汇集。

**3. 数据仓库及其挖掘平台的建立** 在中医药临床信息采集系统的基础上，根据中医临床诊疗信息的特点与中医临床评价研究等多方面的需求，研究构建数据仓库，实现对中医诊疗数据进行多主题、多粒度、多需求、高效、快捷的展示、研究和查询检索，形成可以进行数据统计分析、数据挖掘的数据集。结合中医药基础理论与本研究的需求，建立数字模型和多种数学统计、数据深层分析的方法。

**4. 中医药临床诊疗规律挖掘/分析** 在建立中医临床个体诊疗数据采集

系统的基础上，全面收集中医药临床诊疗全过程数据，建立足够数据量的中医诊疗信息数据库。在此基础上利用数理统计、数据挖掘等方法，人机结合，以数据为导向，同时应用临床流行病学、循证医学等方法，对这些临床实践的数据进行科学、客观的评价。分析挖掘内在的诊疗策略及疗效影响因素，发现隐含的、前所未知的知识，揭示中医药防治疾病临床诊疗规律，以及老中医的临床经验。

## 二、中医临床个体诊疗评价体系的研究进展

### （一）以重大疾病的临床疗效评价和名老中医经验整理研究为切入点

在中医临床个体诊疗评价体系研究中，我们以 2002 年北京市科委重大科技计划“中医药防治重大疾病临床个体诊疗评价体系研究”项目为载体，选择了我国社会及中医药研究领域的重要问题——三种重大疾病（中风、冠心病、糖尿病）的中医药临床疗效评价和名老中医经验的继承为关键问题展开研究。

### （二）中医药防治重大疾病临床个体诊疗研究目标

建立能够保持中医临床辨证论治的个体化诊疗特色，全面、即时采集临床诊疗信息，形成中医临床诊疗经验的大型数据库、并能对临床海量数据进行多方面整理、挖掘的临床数字化信息研究平台。建立中风、糖尿病和冠心病中医药综合防治方案，提高中医药疾病防治水平，合理配置卫生资源，完善北京市卫生保障体系。通过对北京地区名老中医的诊疗经验进行总结与评价，使其经验能够进行有效的继承与学习，提高北京地区中医药的诊疗水平，并形成对个体经验进行整理研究、对比评价等的技术方法。

## （三）三种重大疾病中医临床个体诊疗评价及名老中医经验整理研究总体进展

中医药防治中风、冠心病、糖尿病的研究是中医药的重点和优势领域，在“七五”、“八五”、“九五”和“十五”期间，国家投入了大量人力、物力进行了多方面的研究，在中医临床个体诊疗规范化方面基础较好，课题组在综述临床诊疗标准规范及国内外评价领域前沿并结合中医临床个体诊疗评价方法学理念指导的基础上完成了如下研究。

1．三种重大疾病临床信息名词术语的研究。

2．三种重大疾病临床信息分级、分度等科研指标量化研究。

3．三种重大疾病临床采集规范的研究。

4．三种重大疾病中医四诊信息规范化、客观化探讨如舌诊卡的研究。

5．三种重大疾病临床诊治与科研一体化的实现。

6．三种重大疾病国际通用评价量表的研究。

7．三种重大疾病证候特征与演变规律的初步研究。

8．完成了三种重大疾病近30000例次的临床信息采集任务。

9．以中医药临床研究多主题的数据挖掘方法初步研究。

名老中医经验的继承整理研究是中医研究领域的重大课题，长期以来在方法和手段上有待于创新，课题组在以研究名老中医思维轨迹为主线展开研究。

10．九名老中医经验知识库回顾性研究。

11．九名老中医临床常见疾病经验采集模版制作方法研究。

12．基于数据挖掘技术的五名老中医眩晕病的经验探索性整理研究。

13．中医临床个体诊疗信息采集的质量控制。

## （四）中医药防治重大疾病临床个体诊疗信息规范的研究

**1．中医临床信息规范整理研究** 在组织专家充分论证的基础上，首先制定了规范化研究方案，本着国际标准、国家标准、行业标准、地方标准、学会标准及教科书等优先引用的原则，我们对中医药防治重大疾病临床个体诊疗信息规范进行了全面整理，包括以下几方面内容：

（1）一般信息标准化研究。

（2）中医病名、证候及中药方剂标准化研究。

（3）中医名词术语的标准规范研究。

（4）西医名词术语 SNOMED 研究。

（5）西医疾病分类代码 ICD10 研究。

（6）临床实验室检验指标体系的标准化研究。

（7）中医病历书写规范研究。

（8）临床信息采集规范化研究。

（9）中医临床研究数据集的标准化研究。

**2．中医临床术语集研究** 为了深入进行中医临床术语规范的研究，在充分研究国际 SNOMED（临床术语集）发展历史，分类编码标准基础上，吸收中医药名词委员会基本名词规范、“中医药一体化语言”和中医药防治重大疾病临床术语规范研究结果，提出中医临床术语集的基本分类轴为“临床发现、操作方法、中医原理、名医经验、机体形态、中医物质分类”十七大类，并逐步细化和增删、调整，提升中医临床信息规范化研究水平，并努力使之成为国家标准和国际标准。

## （五）中医药防治重大疾病临床研究技术平台建立

**1．临床科研一体化研究平台建设** 完成了以中医药防治重大疾病临床个体诊疗临床信息采集平台为主体的临床科研一体化临床医疗业务平台建设。中医药防治重大疾病临床个体诊疗临床信息采集平台包括三种重大疾病的临床信息采集平台及门诊中医临床信息采集系统，其中三种重大疾病的临床信息采集平台完成了 2.0 版的升级工作，该系统是基于 C/S 结构和 SQL SERVER2000 数据库，运用 PB8.0 语言开发的具有高度结构化的临床信息采集系统（图 1）。门诊中医临床信息采集系统基于网络和灵活模版制作功能的高效门诊信息采集系统。除此之外与本研究相关的公共临床研究平台如语音应答系统、临床数据传输系统等正在开发之中，以更广泛的拓展临床疗效评价研究。

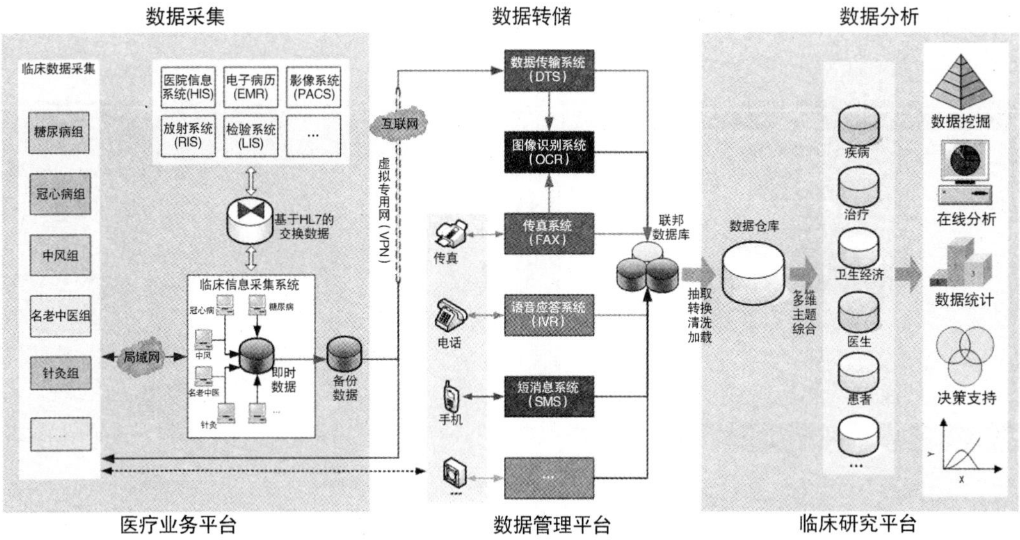


图 1　个体诊疗临床研究体系数据流程

**2. 临床研究网络的搭建**　为了全面集成临床信息和系统化数据采集的实现，在北京广安门医院完成了临床信息采集系统与实验室系统（LIS）与医院信息管理系统（HIS）系统的对接。并实现了中国中医科学研究院数据中心与广安门医院中医临床个体研究数据中心的同步传输，完成了临床研究网络的示范工程。临床研究网络建立对中医药研究的贡献体现在全面、系统集成临床信息。

**3. 临床研究数理统计分析平台建设**　目前支持临床研究的具有数据传输、存储、提取功能的数据中心已经建成，包括基础设施建设，硬件如服务器，磁盘阵列以及软件的开发购置和数据仓库建设。同时组成清华大学、人民大学、北京交大和 301 医院统计教研室等参加的数据挖掘研究队伍，并为本研究开发了中医临床个体诊疗评价中文分析软件，以配合临床组完成了名老中医经验整理研究、糖尿病、冠心病研究数据挖掘任务。

**4. 中医临床个体诊疗平台数据仓库建设**　在充分论证数据仓库建设方案、技术框架、开发步骤和运行维护等问题的基础上；初步实现了三种重大疾病的包括患者主题域、临床疾病主题域、中药处方主题域、疾病状态跟踪主题域，并基于 Eclipse + Jboss + Oracle 的 J2EE 挖掘平台环境的，具有可维护性、可管理性和有效应用性的临床数据仓库的构建（图 2）。

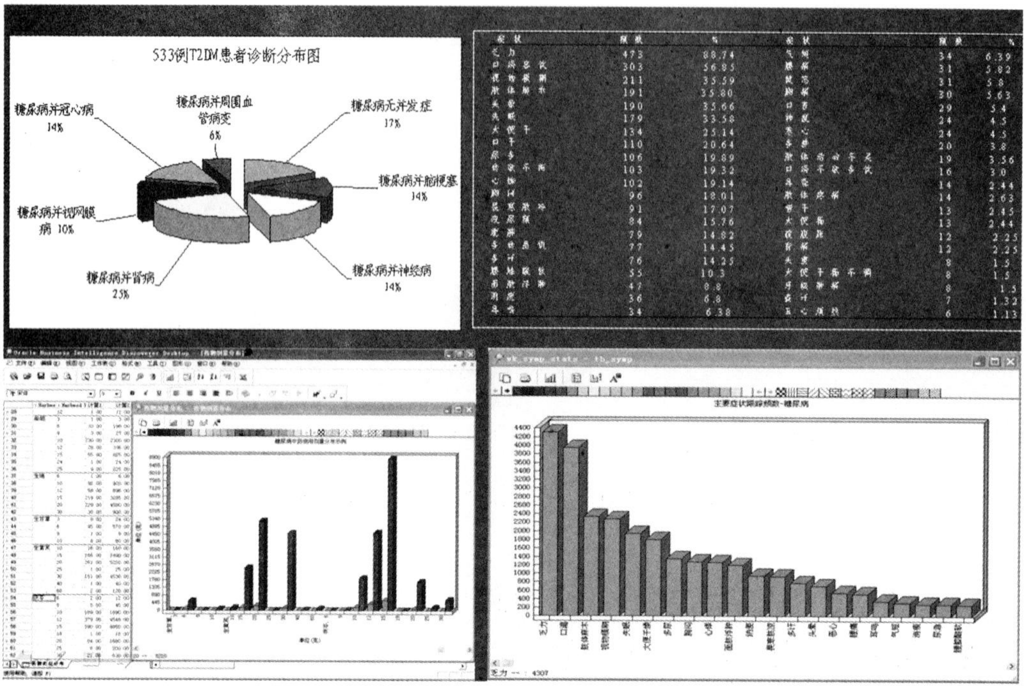


图 2　临床数据仓库 OLAP 样例

## （六）基于中医临床个体诊疗评价体系方法学研究结果的不断形成

### 1. 中风病诊疗规律研究在以下方面取得进展

（1）中风病入院 NIHSS（美国国立卫生研究院卒中量表）分值分布。

（2）中风病急性期中西医量表均值的变化趋势。

（3）急性期患者前三种证候比例变化规律（图 3）。

（4）不同证候的 NIHSS 分值变化比较结果。

（5）急性期患者中医证候积分和 NIHSS 积分变化规律（图 4）。

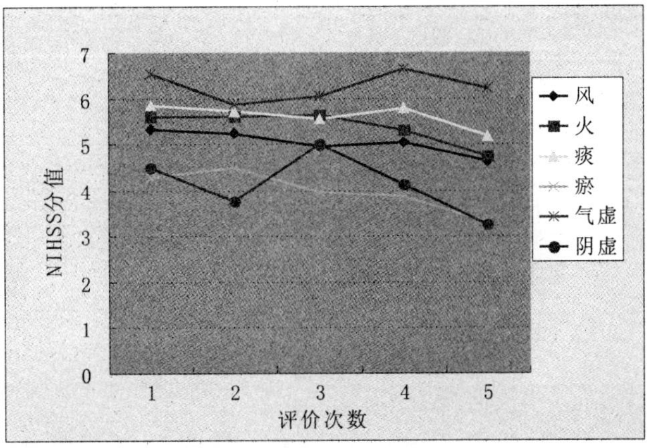


图 3 首次评价占前三位证候 NIH 变化

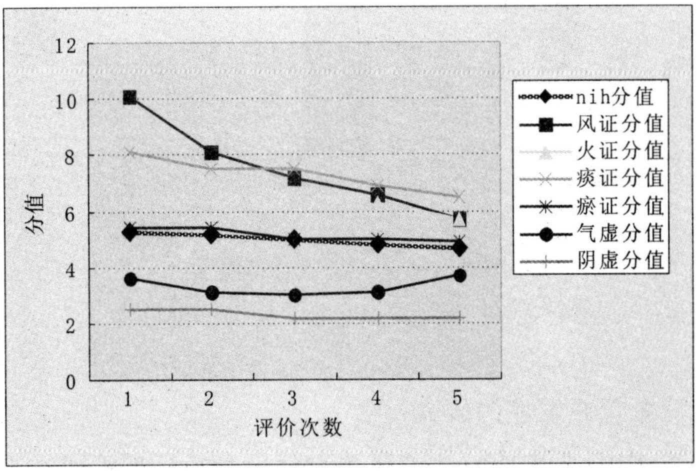


图 4 急性期患者中医证候积分和 NIH 分值变化

**2. 冠心病诊疗规律研究**

(1) 初步进行了证型分布规律及用药规律探讨（图 5、6）

(2) 进行了中医证型相关因素关联分析研究。

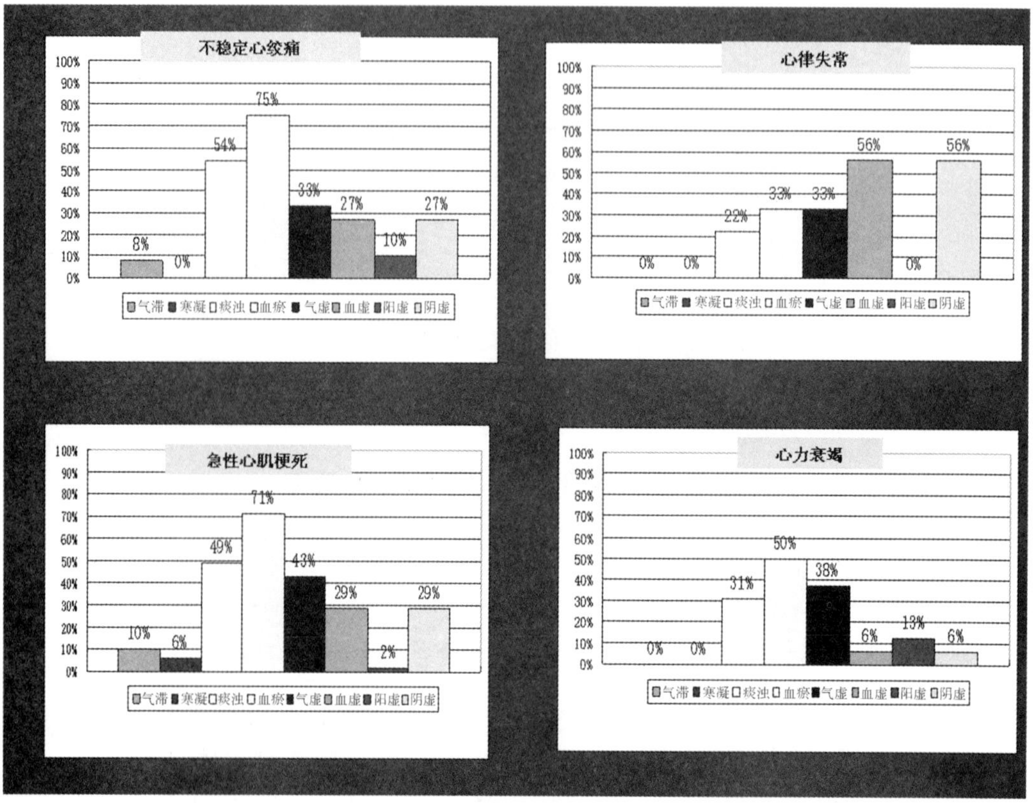


图 5 冠心病证型分布规律

### 3. 糖尿病血管并发症的研究

（1）糖尿病中医基本特征及主要并发症分布特征研究（图 7、8）。

（2）进行了糖尿病中医方药使用规律研究。

| 排序 | 名 称 | 分 类 | 频 次 | 最大量(g) | 最小量(g) | 平均值(g) |
|---|---|---|---|---|---|---|
| 1 | 半夏 | 化痰药 | 1113 | 15 | 6 | 11.09 |
| 2 | 赤芍 | 活血化瘀药 | 998 | 30 | 10 | 14.56 |
| 3 | 党参 | 补气药 | 962 | 50 | 6 | 17.92 |
| 4 | 丹参 | 活血化瘀药 | 891 | 45 | 10 | 21.03 |
| 5 | 当归 | 补血药 | 644 | 30 | 6 | 13.24 |
| 6 | 白术 | 补气药 | 625 | 35 | 10 | 12.44 |
| 7 | 陈皮 | 理气药 | 623 | 12 | 6 | 10.20 |
| 8 | 枳壳 | 理气药 | 570 | 20 | 3 | 9.83 |
| 9 | 白芍 | 补血药 | 538 | 30 | 9 | 15.12 |
| 10 | 桃仁 | 活血化瘀药 | 526 | 20 | 6 | 10.98 |
| 11 | 红花 | 活血化瘀药 | 517 | 15 | 4 | 10.41 |
| 12 | 川芎 | 活血化瘀药 | 507 | 15 | 5 | 12.45 |
| 13 | 黄芪 | 补气药 | 486 | 50 | 30 | 36.16 |
| 14 | 桔梗 | 化痰药 | 469 | 15 | 3 | 9.49 |
| 15 | 桂枝 | 温通药 | 431 | 15 | 3 | 7.3 |
| 16 | 郁金 | 活血化瘀药 | 357 | 25 | 6 | 13.06 |
| 17 | 牛膝 | 活血化瘀药 | 340 | 30 | 8 | 17.02 |
| 18 | 薤白 | 理气药 | 334 | 30 | 6 | 13.2 |

图 6　冠心病常用中药使用频次排序

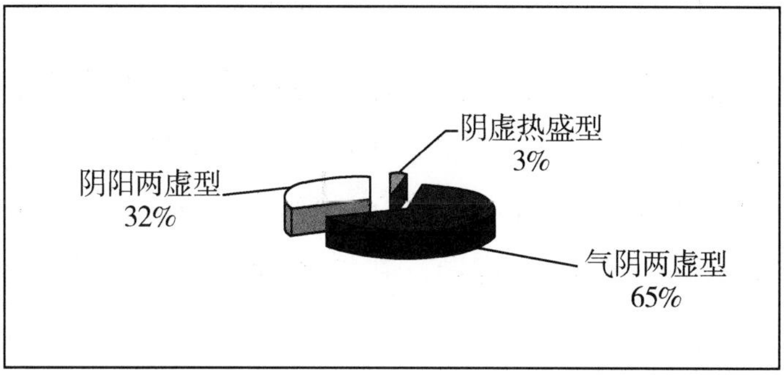


图 7　500 例糖尿病患者的分型分布

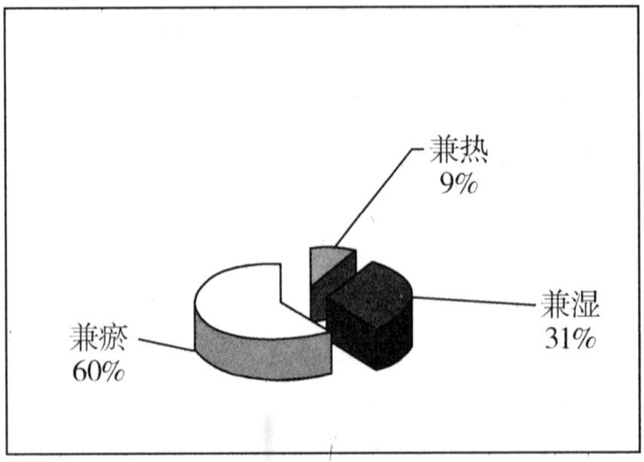


图 8 500 例糖尿病患者的兼证分布

**4．名老中医经验整理研究　完成五名老中医眩晕病经验总结。**

（1）初步得出了眩晕病各种症状/体征等因素与证候诊断的关系。

（2）五位中医专家对眩晕病辨证思维模式的差异。

（3）分析得出各种症状/体征等因素对中医专家遣方用药的影响。

（4）中医专家遣方用药的差异。

## 三、目前存在的问题

### （一）临床疗效评价是中医药研究领域的重大问题

在保持中医临床辨证论治个体诊疗特点的同时，用科学的数据、客观地评价中医药的治疗效果与安全性，评价结果又能够得到西医学在内的国内外学术界、社会和病人的认可，建立一套符合中医药特点的评价体系是几十年来想解决但尚未解决的难题，在有限的时间只能确定有限目标解决有限问题。

### （二）工作基础差，研究难度大

由于项目的创新性强，在研究过程中遇到的困难是中医行业的薄弱环节，如中医药术语、临床诊疗过程的规范化、标准化等问题，以往研究基础差，从根本上解决需长期不懈努力。

医疗机构信息化程度低，真正实现临床研究网络化平台，需要各临床单位信息化建设的配套和加速信息化进程。

### （三）时间紧，任务重

“临床科研一体化”，首先从技术上要求临床数据采集系统既要满足医疗业务快捷、实时、灵活、准确的要求，又要满足临床科研数据量充分、结构化程度高、可比性强等。两种需求同时满足，一方面要在大量临床采集工作中将内容反复凝练，同时需要计算机软件实现方法上的许多创新，所以采集系统从1.0版开发到目前2.0版升级，中间经过了无数次的反复修改和试用，花费了很多时间。其次“临床科研一体化”涉及到医生医疗行为和医疗管理机制等深层次的改变，并非单纯科研领域的问题，甚至涉及到如电子签名等医疗法律的配套实施，所以真正实现“临床科研一体化”并非一日之功。

## 四、结语

### （一）未来生命科学研究与21世纪中医临床研究展望

上个世纪是分子生物学的黄金时代，NIH（美国国立卫生研究院）在生命科学领域做出了显著的贡献。随着人类基因组计划的完成和后基因组时代的到来，生命科学走到了一个新的十字路口，NIH也面临着新的抉择。2002年，来自美国学术机构、政府部门和私人团体的300多名生物医学权威人士，在一年多的时间内进行了一系列的讨论，并由此形成了一个通向生命科学未来的“中长期发展规划”——国立卫生研究院路线图（NIH Road-map）。路线图的制定者认为，美国的临床研究已经跟不上基础科学的迅速发展，如何使临床研究适应和满足生命科学的进步已成为未来最困难和最具挑战性的任务。路线图的第三个主题是”临床研究体系的重建工程（Re

– Engineering the Clinical Research Enterprise)，提出了整合现存的临床研究网络是这一工程的一项重要任务。它主要是通过加强信息和数据处理以及开发各种新技术来提高整个临床研究体系的效率和产出。一个重要举措是开展临床研究信息学，建立一个让各地研究人员共享的标准化数据系统，即“国立电子临床试验和研究网络（National Electronic Clinical Trials and Research Network，NECTARN）”，中医临床研究平台的构建与 NIH Roadmap 的构想可谓不谋而合，它符合生命科学研究方向，它的建立将使中医研究进入大生命科学研究体系的循环，引领中医的研究方向，并将成为 21 世纪中医研究的技术支撑。

## （二）中医临床个体诊疗评价与中医现代化

中医临床个体诊疗评价体系从构想、实施历经三年，以继承祖国医学优势和特色为起点，充分利用现代科学技术为手段，传统与现代临床研究方法相结合，以提升中医临床科研能力和提高临床疗效为目标，是中医现代化的示范工程。

# 中医肿瘤研究进展

## 一、历史背景

我国传统中医药学对肿瘤的防治历史悠久，源远流长。在我国历代文献中，对肿瘤的论述要比其他国家早一千多年，其观察深入，论述详细。在距今约3500多年的殷周时代，古人对肿瘤就有所发现，殷墟甲骨文上已记有“瘤”的病名，这是现今中医记载肿瘤最早的文献。此后的《周礼》、《山海经》、《黄帝内经》、《难经》、《伤寒杂病论》、《神农本草经》、《中藏经》、《肘后备急方》、《诸病源候论》以及《千金方》等宋朝以前的古代医籍对肿瘤的临床表现、病因病机及治则治法等都有论述，基本奠定了中医肿瘤学的基础。宋元时期是中医肿瘤学科理论形成时期，其中宋代东轩居士的《卫济宝书》(公元1170年）中第一次使用“癌”字，并对“癌”的病证进行了描述。明清以后是中医中医肿瘤学科专业学术进一步成熟阶段，《外科正宗》、《证治准绳》、《疮疡经验全书·乳癌篇》、《外科启玄》、《外科理例》《外科大成》《外科证治全生集》及《医学衷中参西录》等著作对肿瘤的病名、病因病机、治疗以及变化和预后等的论述逐渐形成了体系。

近半个世纪以来，由于由政府的支持、重视，中医肿瘤学科有了较快、较深入的发展，中医对肿瘤的认识及防治水平也有了较大的提高。中医肿瘤临床科研机构相继成立，专业人员逐渐增加，学科基础理论体系逐渐成熟，临床治疗逐渐规范，国内外声誉逐年提高。肿瘤的中医治疗开展的较早，但在20世纪50年代前多是一些经验治疗。随着时代的发展，中西医相互结合，中医肿瘤的研究与治疗逐渐科学化、规范化，逐渐引进了大量的现代化科技手段希望研究和明确中医药治疗肿瘤的疗效。60年代注重的是经验的宣传与推广，70年代国家已经注重中医治疗肿瘤的研究，大量的临床数据和实验结果表明扶正中药可以提高化疗完成率减轻化疗毒性。80 年代，国家又投入了大量精力寻找治疗的肿瘤的中药，结果证实一部分中药对于肿瘤确实可以起到治疗作用，但是大多数是有毒药物，经过提取会起到较好作用，如三氧化二砷，另一部分是一些中药复方或提取的注射液，它们的治疗结果多数是抑制了肿瘤的生长，控制了肿瘤的发展，它们的瘤体缩小率没有化学治疗药的力量强，但多对人体没有损伤，没有化疗药的毒副作用，适用于不能接受手术、放化疗的患者，和放化疗不敏感的患者。还有一部分是扶正中药，它们是通过提高机体的免疫功能抑制肿瘤细胞在体内生长，一些研究也表明中药对于肿瘤相关基因有调节作用。这些研究一直延续到现在，对于目前的肿瘤治疗有很好的指导作用。这些年来，中医肿瘤的研究推广工作被受重视，按照国家的各项要求，在各级领导和各方面专家支持帮助下，中医肿瘤医疗水平、技术水平、学术水平、人才水平和人才培养等方面均有了大幅度的提高，特别是逐步明确了学术发展方向，突出了中医特色，工作有了长足进展。

## 二、研究现状

中医药治疗肿瘤是我国肿瘤治疗的特色，总结既往研究的经验与成绩，对于确立新世纪中西医结合肿瘤发展方面与策略，将大有裨益。近二十年来，是中医肿瘤飞速发展的年代。在临床研究方面，随着在现代临床流行病学及循证医学等理念指导下的中医肿瘤临床研究的大量开展，中医药在配合放化疗增效减毒、术后防治肿瘤转移复发、改善肿瘤患者临床症状和生存质量及延长生存期等方面的疗效经受住了实践的检验，逐渐得到了国内外学术界及患者的广泛认同。在实验研究方面，随着分子生物学等现代高新技术在中医肿瘤研究领域的渗透，以扶正培本为主体的基础研究从中医药抑制肿瘤生长、提高机体免疫功能、防止肿瘤转移的分子机制等方面进行了一定探讨，取得了一定研究结果。

## （一）临床研究

近年来，经过反复临床实践，通过传统中医理论与现代医学治疗学理论相结合，逐步形成了中西医结合肿瘤治疗的基本模式，即辨病与辨证相结合，扶正与祛邪相结合，中医药与放化疗相结合，中医药与手术治疗相结合，整体治疗与局部治疗相结合。在以上基本治疗模式的框架内，对于早期肿瘤，多采取西医手术、放化疗与中医祛邪扶正结合，最大限度祛除癌毒，邪去则正安、防止复发与转移。中晚期患者，则根据病理分型及恶性程度的不同，以扶正培本与辨证调节，结合放化疗及生物治疗等手段，提高生存质量、延长生存期的目的。对于不能手术拒绝放化疗的患者，采用中医药治疗仍然可以取得一定的远期疗效。

### 1. 中医药在肿瘤的综合治疗中的作用

**（1）中药与手术相结合：**在手术前后，给予患者健脾和胃、气血双补为主的中药促进患者的康复；手术后以益气、活血、解毒为主中药对于提高术后患者机体免疫功能、改善生活质量、防止复发或转移、延长生存期有一定的疗效。

**（2）中医药与化疗相结合：**大量的临床研究和中药新药研究证实了中药可对化疗起到减毒增效的作用。中医学认为化疗可损伤人体正气，造成骨髓抑制，免疫低下，胃肠道反应及肝肾亏损。因此，针对性辨证施治，在化疗期间，给予补气养血、健脾和胃、滋补肝肾为主的治疗是防治化疗毒副反应的基本原则。此外，汉防己甲素、浙贝母碱及榄香烯等中药有效成分被证明具有逆转肿瘤多药耐药的作用。

**（3）中医药与放射治疗相结合：**放疗引起的毒副反应主要表现在组织损伤及对骨髓的抑制。以养阴生津、活血解毒、凉补气血为主中药通过对放疗后反应的综合调理，可以减轻症状，缓解放射性炎症。近年来活血化瘀与扶正类中药在放疗增敏中，显示出了一定的苗头。

**（4）中医药治疗肿瘤：**对于不适于手术和放化疗患者，包括晚期肿瘤患者，可以在一定程度上控制肿瘤发展，减轻临床症状，提高生活质量，延长生存时间。

**（5）肿瘤预防：**在高危人群中使用中药，可以预防和减少肿瘤的发生。大量临床试验证实中医药对慢性病毒性肝炎、肝硬化，慢性萎缩性胃炎、肠上皮化生以及食管鳞状上皮化生等癌前病变具有干预作用。

**2．临床疗效评价体系** 几十年来，由于要与国际接轨，中药的临床疗效多采用癌灶大小变化作为评价的主要指标，但应用多年来显示中医药在抑制肿瘤细胞生长方面并不显著，中医药在改善肿瘤患者的临床症状、提高生存质量、延长生存期及减轻放化疗的毒副作用方面则更有特色。过去中医的个体化治疗多，缺乏循证医学数据证实，近年来临床研究十分重视多中心、大样本、随机的临床试验，注意收集循证医学数据，如：中国中医科学院广安门医院为牵头单位的十五攻关课题在全国 8 家国家三级甲等医院共入选符合中晚期原发性非小细胞肺癌首治患者 587 例观察的中位生存期观察结果显示：中西医结合组 12.03 个月，疗效最好；中医治疗组 10.92 个月，次之；西医治疗组 8.46 个月，西医治疗组与中西医结合组比较有统计学意义，P 值为 0.0118。结果明确了中药延长肺癌患者生存期和提高生存质量的作用。

**3．中医证候的客观化观察** 有循证医学依据的中医肿瘤证候诊断标准的建立及临床观察一直是困扰中医肿瘤界的学科根本问题。同肿瘤患者、不同病期的中医证候的演变至今缺乏系统的研究资料和公认的研究结果。中医证候变化是中医药临床研究的重要前提，已注意开展了中医证候观察，并已初步总结出了肿瘤科常见病种的辨证论治规律，有待在临床进一步验证和完善。

## 二、基础研究

**1．中医肿瘤文献的整理与研究** 近几十年来中医肿瘤经历了一个理论探索与飞跃的变化，众多的医家对我们祖先留下的中医治疗肿瘤的经验进行了总结，对中医肿瘤学的发展起到了巨大的推动作用。上世纪八十年代我科主编的《历代中医肿瘤案论选萃》成为中医肿瘤文献整理的经典著作。目前我科正在与中国中医科学院文献研究所合作开发中医肿瘤文献数字化平台，并已取得初步成果。此文献数字化平台的研究应用，必将使中医肿瘤的文献研究水平上升到新的高度。

**2．中医肿瘤诊法的研究** 舌诊是中医诊病的一种独特方法。许多资料表明，恶性肿瘤病人的舌质有明显的变化，并且和病情的轻重程度、预后及病情治疗后的好转程度有关。有学者收集了125例患有不同肿瘤病人的唾液与71例正常人的唾液进行比较，结果肿瘤病人唾液中的h－EGF含量高于正常人。EGF又称表皮生长因子，可以通过与其相应的配体－受体结合，促进肿瘤的发生发展。

**3．中药对放化疗减毒增效的作用** 近四十年来，中药对放化疗减毒增效的机制研究方面取得了丰硕的成果，充分证明了中医药在中西医结合治疗中的地位和作用。

**4．中医药抗肿瘤作用的深入研究** 近年来，以扶正培本治则为主体，结合活血化瘀、清热解毒、化痰除湿、软坚散结及以毒攻毒等治则治法及复方和药物的研究，逐步明确中西医抗肿瘤特点的不同。通过一系列国家自然基金课题及部局级课题的研究，逐渐明确，中药直接的细胞毒作用弱于西药化疗药，其抗肿瘤作用的靶点主要为肿瘤细胞基因调控、诱导分化与凋亡、调节细胞信号传导、抑制血管生成、抗氧化及免疫调节等，其特点为作用和缓但毒副作用较小，在临床上有很大的应用前景。

**5．中医药对肿瘤患者的免疫调控作用** 多年来，实验从分子水平证实了中药具有调节T细胞免疫功能、调节免疫相关细胞因子网络的平衡以及增强红细胞免疫的作用，对白细胞、血小板的相关免疫功能调节研究也得到证实。中药对树突状细胞功能影响及机制研究 、对荷瘤小鼠黏膜免疫调节机制的研究等证实了中药在免疫调节中的新靶点。同时我们对黏膜免疫实验方法的研究和创新，在该邻域处于世界领先水平。

**6．中医药抗肿瘤转移和复发的研究** 转移是癌症治疗的主要障碍，国家“八五”、“九五”以来，逐渐把中医药抗肿瘤转移和复发的机制研究作为研究的重要方向，研究领域包括转移的癌细胞脱落、粘附、基质降解及肿瘤新生血管生成等各个方面，研制出一些有效方药。近年的主要研究课题包括，抑制癌转移酶降解过程的机制研究、对PG与HUVEC表面粘附分子表达的影响、对癌转移中内皮细胞及粘附因子的调控研究、对血小板与肿瘤细胞促转移协同作用的影响、抑制肿瘤血管生成的分子调控机制研究等。总之，中药防止肿瘤复发或转移的研究将是今后中医肿瘤临床与基础研究的重要方向。

**7．肿瘤中医证候的研究** 近十余年来，许多学者对肺癌中医证型的本质作了一些临床观察与基础研究工作，如肺癌中医分型与肺癌国际TNM分期、病理分型、近远期疗效及蛋白质和多肽、免疫学、血液流变学、微量元素等的关系。为肺癌中医证型的研究提供了可借鉴的资料。因此，肿瘤不同中医证候的物质基础也是今后研究的重点。

**8．肿瘤中医药预防的研究** 预防癌症及治疗癌前病变即在肿瘤发生的“启动阶段”和“促进阶段”起阻遏作用。早在20世纪70年代，就进行过中药防治食管上皮增生癌变的研究。研究表明，冬凌草、北沙参、、苦参、广豆根及刺五加等药物具有抗突变、抗促癌作用。六味地黄丸、增生平的研究结果证实中药可以减少癌变的发生率。

## 三、存在问题

目前中医治疗肿瘤取得了相当大的成就，得到国内外同道和患者的极大认同，但还存在一定问题，制约了中医肿瘤学的发展。

### （一）临床方面

1．对中医药治疗术后患者延长生存期及减少复发转移、中医治疗组在延长肿瘤患者中位生存期及提高患者生存质量等方面等研究尚缺乏大样本临床随机对照的循证医学证据。缺乏能为国内外所公认的说服力更强的随机对照实验。

2．缺乏中医疗效评价体系 大量研究显示，中医药治疗肿瘤的优势在于延长患者生存期，提高患者临床收益率及生存质量等方面，但基于此的有循证医学证据的国际公认的肿瘤综合疗效评价体系和标准尚需进一步的大规模的临床试验验证和修订。

3. 中医药的辨证诊断体系是中医的特色和提高临床疗效的关键。在全国范围内，没有统一的肿瘤证型评判标准和分型规范，多家科研临床机构各有自己的辨证分型标准，中医证候的标准化问题一直是制约中医肿瘤临床和科研水平的关键，但其需要大样本多中心的临床流行病学调查。

4. 面对肿瘤这一世界性难治性疾病，中医药有其独到的优势，这可能中医药进一步走向世界的突破口。但此方面的国际合作和组织仍较少。

## （二）实验研究

**1. 中药的多靶点作用** 中医药近年来进行了较广泛的实验研究，结果显示随着新的研究指标的出现，中医药的作用靶点也越来越多，因此，越来越多的学者提出中药的多靶点效应，中医药对肿瘤的影响也从最初的免疫功能调节研究，发展到了如今的诱导细胞凋亡和抑制血管生成研究。随着现代医学的发展，肿瘤治疗的新的作用机制越来越多，中药的作用也越来越多，但临床疗效并没有随着研究机制的深入有所提高，因此临床工作者对众多的基础研究结果都抱有一定怀疑态度，这极大地限制了基础实验研究的深入。按照祖国医学理论和现代研究成果中药组成的多样性，决定了其作用可能具有多样性，但多靶点效应在临床上众多作用表现的为何均不十分显著，值得广大肿瘤工作者深思。中药多靶点效应还有待进一步深入研究和探讨。

**2. 实验方法不完善** 既往研究多采用体内和体外实验相结合的方法，中药在体内的实验方法仍需进一步改进。中医证型在动物研究中困难，致使结论的判定存在疑点。

**3. 中医特点不突出** 中医药治疗肿瘤最大的特点和优势在于对机体的整体调节，使紊乱的机体内环境达到平衡状态。扶正培本法是肿瘤治疗的基本大法，并且是我国肿瘤治疗研究中最主要的研究成果和特色。但对其作用评价指标仍缺乏系统的可靠的指标与数据，影响研究。

**4. 中医肿瘤证候本质的研究** 肿瘤中医证候的现象必然由人体物质基础的本质决定，对肿瘤中医证候的研究为临床用药提供实验依据，为中医药的实验研究提供前提，是中医肿瘤基础理论研究的重点。但此方面的研究仍数量较少，水平较低，制约临床研究和临床疗效的进步。

## 四、发展趋势

面对中医肿瘤发展中的上述问题，我们认为今后一个阶段中医肿瘤学的发展趋势主要为以下方面。

### （一）临床研究

1．为了中医治疗肿瘤疗效的提高，为了中医治疗肿瘤方法的进一步推广，中医肿瘤规范化治疗方案一定要制定和实施。方案的研究制定实际是一项系统工程，它应以中医治则治法为研究的切入点，以最优的临床证据作为制定的基础，它应该是临床优秀医生经验的组合与实施，应在循证医学理论指导下，通过严格随机对照临床试验和系统评估对方案加以验证和优化以最终形成一份系统的、成熟的、规范化的治疗策略。

2．面对中医肿瘤学这一专业性极强的专业，仅仅具备普通中医师的知识或西医肿瘤学的知识都是远远不够的。应建立由政府主导的中医肿瘤医师培训制度和资格准入制度。同时对社会上招摇撞骗之徒应加大打击力度，保护患者权益，节省我们有限的医药资源。

3．鉴于肿瘤的中医治疗有其独到的优势，但尚缺乏与现代医学的放、化疗等治疗手段进行严格的随机对照实验，故在以后的临床科研中应进行针对中医治疗及中西医结合治疗的按 GCP 标准进行的前瞻性的、随机的、多中心临床协作的大样本研究，从而产生高质量的、可信的、有说服力的临床研究成果，进一步说明中医的疗效。

4．中医药治疗肿瘤疗效的评价终点是使患者如何获得最大益处，即在满意的生活质量和较长的生存时间基础上取得最大限度的肿瘤缓解率，而不是单纯强调瘤体缩小、消退及无瘤生存时间。总体而言，“带瘤生存”和生命质量的提高是中医中药治疗肿瘤疗效有别于当前西医治疗的显著特征。故以后应进一步开展以患者的治疗到进展的时间（TTP）、带瘤生存期、中位生存期、临床受益率、生存质量及免疫功能等为主要着眼点的中医治疗肿瘤的临床研究。

5．应在政府部门的支持下，通过全国性的多中心、大样本临床流行病学调查，确立的肿瘤证候分型和分度的标准，建立统一的、规范化及有充分循证医学证据的肿瘤证候诊断标准和疗效评判标准，从而基本解决这一长期困扰中医肿瘤界的学科根本问题。

6．中医的个体化综合治疗是中医药的特色和优势所在。应进一步完善包括中药内服、中药外敷，中药雾化，中药熏蒸、针刺、艾灸、按摩、蜡疗、跋罐、磁疗、血疗、营养干预、气功、心理治疗、音乐疗法及其他非药物治疗手段相结合的中医治疗肿瘤的多因素综合治疗体系，并通过临床研究评价其对肿瘤的干预作用。

7．应进一步开展开展中医药在晚期癌症患者姑息治疗以及肿瘤患者康复治疗中的作用与地位的研究。

8．根据中医“未病先防”和“既病防变”的重要思想，面对肿瘤这一防大于治的疾病，中医各疗法对肿瘤的预防及癌前病变的治疗作用的研究，有极其重要的意义。

9．应在政府部门的支持下，进一步加快中医肿瘤国际化的步伐，与国内外专家举行中医肿瘤学术研讨会，成立学术组织，组织国际合作课题，创办国际中医肿瘤学杂志，组织中医肿瘤国际观摩和学习。从而也为中医药的国际化进程作出贡献。

### （二）实验研究

**1．对中药多靶点作用的研究**　药物配伍和剂量分为君、臣、佐、使，作用有所侧重，作用机制自然也应有所不同，不同的药物靶点不同，同一个药物也可能作用于不同靶点，因此，在实验研究中针对中药的主要靶点进行深入研究，还应研究靶点之间的相关性，深入探讨中药不同靶点的相关性，将为研究中药的作用特点提供实验依据。中药多靶点效应的正确认识和深入探讨，将为更加全面评价中药的作用特点提供理论依据。

**2．完善实验方法，建立更加客观、有效的实验研究体系**　中医证型的动物模型制作，中药血清药理学研究，体外实验如何体现中医优势，体内实验的给药方法改变中药灌服的方法，都是客观评价中药疗效的前提。逐步完善实验方法，是提高实验数据可信性的关键。

**3. 突出中医特点，寻找研究的突破口** 扶正培本是中医药治疗肿瘤的根本，应贯穿肿瘤治疗的整个过程。扶正培本对机体免疫功能的影响是我们研究的重要方面之一，既往研究多通过检测 T 细胞亚群、NK 细胞来评价机体的免疫功能，但近期的研究我们发现许多肿瘤患者的 T 细胞亚群、NK 细胞处于正常范围中，因此单纯的检测 T 细胞亚群、NK 细胞无法真正评价肿瘤患者的免疫状态。近两年的研究发现细胞免疫功能除了 $CD3^+$、$CD4^+$、$CD8^+$ 之外，结合 $CD28^+/CD28^-$、$CD30^+/CD30^-$ 等将更加准确显示 T 细胞免疫功能。因此，通过借助现代研究技术结合中医药自身作用特点引进新的研究指标，将更加有针对性地显示中药的作用和特点。此外，中药的扶正培本作用不应单纯局限于对机体免疫功能的影响上，还应在机体的多个系统如：血液系统血液流变学、内分泌系统等方面得到体现。现代医学认为人体中免疫系统、内分泌系统、神经系统等系统之间相互影响、相互协调，共同维持生命机制的稳定与平衡，这就是现代医学的生命机制稳态论，它与中医的整体调节理论有异曲同工之处。因此，我们对晚期肿瘤患者进行中医整体调节时，不仅只是免疫系统，还在内分泌、神经系统等方面发挥调节作用，单纯从免疫角度研究扶正培本的作用是很不全面的。另外，在蛋白质水平、基因表达方面又产生了哪些变化也是进一步研究应加以揭示的。

**4. 针对临床疑难问题进行深入研究** 全面观察和评价活血中药在肿瘤转移中的作用和机制是肿瘤临床亟需解决的重要课题。既往研究进行了大量工作，尤其从肿瘤转移的多环节进行探讨，但更重要的是还应更加注重肿瘤转移的整体实验研究，其中建立血瘀症的荷瘤小鼠尤为重要。选择功效不同但均具有代表性的活血药，观察对不同种类荷瘤小鼠肿瘤转移的影响，将为客观、全面评价活血药对肿瘤转移的影响提供科学依据。

**5. 加强中医肿瘤证候本质的研究** 针对肿瘤中医证型研究存在的问题，我们应采用更加客观科学的实验方法进行观察，如分子水平的免疫功能、血液流变学变化等，结合基因组学、蛋白组学及代谢组学等高新技术，解决这一中医肿瘤研究的重要基础理论问题，为中医肿瘤临床用药提供实验依据，为中医肿瘤的其他实验研究提供前提。

综上所述可知，中医肿瘤学的形成与发展，经历了一个相当长的历史时期。我们深信，在政府领导的关心下，经全体中医、中西医结合工作者的不懈努力，目前中医临床与科研工作中存在的问题一定会逐渐地得到解决，中医肿瘤学一定会为人类的健康作出重大的贡献。

# 针灸穴位标准研究

## 一、历史背景

中医药学是当今世界上唯一保存完整诊疗体系且仍具有强大生命力的传统医学，而针灸学是中医学走向世界的先导，并越来越被世界科学界所关注。世界卫生组织（WHO）文件指出“针灸是被世界各国率先接受的传统医学方法”。为了进一步推动针灸学在世界范围内的推广应用，WHO自20世纪80年代起，专门为针灸学制订了一系列的国际标准：如1989年颁布的针灸穴位的命名标准（Standard Acupuncture Nomenclature）、1995年颁布的“针灸临床研究指南”（Guidelines for Clinical Research on Acupuncture）、1998年“针灸培训规范”（Guidelines on Basic Training and Safety in Acupuncture），目前正在制定“针灸术语标准”和“针灸腧穴定位国际标准”。

在以往的针灸标准化的研究方面，有一个长期令人感到困扰的现象应当引起中国有关部门的高度重视，那就是中国的针灸标准化研究，如“针灸穴名国际标准”、中华人民共和国国家标准《经穴部位》以及《耳穴名称与部位》等，都是由外国人提出并制定出方案后，中国才开始立项研究，这就使得我国学者在国际学术界处于非常不利的地位，也为我们制定的国家标准进一步推向世界，增添了许多困难。

为吸取以往的教训，扭转这一被动局面，2001年底至2002年初，国家中医药管理局国际合作司、世界针灸联合会多次与WHO西太区联系，建议开展经穴定位的国际标准研究，并提交了正式的项目申请及可行性研究报告。该项建议很快被WHO西太区采纳，并于2003年在马尼拉正式启动。根据这一特定的国际背景，中国专家考虑到1990年国颁标准《经穴部位》实施10多年来从未进行过修订工作，如果直接将十几年前制定的标准作为中

国方案，提交给 WHO 西太区，恐怕已经不能代表当前中国针灸界的最高研究水平，于是建议国家中医药管理局立项进行 90 版国家标准《经穴部位》的修订。此专项于 2004 年 1 月正式启动，同时课题组还担负起草拟国际标准《经穴部位》中国方案的任务。

另一方面，针对国际上针灸标准化研究的新动向，中国中医科学院于 2000 年建议国家科技部尽早开展针灸经穴主治标准的研究。2001 年国家科技部社会公益专项“经穴主治规律与经穴主治国家标准研究”课题正式启动。中国中医科学院针灸研究所又于 2002 年 3 月向局科教司上报了“国家标准项目任务书”，提出“经穴主治国家标准研究”的立项申请。2003 年 12 月申报局级项目“中华人民共和国国家标准《经穴主治》制订”，2004 年 1 月批准。在此基础上国家中医药管理局领导更是高瞻远瞩，提出了建立针灸标准化体系的发展战略，并拨专款启动针灸界第一部《中华针灸穴典》的编纂工作，从而使针灸标准化研究进入一个新的发展阶段。

## 二、研究现状

### （一）经穴定位国际标准研究

2004 年 3 月 17 日在北京召开了 WHO 第二次针灸腧穴定位国际标准化会议。来自中、日、韩三国的针灸科研、教育、临床方面的 12 位资深专家，就针灸腧穴定位国际标准化工作进行了深入的研讨。本次会议经过激烈的讨论，最终在“针灸腧穴定位的原则”、“针灸腧穴定位的方法”、“体表解剖标志与标志穴”、“骨度折量分寸”、“腧穴定位的标准体位”、“腧穴定位的表述方法”、“经穴定位标准文本样稿”各方面，完全采用了中国方案。这是以往的国际会议从未有过的成功，确立了经穴定位国际标准的总体框架。由于中国专家在本次会议上所表现出的学术水平和组织能力，会议一致同意经穴定位的国际标准草案由中国负责起草，从而获得了极佳的开局，彻底扭转了以往中国在针灸国际标准化领域中所处的被动局面。

截至 2005 年底，由世界卫生组织西太区组织的针灸经穴国际标准化研究已先后召开了5次中日韩三国协商会，2次工作组会议，经过中日韩三国专家的1年多共同努力，目前对于361个经穴中已有345穴的定位达成共识，并完成了标准草案中文稿的撰写。2006年3月将在日本东京召开最后一次中日韩三国经穴定位国际标准协商会，会议将讨论以下议题：

1．确认16个遗留穴位的标准定位。

2．复议经穴定位标准文本的英文翻译原则，着手345无争议经穴定位文本的翻译。

3．复议筹备成立针灸腧穴定位国际学会。

4．经穴定位国际标准文本的印刷出版。

5．讨论2006年10月世界卫生组织西太区地区会议的议程。

中国代表将积极争取《经穴定位国际标准》文本的印刷权，并积极争取在将成立的针灸腧穴定位国际学会中担任重要角色。

2006年10将在日本召开世界卫生组织西太区地区会议，审查《经穴定位国际标准》征求意见稿，以及相关的挂图与模型。

## （二）国家标准《经穴部位》修订

该项研究自2004年1月正式启动之后，经过课题组一年的悉心研究并广泛征求意见，于2005年1月通过国家中医药管理局的结题验收，并按照国家标准修订管理程序，完成该标准的送审稿。于2005年12月，在杭州通过了以石学敏为组长的13人专家组审查。专家一致认为修订版《腧穴定位》的先进性主要体现在以下几方面：

1．统一了长期以来国家标准与国际标准在腧穴命名上的分歧。

2．明确了“部位”与“取穴法”的关系，将二者置于不同层次加以表述，既达到了标准化的要求，又满足了实用性的要求。

3．并从经穴定位国际标准的前瞻性考虑，明确了腧穴定位的标准体位与方位术语。

4．根据腧穴定位的实际，调整骨度折量分寸，增加定位的基准点，对于腧穴的部位按照统一的体例加以描述，从而使得修订版在体例上更加严谨，更加规范。

5．在本标准的研究中对于部分争议较大的腧穴，在系统分析、准确理解文献的基础上，首次采用了人体实测方法以及尸体解剖的方法进行验证。

6．更正90版国家标准《经穴部位》中的定位错误以及部分腧穴的表述不规范、不一致、不准确等问题。

7．对1990年版国家标准《经穴部位》的插图错误进行了全面校对。

目前课题组已完成该标准的报批稿，上报国家中医药管理局和国家标准管理委员会。

## （三）国家标准《腧穴主治》研究

在项目正式启动之前，课题组先后于2001年12月、2002年4月两次征求全国专家意见，形成总体研究方案，并根据专家意见归纳成“讨论审定的问题”文档备案。编制体例与样稿先后于2002年4月、2004年6月在北京、南京全国专家会议上修订。2004年底完成该标准的征求意见稿。2005年1月通过国家科技部、中医药管理局的验收结题，2005年12月，在杭州通过了以石学敏为组长的13人专家组审查。

该标准针对腧穴主治，以古今文献为依据，总结出腧穴主治演变的总规律，明确提出了基础主治的内涵，详细规定了经穴主治表述方案，并以注释本的形式提供了制订该标准的全部数据、考证内容，其主要研究成果表现为以下5个方面：

1．对古代针灸穴主治文献进行了系统的考察，并在此基础上整理出了腧穴文献源流的四大脉系，以正本清源、去伪存真，为筛选腧穴基础主治提供了可靠的文献依据。

2．首次对古今文献中腧穴主治的错误进行了系统考察，并分析了其致误的因素及常见错误类型，并在此基础上对现行针灸学教材的腧穴主治的演变进行了考察。

3．总结归纳了腧穴主治从具体到一般的演变总规律。

4．提出了腧穴主治的规范化表述的方案。

5．推出与标准文本配套的注释本，具体体现确定腧穴主治的方法、依据、过程，为今后本标准的修订打下了非常好的基础。

目前课题组根据审查组专家意见，完成该标准的报批稿。

## 三、趋势展望

由于第一次经穴部位国家标准的制订是在当时特定背景下突击完成的，一些必要的基础性工作没有跟上，因此修订工作难度较大。另一方面，随着国际标准《经穴部位》的全面推动工作的开展，跟日本、韩国同类工作进展相比，我们在某些环节上尤显薄弱。加上该项目一直以来都没有固定的经费来源做支撑，导致很多研究无法有效开展，制约了整个工作的进程，影响了整体水平的提高。因此，必须要扎实做好以下几方面工作：

第一，经穴定位的文献依据研究。对于经穴定位标准而言，文献依据的研究同样是一个绕不过去的环节。在围绕中日韩三国有分歧的经穴定位进行考察后，我们发现，不少问题就出在文献考证上。由于对古代文献中骨度概念理解的不同，文献传抄的失误，以及对文本的误解等原因，所造成的经穴定位上的分歧不在少数，而要彻底解决这类分歧，就必须要从文献上着手研究。

第二，经穴定位的人体实测研究。在实际工作中，我们发现：要真正解决定位分歧问题，解决国家标准《经穴部位》中许多悬而未决的问题，单纯通过文献研究还不够。对经穴定位与取穴法之间的关系，以及体表标志的比例关系等问题，只有通过实际的人体测量，才能获得满意的结果。因此有必要对经穴进行人体实测，使经穴定位的科学性与权威性，在原有基础上得到进一步的增强，为形成“经穴定位国际标准”的中国方案打下更好的基础。

第三，经穴定位的表面解剖学研究。对于采用解剖标志定位的针灸腧穴，其相对应的“取穴法”必须用表面解剖学（Surface Anatomy）方法，来描述腧穴的体表定位。此项工作的最大困难主要在于“表面解剖学”本身发展缓慢，可供借鉴的素材很少，而以往中国在这方面的研究工作也相当薄弱，使得“取穴法”的表述难以达意。如何将古人的表面解剖学的经验，转化为规范化的表述，并上升到科学的层面，是一个急待解决的重要问题，也是解决针灸取穴难的最佳途径，可使“针灸点穴”从经验层面上升为科学，真正成为一门学科。其研究成果将产生国内外第一部《针灸腧穴定位表面解剖学图谱》。目前无论是在国内，还是在国外，对于国际标准《经穴部位》的有机部分——“取穴法”及取穴图的研究都很薄弱。如果中国能抓住机遇，取得突破，将在经穴定位国际标准研究过程中占有十分有利的地位

第四，经穴部位挂图与经穴模型的研究。对于腧穴定位文本而言，明堂图与针灸模型就像鸟之双翼。鉴于历史上《明堂图》与《明堂经》并行，图与文本具有同等重要的地位，我们认为，在制定经穴定位国家标准或者国际标准时，除了制定腧穴定位文本之外，绘制高质量的图形和模型，也是必不可少的一个部分。只有这样，不同国家和地区的人们，以及我们的后人，才能完整而准确的理解我们今天的腧穴定位。建议国标修订版和国际标准，都配以标准三人图挂图，同时绘制经穴总图与单穴图。另外，对标准经穴挂图的制作，应加强知识产权保护意识，除非授权，否则任何人和任何出版社都不可随意出图及模型，以此避免出现一哄而上，良莠不分的出版局面，令使用者无所适从。

第五，也是最重要的一点，就是在进行针灸标准化的过程中一定要量体裁衣，切忌削足适履——一味以西医学的尺度裁剪中国针灸的立身之本。例如针灸取穴乃须根据病人的高矮胖瘦确定折量定穴的“同身寸”——将病人一定区域的长度或宽度按比例折合为一定的等份，一等分即为“一寸”，以此量取穴位；针刺的深度也以这种相对的尺度——同身寸表达，针刺放血则强调“血变而止”相对的刺激量。这些无不闪烁着中国古代医学的智慧之光，较之无视病者形态，不究机体状态，直以机械绝对的尺度定穴处方要科学得多、先进得多，如果一律用“厘米”、“毫升”等公制计量单位定穴、针刺，那么必然穴位不准，剂量不当，针灸的精髓也将随之消亡。

目前，美国、日本、韩国等一些国家正在与中国争夺中医药标准化市场。以我为主，制定中医药国际化标准已迫在眉睫，惟有如此，才能保持我国中医药事业在世界上的领先地位，也才能使我国真正从中医药大国走

向中医药强国。

## 四、存在问题

针灸标准化是中国在当今国际标准化领域最有发言权的优势领域，而中国作为针灸的发源地，并作为西太区的重要成员国，为加强与世界各国的针灸学术交流，推进针灸在国际上更广泛、更科学的应用，有责任、有义务在该领域做出更大的贡献，并继续保持在该领域的国际领先地位。然而我们应当清醒地认识到：比起同样具有较好针灸传统的韩国和日本等国，中国在针灸标准化基地建设、人才培养（特别是国际标准化人才）以及配套措施等环节上还有不少差距，如不及时调整与加强，中国方面在该领域已经取得的优势将会逐渐丢失。经穴定位国际标准化研究项目自 2003 年正式启动以来，由于中国方面一直没有成立专门的课题组及确定专门的研究人员，从而使该项目所必需的基础研究不能及时启动，同时也给每次国际会议的准备带来了许多困难，与韩国、日本高度重视程度形成较大的对比。这使具体参与该项工作的同志承受了很大的压力，不利于工作的顺利实施，也在一定程度上影响了中国代表学术水平的发挥，并增加了承办相关会议的难度。

标准的竞争归根到底是人才的竞争，只有高素质的人才，才能制定出高水平的标准。在一定意义上说，国际标准竞争的成败直接取决于各国参会代表的综合素质。针灸国际标准化是一项长期、复杂的工作，它包括穴名、定位、主治、刺灸标准化等诸多方面的内容。后备人才的培养直接关系到中国针灸在国际学术界的地位。然而国际标准化专门人才的要求极高，必须具备一流的专业知识（兼通其他相关学科知识）、足够多的国际会议经验、很强的口头表达能力与反应能力、较高的英文水平、交际能力和一定的国际声望。同时，为了保持可持续发展，保持中国在针灸国际标准研究的优势，必须在人才结构上形成梯度、在人才的专业上形成最佳组合。

# 中医药信息数字化虚拟研究院研究进展

我们以分布在全国各地的、由国家中医药管理局中国中医药文献检索中心及其分中心研制的中医药科技信息数据库群为基础，以中医个体化诊疗临床决策支持和中药创新开发为背景，以863软件重大专项及相关主题研究成果为依托，研究中国中医药科技信息数据库群的建设与共享应用示范工程，以实现中医药科技信息数据库群在全国范围内的共建，以及中医药信息资源高度共享，并支持协同中医药科学研究、提高中医药行业信息资源的整体利用能力，推进中医药现代化进程。

主要研究内容包括：中医药科技信息数据库群建设研究；中医药一体化语言系统建设研究；支持全国范围的中医药科技信息数据库群共建共享的计算机软硬件平台研究；以及在国家中医药管理局中国中医药文献检索中心与19个分中心的应用示范研究。在联合全国力量进行中医药科技信息数据库群共建的同时，形成中医药行业的虚拟科技信息数据库建设研究机构；在集成现有中医药基础数据库群的基础上，建立跨区域的、融合各个自治的、异质的数据库资源的中医药科技信息数据库共享的软件平台及共享机制。

## 一、支持中医药知识与数据协同共享的数据库网格平台

中医药数据共享平台在Globus网格平台上搭建，综合采用了RDF/XML等先进的语义技术，构造了一个能够在Internet环境下融合各个自治、异质异构的中医药数据资源的，并能为用户提供一个统一的全局范围内数据检索环境的信息共享平台，以支持中药数据库资源的共享、综合利用，和高层面向共享的应用的开发。当前，在这个平台上，展示了浙江本地与福建

等异地50余个数据库表，数据量达60万条。

中医药数据共享平台是一个集Web资源的语义表达、联合语义访问与分布式检索等诸多技术的虚拟中医药多数据库资源共享平台，包括WEB虚拟数据库访问平台、全文检索、语义查询、语义注册、记费和用户管理等功能模块。

目前，在数据平台上提供的主要功能和服务包括：

### （一）基于语义的多库融合检索

多库融合检索平台是将多个不同类型、不同结构、不同软件支持的本地及异地数据库置于一个统一的检索平台上，并基于语义技术屏蔽各数据库之间的异质异构性，采用语义查询重写技术实现异质异构的一致化语义查询。用户通过浏览一体化语义本体，即可通过动态生成的查询界面构造语义查询对多个相关联的数据库进行查询检索。目前集成于该平台上的数据库达到50余个。

### （二）数据库的语义注册功能

在有新的数据库加入共享平台时，使用该功能能以简单配置的方式对数据库进行语义注册，注册完毕后，即可实现对新数据库的一致化语义查询，从而大大降低了新数据库的开发成本。

### （三）单表数据特殊需求查询

根据数据查询的不同需要，实现了多种类型的查询功能；对于期刊文献数据库，实现了词表支撑的扩展检索，可以按照树形结构全面检索数据；对于方剂与产品等数据库，针对方剂与产品的药物组成查询，设计了中药包含方、类似方的子集方的检索与相似度排序，同时可以限定组方药味数量。

### （四）中药科技基础数据库

提供中药基础数据，实现数据关联导航检索；根据不同的主题变更，

全面准确地将中药数据进行归类查询。

### （五）中药实验药理仓库

提供中药药理实验数据值的归类与数据统计排序；按照药理实验主要指标随意进行不同需求的数据统计排序；并可浏览实验全文数据。

### （六）中医药信息关联导航检索平台

提供了不同类型的数据库的关联导航，按照专业领域的需求，分设了相关主题，可以按照主题或者随时变更主题进行中医药信息平台上的所有数据库群的关联检索，并可便捷地浏览相关数据。

### （七）中药关联型统计分析数据库平台

该数据库平台目前连接了中国中药数据库、中药方剂数据库、中药化学成分数据库、中国医药产品数据库、非处方药 OTC 数据库、中国医药企业数据库、中国中医药文献数据库、疾病诊疗数据库等 8 个数据库，可以通过疾病名称（包括西医和中医疾病名称）进行检索，或将疾病名称与中医治则相加进行检索，并可通过药理作用进行检索。该平台初步实现了 8 个数据库的关联检索，任何一次检索都可以按需求从 8 个数据库中检索出相关资料。此外，该平台还初步实现了对相关疾病或相关疾病与中医治则组合检索后的相关方剂的统计排序、相关中药的统计排序和相关中药化学成分的统计排序。

## 二、基于共享平台的中医药科学数据协同共建工程

中医药科学数据协同共建平台是面向 Internet 的、多层的、B/S 结构的系统构架。采用浏览器的方式，支持分中心的灵活的、可扩展的数据采集，分层次的数据维护以及集中式的数据监控和加工管理。安全可靠的集中式数据库架构设计。采用隔离缓冲的前后台数据库架构，提供了可靠的数据安全机制。此外，还把语义技术引入到数据加工中，使得共建系统更易于

扩展。

## （一）系统实现的关键技术

基于语义本体的数据加工技术

1．协同数据采集技术。

2．数据库隔离缓冲技术。

3．面向与中医药特点的，多视图，多角度数据库浏览导航系统，为信息检索者提供了快速，准确的信息检索浏览功能。

4．基于 OLAP 的中医药实验数据仓库的实。

## （二）平台提供的功能

**1．建立数据库**　实现了数据的远程异地同步录入，实现了多用户群组（全国 19 家分中心）进行统一格式与标准，完成不同数据库与不同类型数据加工。

本平台应用于中药基础数据库、中药药理实验数据仓库、中药化学实验数据库、中医药文献数据库的文献标引等数据加工。本平台上提供了加工数据库的规范标准表与词表，保证了数据加工的准确性。同量，平台支持各种类型数据的加工（文本、图像）。

**2．数据维护与数据质量控制**　考虑到人工录入可能发生的差错，提供了组合筛选和角色分类两种维护机制。使用组合筛选机制，可以方便的选出需要维护的数据进行检查、修改和审批，这在基础库、实验库与文献数据库中都已经实现；使用角色分级机制，我们可以为各个单位和人员分配不同的权限，实现人员分工明确、操作互不干扰、数据多级审查三大功能。

平台实现了数据质量控制分层次显示［分为初审（分中心审校员）、终审（项目负责人）、已倒入（专家）］；采用机控与人工干预相结合的质量控制流程，由计算机进行初始数据筛查，各级审校人员分别依次进行数据把关与审核。

## （三）平台管理

平台管理是对整个参与数据库建设的人员、数据、数据库表、数据加工与程序应用的综合系统性管理，涉及面广，管理模块多样化，我们采用远程与本地管理相结合的方法，建立了远程管理平台与本地管理应用工具。

**1. 文档权限管理** 首先将文档操作权限规定为四类：查看、增加、修改、删除；再将所有文档按文件性质进行详细的分类，并根据加工人员所在单位、数据库文档隶属标段进行权限编码。这样所有文档都具备了独立的权限信息编码表，可对所有用户的文档操作权限灵活限制，实现了相同单位相同数据库的加工人员对于文档处理不同。

**2. 模块权限管理** 对一些重要模块可分别设立操作权限，规定该模块只对哪些类别的用户或对哪些几个用户开放哪些权限；中药化学实验数据库与中药基础数据库利用相同的加工界面，但分别授予不同的权限。

**3. 信息分组管理** 对于一些独立事件产生的管理信息、设计事件与子事件的管理模式，每一事件及其子事件均可设定独立的用户访问权限，规定只对哪些用户开放。这种功能分别用于专题组及分中心对于本单位的管理，分中心的管理人员享有分组管理该成员组的所有人员权限。

**4. 个人权限管理** 设计了帐号权限机制，便于对远程异地录入和审核的人员进行管理。每个录入人员用自己的帐号登陆，各人数据的可见情况保证了他们之间工作的互相独立和互不干扰；同时配合角色分类机制，各种角色的人员可以进入不同的界面，进行各自权限下的特定操作。使用帐号权限机制的还可以查看在线人员的情况和统计录入人员的工作量、数据加工时间与数据加工进度等，用于全面掌握工作进度并及时进行项目评估。

**5. 加工人员在线管理** 各专题组加工人员在线状态管理，为本单位领导进行考勤与数据系统的安全性提供了方便。从在线状态可以帮助防止“恶意”入库。

**6. 数据库加工** 各类信息的加工操作都用 Java Bean 的模式封装到 Web 服务器后台，客户端仅实现信息的表示，增加信息安全性。

**7. 数据管理** 为完成数据多种形式的存储，实现复杂数据仓库与结构关联型数据库存储的二次处理；建立了数据统计与数据倒入等管理工具，应用于数据仓库、结构型数据库管理。将前台加工数据便利导入细模型中，将多重数据库表中的数据有序的进行了关联。

**8．数据任务分配管理**　将每月需要完成的任务存储在平台上，加工人员及时了解任务量与性质。中医药文献数据库建立了标引期刊分配程序，实现每月工作任务量、工作任务分配时间等内容的在线提示。

### （四）浏览

为随时进行数据库应用需求测试，在加工平台上建立了数据浏览功能，便于各分中心人员及时了解数据库的利用方法，同时最快的应用已经加工好的数据。

**1．中药基础数据库**　基础库的功能在于它构建了一个容纳了大量中医药学知识和规则的知识库，可以作为日常查询用的百科全书，更能够作为以后数据挖掘的依据。出于实用性的考虑，为基础库设计了一个关联性很强的超链接式的导航界面，通过它查阅到一个主题所有有关的内容。实现了数据关联导航检索；根据不同的主题变更，全面准确地将中药数据进行归类查询。

**2．中药药理实验仓库**　实验库的功能在于它收集和归类了大量的中医实验情况。按照数据仓库的特点，设计了一个简单的多因素查询界面，为了保证词汇的标准性，挂接了标准词库，只需要提出所关心的因素，就能够从中得到大量中医实验的统计结果，为研究提供一定的参考和启示。提供中药实验数据值的归类与数据统计排序；按照药理实验主要指标随意进行不同需求的数据统计排序；并可浏览实验全文数据。

**3．中药化学实验数据库**　化学实验数据库的功能在于结构化与关联性相结合，实现了数据全面与精确查询检索、数据关联导航、数据统计排序功能，同时，准确的提供化学检测的加工步骤与数据值的关系，为数据挖掘打下了基础。

**4．其他数据库浏览功能**

(1) 中医药信息关联导航检索平台：提供了不同类型的文献数据库与多

种形式的结构型数据库的无缝性关联导航，按照专业需求，分设了相关主题，可以按照主题或者随时变更主题进行中医药信息平台上的所有数据库群的关联检索。

（2）文献多库融合检索平台：多库融合检索平台是将多个不同类型、不同结构、不同软件支持的本地及异地数据库置于一个统一的检索平台上，使您可以同时从各个不同的数据库中检索所需要的信息，也可以只选择其中的一个数据库进行查询。

（3）单表数据特殊需求查询：根据查询的需要，实现了多种类型的查询功能；期刊文献数据库实现了词表支撑的扩展检索；方剂与产品等数据库设计了包含方、类似方的子集方的检索与相似度排序，同时可以限定组方药味数量。

**3. 支持开放式共享的中医药一体化语言系统与本体论工程** 根据Protégé-2000提供的功能，进行临床基础标准语言系统的结构设计。并基于Protégé开发了分布式关联导航插件，实现分布式数据采集、分布式编辑加工、自动的网络发布以及其他数据应用（生成印制版、电子版、网络版）的全面功能。研究语言处理程度与量化指标结构设计与数据存储方式。

在此平台上，初步建立了《中医药学语言系统》整体结构与原则、规范了术语加工标准与方法。目前，经过课题组全组人员的共同努力，采集中医药术语词条40万以上，共完成了11万中医药术语概念词条的加工与编辑工作，并且建立了中医药学科结构分类体系、中医药语言类型与中医药语义关联系统，展示了中医药语言的特性与内在的关联关系。

**4. 中医药应用网格典型应用示范——中医药虚拟研究院** 我们采用数据库网格技术建成集成了国家中医药管理局下属的来自全国19个分中心开发的中医药相关数据库，建成中国最大的中医药数据库网格，以支持中医药虚拟研究院的建设。

以该数据库网格为中心，开发了一个中医药应用网格门户，对整个中医药界提供一个统一的网格入口和一站式服务。并面向领域需求，实现若干典型的网格应用示范，如联合查询、协同共建等。

更进一步，为了保证大型的多类型的数据库与数据仓库的建立和科技数据共享，利用异地、远程、同步、多点建库的新模式，建立了异地远程数据加工平台与虚拟管理平台。利用异地远程数据共建平台，完成了中药基础数据库与中药数据仓库的数据共建。实现了图片上传、数据结构化处理、标准数据表的查询与数据筛选等多重复杂数据处理与加工编辑。这种跨越地域与时空的加工方式，有效地保障了数据加工速度与数据加工质量。为数据三级审校制度的落实，提供了良好的配套措施。

在虚拟管理平台上，组织了全国20余家省级中医药院校和研究院所的200余位中医药专业人员共同建设数据库，并首次共同研制了中药科技数据库的技术规范、操作规程及远程管理模式；实现了在线人员监控，数据安全管理、用户权限控制；在虚拟管理控制下，建立了数据加工、初级审校与终审等不同职责管理制度；实现了无障碍远程办公。这种远程电子管理模式，超过了地域的界线，成为直观管理人员与数据的控制台。

在虚拟管理平台上，为所有参与平台的中医药学数据库资源的元数据根据《医药卫生元数据标准》，结合中医药学科学数据的特征，依照《中医药学数据集分级分类办法》建立了50多个中医药学数据库的中医药学科学数据资源元数据目录和查询系统，为所有共享用户提供现有中医药学科学数据集的元数据描述、浏览和查询，让用户可以直观地浏览查找和定位他所感兴趣的数据库或数据资源。

在虚拟管理平台上，还按照项目目的和项目特征，分专题建立了中医药学科学数据协同共建项目管理系统，提供对每一个中医药学数据库的建立目的、项目概括、建设过程、参与人员、数据服务、质量控制等协同共建活动的全程配置和监控功能，为中医药学科学数据的数据整合和协同共建提供了直观透明的管理和监督服务。

同时，为了给参与中医药虚拟研究院的专家和科研人员提供一个沟通交互的平台，我们建立了一个网上专家研讨厅系统。当社会上发生公共卫生的突发事件，或专家和科研人员想就某一类科研问题进行集体讨论时，网上专家研讨厅系统可按需求召集相关领域的专家和科研人员，提供网上协作环境和沟通平台，为参与人员提供循环渐进式的讨论模式和过程控制，不断的汇集和总结专家意见，直到形成最终的总结或汇报。网上专家研讨厅系统将不断引入和集成 AccessGrid 技术和成果，不断完善和发展成全面的科学协同环境。

## 三、结语

对于在网络上实现全局范围的数据库资源共享是分布式数据库研究的一个重要方向。由 USC 的 Ann Chervenak 和 Uchicago 的 Ian Forster 等人提出了数据网格（Data Grid）是近年来在松耦合的互联网络上实现数据资源共享的一个重要技术，它由 Grid Ftp 和 Replica Management 组成，以文件为最小数据存储单元，数据提供者将数据用文件的形式存放到某个 Storage Server 上；数据的使用者通过 GridFTP 将文件下载到本地，形成副本作分析。但是由于数据网格（Data Grid）是基于文件系统的，它不能提供结构化数据的共享途径。所以，基于数据库模型建立全局的数据共享空间，研制数据库共享软件平台为用户提供全局环境的数据库服务，已成为在网络上海量数据的管理、存储和传输的一个重要发展趋势。

实现中医药信息数字化虚拟研究院的关键技术就是在已完成攻关的多数据库共享融合软件平台基础，研制基于 LINUX 的、面向浏览器/多服务器的中医药科技信息数据库群的共享软件平台；完善基于 XML/RDF 的面向中医药应用的数据标准、中医药本体论以及中医药一体化语言系统等，建设中国中医药科技信息数据库群在全国范围内的共建应用示范工程，是中医药信息数字化工程一个极为重要的建设内容。

# 构建名老中医经验研究的新模式——基于信息和数据挖掘技术的名老中医临床诊疗经验研究

## 一、历史背景

### （一）名老中医经验继承整理工作形势急迫

中医药学历史悠久，理论独特，疗效卓著，是具有中国特色的生命科学。作为医学门类的一级学科，它的学术特征是以生物学为基础，与理化数学交融，与人文哲学渗透的学科。中医药学的这些特征使它在世界健康体系中有着很多的优势。在当今世界回归大自然的浪潮下，其优势越来越突出，其地位也越来越加重要，也必将更多地发挥其对全人类保健的重要作用。

新世纪的到来，中医药学要现代化、国际化，其前提是对已有的中医药理论和经验很好地加以继承。只有在此基础上，才谈得上很好地发扬。

名老中医是在长期医疗实践中历练形成的、具有丰富临床诊疗经验的专家，是中医药学术的带头人，是解决疑难疾病问题的主力，他们代表着最高学术水平和能力，是中医行业的宝贵财富，为医学事业的发展和人民的健康作出了卓越的贡献。

既往的中医药理论和经验主要通过两种载体保存下来，一种是以文献文物为载体，一种是以延绵不断的师承授受为载体。以古医籍为代表的文献（包括历代名医医案、医话等）经过多年的整理，已经取得令人瞩目的成就，成为后学者汲取名医经验的重要途径；而以师承授受传授经验的方式经历“一对一”拜师学艺，发展到建立系统的学历教育方式，再上升到“老中医药专家学术经验继承工作”制度的方式，对名老中医药专家学术经验的继承工作，总结保留了大批专家的经验成果，出版了大批学术经验的专著，培养出一批学术继承人，取得了一定的成果。但经历“文革”10年，造成人才“青黄不接”的现象，其后果逐渐显现，尤其到了80年代末，一批名老中医药专家年事已高，其学术经验和专长面临失传的现象非常突出。目前大多数名老中医年逾古稀，许多老先生相继去世，他们的宝贵经验和学术随之而去，有效地抢救名老中医临床经验的任务迫在眉睫。为此，国家人事部、卫生部、国家中医药管理局于1990年联合作出了“关于采取紧急措施做好老中医药专家学术经验继承工作的决定”，于1990年和1997年先后确定了两批专家的名单，确定了学术继承人进行继承工作，取得了预期的效果，第三批“师带徒”亦于2003年启动实施。

## （二）名老中医经验整理研究方法的现状

**1. 以人为线索的名老中医经验的研究总结** 在中医的文献中大量存在的是这种研究总结方式，该法就某位名老中医诊疗疾病的辨证思维方法、用药经验、组方特点、经验方应用、独特疗法进行归纳、总结及对其学术思想进行剖析。如《蒲辅周医案》、《蒲辅周学术医疗经验继承心悟》、《朱良春治疗寝汗辨证论治和用药经验选析》等。这种方法多为名老中医本人的经验总结，或其学术继承人、学生在跟随老师学习的过程中，对老师的学术思想和治疗某病的独特经验等进行总结，并列举典型病例加以论证，或对老师经验方的应用进行疗效观察，以典型医案、医论医话、有效验方等形式形成文献；或为基于文献基础之上的研究，对古代某名家的经验进行剖析、总结，如《陈士铎外科组方特点》等。

**2. 以疾病为线索进行名老中医经验的归纳总结** 这种方法包括3种方式，一种以疾病为线索，以多位名中医专家对本病的论述和用药经验为依据，加以整理、分析，得出本病的病因、病理、诊治规律和相应用药，如《70位当代名老中医治疗慢性肾炎的经验》即以近年来公开发表的资料为基础，对70位名老中医治疗肾病的经验进行总结以探求治疗肾病的规律；另一种方式即以疾病为线索，将多位名老中医的独特经验分列其下，为临床诊治该病提供多种辨证思维方法和用药指导如《名中医治愈脑血管病医案集》等；第三种方式就治疗某种疾病的多张名验方进行分析，得出其组方规律、用药特点和本病的主要病因病理认识、论治规律等。这种研究均以已出版的文献为基础，主要是整理总结传统经验。

**3. 以方剂为线索的研究** 可分为3方面，一是传统的方剂研究方法，即以辨证治则治法、性味归经、复方析释、文献研究为主导，对名老中医的经验进行总结，如《名医名方录》。二是沿用西药量化研究方法，对名老中医专方、验方的每味药进行成分变化的分析测量和药理研究，及制剂有效成分的血清浓度和临床药学的比较研究，从中寻找有关定量的规律性。三是现代数学和计算机技术应用于方剂研究，从统计数学方法的角度对名中医的方剂配伍特征和类方予以量化。

**4. 以思维方法为线索的经验总结** 近年来，临床思维方法的研究已成为中医临床理论研究的热门话题，这种研究多运用文献追溯法、调查法、内省法和实验法等，对古、现代名家著作、医案、医论医话等文献资料及多位专家本人的思维应用系统论、控制论、信息论以及模糊数学、黑箱方法、哲学方法等现代科学方法进行剖析、总结。如《近代名老中医临床思维方法》一书即以辩证唯物主义原理的思维方法为线索，以医案为依据，透过治疗过程探索名老中医诊治疾病的科学思维方法和内在规律。

**5. 以临床流行病学的方法进行临床观察和总结** 临床流行病学的方法主要包括试验性研究（随机对照试验、自身前后对照试验、交叉对照试验）和观察性研究（描述性研究、横断面研究、病例对照研究、队列研究）。试验性研究能人为的控制条件，随机分组，有目的的设置各种对照，直接探讨某些被研究因素（常见的是名中医经验方）与疾病或事件之间的联系，如随机对照试验。观察性研究不能人为的控制条件，只能在自然情况下，模拟试验性研究，尽量的控制非研究因素，以得到真实结果，如描述性研究。

**6. 以现代数学和计算机技术相结合进行总结** 20世纪70年代以来，国内外学者利用现代计算机技术，研究专家系统，在中医药领域包括中医临床诊断系统和专家辅助诊断系统，用于辅助并模拟中医专家诊疗过程，应用计算机软件以已知的专家经验为基础，建立计算机模拟程序，模拟专家思路和方法进行疾病诊治，然后运用数学统计方法进行疗效分析，并对专家经验做出评价。如《电子计算机模拟路志正老中医治疗眩晕经验专家系统》、《电子计算机模拟赵金铎老中医治疗血管神经性头痛经验专家系统》等。另外，将文献记载的名家病案以数据库的形式录入计算机，然后利用计算机软件进行统计分析从而得出有关疾病的病因、病症、用药等关系的相关信息，如《<名医类案>方药的计算机分析》。也有计算机与现代数学相结合的应用，是将临床试验所收集的数据进行计算机录入，然后应用统计软件进行相关因素的分析，如《运用计算机总结董建华教授论治胃脘痛经验》、《脏腑病辨证用药的 Logistic 回归分析》。有些方剂的研究也采用此种方法。

上述方法各有所长，在一定的历史阶段的继承工作发挥了作用，也取得了一定成果，但由于条件的限制及各种方法的局限性，老中医经验的传承问题还需要采取新的方法和技术来解决既往存在的问题，不断提高学术继承的水平。

### （三）现行名老中医经验继承整理研究中的不足

由于技术和方法的限制，以往在名老中医经验继承研究中存在以下的问题：

**1. 继承研究模式方面** 文献整理和跟师学习的继承模式、回顾性病例分析、文献、病案资料整理研究以及独立的小样本前瞻性研究，信息量相对较少，许多有用的信息很难采集齐全；整理的范围往往限于某一位名老中医、某一个阶段，对名老中医中长期的甚至是整个医疗生涯的临证诊疗经验缺乏系统整体的记录和有机关联地整理研究，也缺乏名老中医之间基于同期的研究资料的记录和比较研究；继承结果又受整理研究者的个人能力、科研素质、跟师学习的悟性、研究者与老师之间的配合与默契、跟师学习时间等诸多因素的限制，能真正体现名老中医经验内涵和精髓的满意结果不多。

**2. 中医临床诊疗个体化特性研究方法的缺乏** 中医药专家独特经验中蕴藏着十分宝贵的个体化具体诊疗特征的精髓。而目前较为成熟的临床研究方法大都是以单因素疾病为中心、以同质性人群为基础的生物医学模式下建立起来的流行病学研究方法，强调相同控制条件下的同期线形对比，在专家经验的继承整理研究中，除了专家经验的个案报道和记载外，对专家经验的成组病例的分析和验证几乎全部采用此类方法，强调基线均衡、控制混杂因素（其实这正是患者和疾病的个体化特征因素以及医生的个体化辨证施治的关键），避免“干扰”和“沾染”（但实际上因涉及到国情、经费、伦理学及患者依从问题等很难避免），难以满足中医临床辨证论治个体化诊疗模式中以多维时空、非线性为主要特征的临床研究的需要。

**3．测量和评价方法和技术的缺陷** 对患病的人的定性、整体、动态、个体化和实时的测量、评价方法的确定和统一、研究资料采集和数据转换的质量控制等方面，一直是临床医学尤其是中医领域未获满意解决的难题，在没有统一的标准基础上采集的信息和据此得出的结论，很难得到广泛的理解和推广。由于信息存储和分析技术和方法的限制，致使信息超载与无结构化，使得研究者无法有效利用现存的信息，甚至使个人医疗行为产生混乱与误用的可能且失之察觉。

**4．用专家系统研究整理名老中医经验也存在缺陷** 专家系统实质上是一个问题求解系统，在研制一个专家系统时，知识工程师首先要从领域专家那里获取知识，这一过程实质上是归纳过程，是非常复杂的个人到个人之间的交互过程，有很强的个性和随机性，尤其在中医药领域，因其复杂性特征，知识获取成为专家系统研究中公认的瓶颈问题。其次，知识工程师在整理表达从领域专家那里获得的知识时，用常规数理逻辑来表达社会现象和人的思维活动局限性太大，也太困难，勉强抽象出来的规则有很强的工艺色彩，差异性极大，知识表示又成为一大难题。此外，即使某个领域的知识通过一定手段获取并表达了，但这样做成的专家系统对常识和百科知识出奇地贫乏，而人类专家的知识是以拥有大量常识为基础的，以上这3大难题大大限制了专家系统的应用，使得专家系统目前还停留在构造诸如发动机故障论断一类的水平上。

另外，已有的中医专家系统由于参与辨证的客观指标量化不足、难以克服处理信息局限、通用兼容性差、用户难以参与等不足，且病域涵盖面窄，无法脱离专家专病的模式，而且专家系统所获取知识的研究方法仍然为基于同质性群体、强调因素控制的临床流行病学方法，很难体现老中医临床诊疗个体化、多因素特点，信息来源较为零散，未能从根本上解决符合中医特点的多因素信息处理技术。

## （四）解决问题可能的途径

当今，国际医学发展呈现的显著特征之一，就是由以往的群体治疗原则转向推崇个体化的诊疗方案，英国《柳叶刀》杂志载文称，当今所推崇的个体化诊疗方案的首倡者为中国汉代医师张仲景所推广的个体化诊疗方法，WHO生物医学专家提出个体化的具体治疗是临床试验的最高层次。研究和建立满足中医临床辨证论治个体化特征的老中医临床经验整理研究的有效方法并推广应用，完全符合这一理念。

**1．研究建立个体化诊疗信息平台和数据挖掘平台** 我们提出：研究与建立基于统一标准的、结构化的数据采集、数据仓库和数据挖掘分析的中医临床个体化诊疗信息平台和相关技术体系，发挥系统全面、实时采集、在线控制处理、即时分析（OLAP：on－line analytical processing）和数据挖掘（Data Mining）的优势，在临床过程中专家不受限制地充分发挥个人的经验潜能，采用独特灵机的诊疗方法和综合治疗手段以提高疗效，而患者也可以接受综合有效的诊治方法，只要客观全面地采集老中医临床诊治过程中的信息，将能有效地克服临床研究中信息采集难以全面，观测对象和因素、数据转换质量过程控制困难等问题，突破现有研究方法的瓶颈，使实时保存、整理和挖掘名老中医临床经验成为可能。本研究强调信息技术和数据挖掘技术优势的发挥，旨在建立名老中医本人实时的（现在的和将来的）临床诊疗信息数据库，用数据挖掘技术从中揭示名老中医临床思维模式、诊疗规律和经验，优化其诊疗方案并推广应用，所挖掘获取的知识及时地应用于诊疗过程中，再采集，再挖掘，再获取新知识，不断循环反馈，促进提炼完善。

**2．数据挖掘技术** 数据挖掘（Data Mining）就是从大量的、不完全的、有噪声的、模糊的、随机的数据中，提取隐含在其中的、人们事先不知道的、但又是潜在有用的信息和知识的过程。还有很多和这一术语相近似的术语，如从数据库中发现知识（KDD：Knowledge Discovery in Databases）、数据分析、数据融合（Data Fusion）以及决策支持等。人们把原始数据看作是形成知识的源泉，就像从矿石中采矿一样。原始数据可以是结构化的，如关系数据库中的数据，也可以是半结构化的，如文本、图形、图像数据，甚至是分布在网络上的异构型数据。发现知识的方法可以是数学的，也可以是非数学的，可以是演绎的，也可以是归纳的。发现了的知识可以被用于信息管理、查询优化、决策支持、过程控制等，还可以用于数据自身的维护。因此，数据挖掘是一门很广义的交叉学科，它汇聚了不同领域的研究者，尤其是数据库、人工智能、数理统计、可视化、并行计算等方面的学者和工程技术人员。

数据挖掘所能发现的知识有如下几种：广义型知识，反映同类事物共同性质的知识；特征型知识，反映事物各方面的特征知识；差异型知识，反映不同事物之间属性差别的知识；关联型知识，反映事物之间依赖或关联的知识；预测型知识，根据历史的和当前的数据推测未来数据；偏离型知识，揭示事物偏离常规的异常现象。所有这些知识都可以在不同的概念层次上被发现，随着概念树的提升，从微观到中观再到宏观，以满足不同用户、不同层次决策的需要。

数据挖掘技术在相关学科的应用与医院信息系统（HIS）的发展为中医临床个体化诊疗信息平台的建立提供了技术支持和有利契机。

### （五）研究依据的提出

名老中医临床经验的有效抢救和总结迫在眉睫。

名老中医临床经验特征和精髓在于个体化具体诊断思维和辨证治疗方法。

现有的研究方法，难以满足中医临床辨证论治个体化诊疗研究的需要。

基于统一标准的系统全面、实时采集海量数据的即时分析和挖掘的研究方法能适应中医个体诊疗模式临床研究的需要。

## 二、研究现状

北京市科技计划重大项目“基于信息挖掘技术的名老中医临床诊疗经验的研究”课题取得进展。中国中医科学院暨广安门医院自2002年8月承担了北京市科技计划项目“基于信息挖掘技术的名老中医临床诊疗经验的研究”课题，课题拟在北京市的综合性医院，在其第一、二、三批全国老中医药专家学术经验继承工作指导老师中，挑选名老中医16人，作为本课题的研究对象，采用本研究思路和方法，研究名老中医临床诊疗经验。

### （一）本课题的研究目标

形成研究名老中医临床诊疗信息数据库，建立名老中医经验整理研究的新模式，揭示名老中医临床思维模式、诊疗规律和经验，形成相应知识库，并推广应用，提高临床疗效，加速人才成长。

### （二）主要研究内容和方法

**1. 选择研究对象** 根据中医药发展的历史现状、名医分布情况、学术地位、工作状况及数据挖掘研究方法的需求，按照国家中医药管理局《全国老中医药专家学术经验继承工作管理办法》、《全国老中医药专家学术经验继承工作管理办法实施细则》、《关于开展第三批全国老中医药专家学术经验继承工作若干问题的意见》、《全国老中医药专家学术经验继承工作管理暂行规定》等要求，结合各医院实际情况确定所研究的名医人选。

**2. 建立采集条目标准化和结构化辞典** 研究制定“中医药学统一语言系统”，根据所选定专家和医师提出的本专业诊疗术语、治疗方法、医学经济学、数字病历等方面的特殊需求，形成采集条目的标准规范，据此建立结构化名老中医临床诊疗术语字典。

**3. 设计研制临床信息采集系统** 老中医临床信息采集系统界面格式的设计和相应软件的开发是本研究的关键，也是难点，名老中医临床实际的特点是以门诊为主，所诊治病种较多，多以中医病名或症状性表述和指导诊疗，故应从利于研究分析的角度，按照最终研究目标的要求，设计好本学科专业病种数据采集界面格式及其中的内容、条目，据此进行编程设计，再校验、修订，纳入到临床信息采集系统中。

**4. 临床信息的采集** 应用基于统一标准的结构化的信息采集系统，建立名老中医本人实时的（现在的和将来的）临床诊疗信息数据库，进而建立个体化诊疗体系数据平台，实现大范围的中医系统信息的实时、开放式录入、存储，充分体现中医个体化诊疗特点，以利于在大量实时、真实数据资料的基础上，从更深更广的层次上研究总结名老中医诊疗规律及经验。

**5. 分析和挖掘** 在大量临床个体化诊疗数据的支持下，运用基于本项目研究开发的数据挖掘系统，对名老中医经验进行多方面的分析和评价

**6. 数据整理、数据统计分析、挖掘方法的应用** 选择数据挖掘工具如Statistic分析软件，SAS（Enterprise Miner）分析软件以及IBM公司的Intelligent Miner和Borland JBuilder 8 Enterprise Trial等工具，根据所确定的挖掘目标选定的方法有描述性分析、列联分析、关联规则分析、主成分分析、因子分析、判别分析、决策树和神经网络，探索应用模糊逻辑、遗传算法、粗糙集理论、支持向量机、云方法模型等方法对分析计划规定的内容进行研究、分析挖掘，并进行可视化，形成知识库。

**7. 经验总结** 根据上述分析和挖掘，由研究相关各方结合信息挖掘知识、中医药专业知识和老中医本人意见，总结得出名老中医临床诊疗中的规律和特点，如趋势、特征及相关性等，并将这些有意义的信息归纳成结构模式，总结为诊疗方案或发掘出未曾知悉的知识，建立专家知识库，纳入到病例信息采集系统中，指导专家本人和其他医师诊疗。

**8. 反馈循环和改进** 将所得专家经验和新发现的知识，提交给名老中医本人，并纳入到病例信息采集系统中，指导专家本人和其他医师诊疗及调整和改进，对改进后持续采集扩充的数据再挖掘，得出新的知识发现和改进建议，如此反馈循环，与时俱进，推陈出新，使名老中医数据库得以不断扩充和丰富，名老中医专家经验和心得也得以不断验证、更新和升华。

### （三）研究进展

1．建立了规范化的名老中医临床诊疗术语字典。

2．成功研制开发出结构化名老中医临床信息采集系统软件，该系统基于C/S结构，适用于名老中医临床诊疗特点，可灵活扩展。

3．共有16位名老中医的临床诊疗信息进入实时采集阶段，部分形成了利于分析的关系型数据库。对其中的五位中医专家诊疗的眩晕病例417例，既往眩晕病医案200例，共617例，探索出部分挖掘分析方法，整理出部分老中医临床经验。

4．通过课题研究锻炼培养了一批综合素质的人才。

5．2005年2月以该课题为基础的项目建议被纳入“十五”国家科技攻关计划。“名老中医学术思想、临证经验总结和传承方法研究”课题获得立项，课题将整理和研究全国各地108名老中医专家的学术思想、临证经验和传承方法。

## 三、趋势展望

本课题研究，能够及时保存现有的名老中医实时的临床诊疗数据，保存珍贵的医疗信息资源。同时通过反复循环、提炼升华揭示出的诊疗经验和知识发现是由名老中医亲自参与指导分析挖掘，能充分体现名老中医的证治精髓，科学性强，易于推广应用，将所得出的知识用以指导临床实践，提高疗效，培养青年人才。

由此建立起来的保留个体化特征的名老中医经验数据挖掘与整理研究的新模式，为今后同类研究，提供借鉴。

我们希望在研究进行到一定阶段时利用飞速发展的网络技术，提供信息采集软件的资源共享，参照Cochrane协作网（循证医学协作网）的运行模式，邀请各地对此研究感兴趣的同行加入，建立多地区、多学科分支的可储存大量信息的结构化的数据库，进而建立个体化临床诊疗数据共享平台，使名老专家数据库得以不断扩充和丰富，利用数据挖掘和分析平台，进行知识挖掘和提取，表达和诠释名老中医经验，这对于名老中医经验研究及中医药现代化的发展都具有极大的促进作用。

## 四、存在问题

1. 临床信息采集系统软件的适用性、便利性有待进一步完善。
2. 缺乏名老中医临床信息可持续采集的机制和保障措施。

# 中医药对边远民族地区人口与健康新贡献
## ——益髓生血治疗β-地中海贫血取得进展

地中海贫血是先天性基因缺陷致使人体不能正常合成血红蛋白珠蛋白引起的一种遗传性血液病，也叫珠蛋白合成障碍性贫血，是世界上发病率高、危害最大的单基因遗传病。它广泛分布在地中海沿岸、中东、东南亚各国。我国南方各省及台湾、香港、新疆发病率较高，其中两广、海南、云贵是高发区。从病理上说，由于血红蛋白的病变有多种，地中海贫血也因此分为多种类型，根据临床表现地中海贫血又可分为重型、中间型、轻型。

## 一、β-地中海贫血是危害小儿健康最严重的遗传性贫血

在我国危害较大的地中海贫血有两种，即α型和β型地中海贫血。重型α-地中海贫血也叫Bart's胎儿水肿综合征，出生前即成死胎或出生后即夭亡。

重型β-地中海贫血患儿出生几个月后即发病，出现溶血性贫血，面色萎黄，生长发育迟缓，骨骼变形，肝脾肿大，有特殊的地中海贫血面容：头颅方大、颧骨凸起、眼睑水肿、眼距增大、腹部膨隆等，极易因重度贫血在4~5岁夭折，存活下来的也只能靠反复输血维持生命。中间型者，中度贫血，随着年龄的增大常伴有肝脾肿大和黄疸，生存质量很差。重型β-地中海贫血预后严重，不仅为家庭、社会带来沉重负担，也严重影响小儿健康和人口素质的提高，对已出生的β-地中海贫血患儿的治疗及如何提高这类人群的生存质量是世界医学尚未解决的难题

## 二、地中海贫血危机人口与健康 防治研究刻不容缓

我国是地中海贫血的高发国，仅在广西 α－地中海贫血发病率就达15%，β－地中海贫血发病率5%，地中海贫血基因携带者高达900多万，广东地中海贫血基因携带者高达700多万。按遗传规律，如果夫妻两个均是地中海贫血基因携带者，则有25%几率生出重型地中海贫血患儿，每年将有大量地中海贫血患儿出生。广西医科大学曾对广西40个县10万多中小学及幼儿园孩子进行抽样，发现地中海贫血基因携带者高达20%；近两年对疑似地中海贫血血液标本化验，发现有60%～65%被确诊为地中海贫血；2002年对3000例标本进行了检测，确诊了1800人，2003年对4000例标本检测确诊的达2500左右。地中海贫血患儿的发生有上升的趋势。据调查2003年广西新生儿出生67万，按地中海贫血发生率19%计算，2003年广西地中海贫血新生儿约有13万；2005年南宁市对5000对已婚夫妇地中海贫血筛查结果显示，人群中地中海贫血基因检出率为25.88%。地中海贫血是广西发生率最高危害最大的遗传病，广西出生缺陷率为全国之首，近50%为地中海贫血儿。广西孕产妇死亡率居高不下与广西有较多孕有重型α地中海贫血胎儿（HbBart's水肿胎儿）孕妇有密切关系，她们大多有妊高征和产后大出血。以上这些数字充分说明，地中海贫血的预防和治疗刻不容缓。加强婚检和产前诊断，减少地中海贫血儿出生率，关注对地中海贫血患者的治疗，在我国更是迫在眉睫的任务。对已出生的β－地中海贫血患者的治疗及如何提高这类人群的生存质量，是至今国际医学尚未解决的难题。因此对该病的防治研究是关系优生优育、人口与健康，尤其在我国它是关系到边远民族地区民族素质、社会稳定与繁荣的有重大社会效益和实际意义的大事，符合国家相关政策。

## 三、β－地中海贫血临床治疗现状

在国际上，对β－地中海贫血治疗方面的研究尚无明显突破。目前国内

外仍以输血治疗为主，但由于β-地中海贫血患者大量溶血而引起巨脾、功能亢进，加重贫血和铁沉积导致其他脏器损伤，如果不及时出铁，极易导致患儿脏器衰竭而死亡，这种治疗最多也只能维持十来年。也有人用羟基脲、5-氮胞苷等几种化疗药及用马利兰治疗的个别病例的报道，但由于这些药物有极强的副作用，限制了在临床的应用。骨髓移植、干细胞移植受髓源和配型限制很难普及。国外也有用丁酸盐的衍生物进行治疗的报道。近年也有人试图把正常的β-基因导入含有突变的基因的细胞内进行基因治疗，基因治疗是方向，但同源重组等问题还未解决，临床应用尚需时日。中医中药治疗也有些案例报道，但缺乏疗效机制的深入研究。由于难度大，至今还没有治疗α-地中海贫血的有效中、西药。

## 四、中医药治疗β-地中海贫血的理论基础与治则治法

我们在国家“七五”攻关项目“肾生髓理论现代研究”中发现，补肾益髓中药能促进造血，提高血红蛋白含量，在广西高发区治疗α-地中海贫血取得了明显疗效，为中药复方治疗α-地中海贫血提供了理论和实践依据。提出了中医肾藏精生髓、髓生血理论是中医治疗α-地中海贫血理论基础的假说，设想中医肾生髓理论指导中药治疗α-地中海贫血可能是一条全新的路子。研究者得到了高发区临床试验的支持，并在国家自然基金题“从中药治疗α-地中海贫血探讨肾生髓分子基础”研究中，验证了这一理论的客观性。

β-地中海贫血属于中医“童子痨”“虚痨”等范畴，该病多为婴幼儿、少年发病，临床表现为虚痨、血虚、眩晕、心悸、黄疸、面色萎黄、腹中症积、生长发育迟缓等。多因先天禀赋不足，精血不充所致。病机上既有肾精亏虚，脾肾两虚，精血不足，又有黄疸、积聚，本虚标实是其特点。治疗上应采用补肾益髓法：以滋肾养肝、益精生血、健脾补气、消痞退黄为治疗原则。根据中医理、法、方、药相统一的原则拟定出补肾益髓法的代表方（益髓生血颗粒）。益髓生血颗粒是宗《内经》“精血不足者，补之以味”的原则，根据中医肾藏精生髓、髓生血和精血同源的理论，在临床

实践基础上形成的。我们沿用补肾益髓法的代表方（益髓生血颗粒）在广西高发区开展了治疗 α－地中海贫血的临床实践和初步验证，取得了可重复的肯定疗效。与此同时进行了治疗前后患者大样本的基因突变型分析和疗效分子机制的深入研究

## 五、高发区临床验证创出了中医药治疗 β－地中海贫血的新路子

### （一）在高发区采用随机、单盲、安慰剂平行对照临床 30 对病例的比较研究

2004 年 9 月～2005 年 1 月，在南宁周边地区及百色、河池地区组织符合纳入条件的 60 例 α－地中海贫血患者，用补肾益髓法的代表方益髓生血颗粒治疗 α－地中海贫血，采用随机、单盲、安慰剂平行对照进行了较严格临床观察，疗程三个月，按张之南主编的《血液病诊断及疗效标准》，并参考第四届国际血红蛋白基因开关会议提出的标准；中医辨证参照《中西医结合临床血液病学》标准（1988 年）并按 CRF 表进行症状量化评分；除进行临床症状、中医证候、血液参数（Hb、RBC、Ret、HbF）动态观察外，进行治疗前后肝、脾 B 超和肝肾功能（GPT、BUN、Cr）及不良反应观察。

研究结果表明：经益髓生血颗粒治疗三个月后患者 Hb、RBC、Ret、HbF 自服药第一个月起至三个月疗程结束均明显提高（$P<0.01$），而安慰剂组患者在服安慰剂三个月中血液指标无明显改善；按西医疗效标准要求，主要药效学指标 Hb、RBC、Ret、HbF 上升为有效，治疗组 30 例中有效 28 例，2 例无效，有效率 93.33%；安慰剂组有效 3 例，无效 27 例，有效率 10%，两组比较有非常显著意义（$P<0.001$）；中医辨证和临床证候按 CRF 表量化评分，结果表明治疗组经益髓生血颗粒治疗三个月后，患者临床中医证候评分量化分析六种症状中除“食少、纳呆”一项改善不具统计学意义外，其余“面色萎黄”、“头晕目眩”、“心悸”、“气短”、“倦怠乏力”等症状均明显改善（$P<0.05$），而安慰剂组则无明显改善。两组比较治疗组中

医临床症状改善有显著统计学意义。患者肝、脾B超结果显示：益髓生血颗粒治疗组肝斜径与疗前比略缩小，不具统计学意义（P>0.05），脾脏横径与疗前比明显缩小（P<0.05），而安慰剂组肝斜径、脾横径与疗前比无明显变化，治疗组肝、脾肿大缩小、硬度得到缓解。两组肝肾功能均无明显变化，无不良反应。益髓生血颗粒治疗组患者 在临床症状、中医证候和血液指标（Hb、RBC、Ret、HbF）等的改善方面均非常明显优于安慰剂组。

### （二）服安慰剂后给益髓生血颗粒治疗30例α-地中海贫血患者自身对照的比较研究

2004年12月~2005年4月对南宁、百色、河池地区符合纳入条件的观察病例，采用自身对照方法，30例重型、中间型α-地中海贫血患者先口服安慰剂再服益髓生血颗粒，疗程均为三个月，于服药后动态观察两个阶段的患者临床症状、中医证候和血液指标（Hb、RBC、Ret、HbF）变化，研究结果表明：患者自服安慰剂第一个月至三个月疗程结束主要疗效性指标Hb、RBC均无升高，Hb在服安慰剂第一个月有明显降低（P<0.05），而改服益髓生血颗粒自第一个月至三个月疗程结束患者Hb、RBC与服安慰剂第三个月比均有非常明显提高（P<0.001），Ret、HbF在改服益髓生血颗粒第一个月起至三个月疗程结束，与服安慰剂第三个月比均有非常明显的提高（P<0.001）；中医临床证候量表统计分析显示：服安慰剂期间临床症状无明显改善，而改服益髓生血颗粒治疗三个月后，患者临床中医症状除“面色萎黄”一项无明显改善外，其余“食少纳呆”、“头晕目眩”、“心悸”、“气短”、“倦怠乏力”等症状均明显改善（P<0.05）。结果显示患者服安慰剂和改服益髓生血颗粒两个阶段疗效比较有非常显著差异，益髓生血颗粒治疗α-地中海贫血疗效显著。

### （三）益髓生血颗粒治疗α-地中海贫血156例分析

1989年7月至2005年1月，课题组18次深入高发区，在广西南宁、百色、河池地区及与云、贵交界地区，收集符合条件的可治疗病例，用补肾益髓法的代表方益髓生血颗粒治疗，进行了11批次临床验证，累积治疗α

-地中海贫血患者156例，其中男性100例，女性56例；年龄2~30岁，14岁以下者85例；汉族38例，壮族110例，瑶族7例，布依族1例；基因型：重型63例（重型复合血红蛋白E者18例），中间型93例（中间型复合血红蛋白E者35例），用益髓生血颗粒治疗，疗程三个月，按张之南主编《血液病诊断与疗效标准》中对α-珠蛋白生成障碍性贫血的诊断标准，并参考第四届国际血红蛋白基因开关会议提出的标准，凡Hb、RBC、Ret、HbF升高为有效，单纯网织红细胞（Ret）和胎儿血红蛋白（HbF）升高不作为有效病例。研究结果表明，患者服药后精神振奋，食欲增加，肝脾肿大缩小，不易患感冒和感染性疾病，重型63例患者治疗后Hb、RBC、Ret、HbF指标均非常明显提高（$P<0.001$），中间型93例患者治疗后除Hb上升（$P<0.05$）外，其余RBC、Ret、HbF上升均十分显著（$P<0.001$），患者临床症状的明显改善与血液指标的升高有非常好的一致性；156例α-地中海贫血患者中有效145例，无效11例，总有效率92.90%；对145例有效病例进行停药后3~6个月随访，疗效维持以Hb高于给药前为有效，平均疗效维持时间为2~4个月。

高发区临床研究表明：中药益髓生血颗粒治疗α-地中海贫血疗效显著。如此大样本的临床病例和规范研究，在国内外治疗α-地中海贫血临床研究中属首次，居领先水平。研究结果充分显示了中药治疗难治性α-地中海贫血（单基因遗传病）的优势与前景。

## 六、科学地阐明疗效机制，初步明确了中药治疗α-地中海贫血疗效特点和作用环节

中药治疗α-地中海贫血在高发区临床验证取得肯定疗效。由中国中医科学院广安门医院牵头，有中国人民解放军第三0三医院、中国医学科学院血液学研究所参加组成的课题组，自1989起依托国家七五、八五、九五攻关及多项国家自然基金资助，对中药治疗α-地中海贫血疗效机制进行了深入研究。研究结果表明：中药治疗α-地中海贫血不改变患者的基因突变型，不同基因型疗效有明显差异，对杂合子型患者疗效优于纯合子型患者；

中药治疗 α－地中海贫血可显著提高患者的整体效应，血红蛋白（Hb）含量稳定升高；明显提高血红蛋白珠蛋白链比（γ/β＋γ 珠蛋白链比值），明显提高患者外周血 α－珠蛋白 mRNA 表达。

近年在对中药治疗 β－地中海贫血调控珠蛋白 mRNA 表达分子机制研究中，首次证明：中药治疗 β－地中海贫血可显著改变患者骨髓 β－珠蛋白基因簇位点调控区（β－LCR）高敏位点 HS2 的 DNA 和核蛋白相互作用；明显提高珠蛋白基因表达调控因子——红系特异反式作用因子 GATA－1、GATA－2、NF－E2 的表达；促进 γ－珠蛋白基因转录。调控功能基因表达是中药治疗 β－地中海贫血显著疗效特点之一，研究发现，中药治疗 β－地中海贫血可明显下调患者骨髓铁蛋白基因表达，促进铁的代谢，缓解因红细胞破坏所致体内铁的沉积，以缓解症状；中药治疗 β－地中海贫血可影响 SCF－GM－CSF－EPO 轴的生理功能，调控造血刺激因子表达，促进有效红细胞的生成，可维持骨髓早期造血细胞的正常结构和生理形态；动物实验证明，中药可激活 γ－珠蛋白基因，提高胎鼠、成年鼠造血组织 β－minor 基因表达，开启 γ－基因，促进 γ－珠蛋白表达；可促进成鼠骨髓 α－珠蛋白稳定蛋白（ASHP）的表达，结合过剩的游离 α－珠蛋白链，减少溶血发生。

上述研究从分子水平、基因水平及从调控珠蛋白 mRNA 表达不同层面上，探讨了中药治疗 β－地中海贫血作用靶点的分子基础，揭示了益髓生血法治疗 β－地中海贫血疗效特点和作用环节，验证了中药治疗 β－地中海贫血理论认识假说的客观性；从深层次阐述了中医肾生髓理论分子基础的科学内涵；使已领先的中药治疗 β－地中海贫血从理论到实践达到新的水平。

## 七、中药治疗 α－地中海贫血科学意义和应用前景

1. 对比国内外对 β－地中海贫血临床研究多以个别案例报道，本研究根据中医肾藏精生髓理论，用补肾益髓法的代表方益髓生血颗粒在广西高发区治疗 β－地中海贫血，采用大样本、随机、单盲、安慰剂平行对照临床研究和服安慰剂后再给益髓生血颗粒治疗患者自身对照的比较研究；进行中医证候量化评分，临床症状与血液学指标改变相关性的动态观察，提高

了中医药治疗β-地中海贫血研究的科学性。课题组十八次深入广西高发区，进行11批次临床验证，累积治疗β-地中海贫血156例，以国际公认诊断与疗效标准评价，取得总有效率92.90%的显著疗效，在国、内外β地中海贫血临床研究中属首次。研究探索出了中药治疗β-地中海贫血的新路子。对传统中药走向世界，造福于人类具有重要的实践意义。

2. 实验研究首次从基因突变与疗效关系、基因表达与调控，及从调控珠蛋白mRNA表达的不同层面，探讨了中药治疗β-地中海贫血作用靶点的分子机制。在β-地中海贫血中药治疗疗效机制研究中，国内外无同类报道。

3. 理论创新　研究揭示了益髓生血治疗β-地中海贫血疗效特点和作用环节，阐明了中医肾生髓、髓生血理论的分子学基础，显示出中药治疗β-地中海贫血独特的理论基础和实践优势。

4. 这是针对世界医学难题高起点的中医药治疗疑难病领先的优势项目　中科院院士、复旦大学华山医院沈自尹教授指出“中药治疗β-地中海贫血的成果，其重要意义在于这是首次在国际上用药物对单基因遗传病实现不改变基因结构，而是修饰、调节基因表达与基因产物功能就获得无副作用和后遗症的显著疗效。”2004年1月3日中央电视台《科技之光》以“中药治疗地中海贫血取得国际领先水平”为题作了专题报道。2004年11月8日中央电视台《健康之路》以“解析地中海贫血”为主题进行直播。

5. 中药益髓生血颗粒治疗β-地中海贫血，将对“首都医药支边”发挥积极作用　中药治疗β-地中海贫血研究，关系小儿健康和人口素质的提高；特别在我国，它关系边远民族地区人口素质提高、社会稳定和发展，是一项发挥中央院所科技优势，支援老、少、边、穷高发区医药卫生事业，有重大实际意义的研究，符合我国相关政策。

益髓生血颗粒作为内部制剂获北京市药监局批文，文号为【2004】京药制试字【0587】第2296号，已在高发区应用。广安门医院与解放军303医院有近二十年的联合攻关协作。课题组十八次深入高发区和边远民族地区，用中药益髓生血颗粒治疗β-地中海贫血，取得了可重复的肯定疗效；在解放军303医院内建立了面向高发区患者的“中西医结合β-地中海贫血治疗中心”和“地中海贫血之家”。已产生了广泛的社会效益与影响。

## 八、加强对地中海贫血的防治研究，关系人口与健康

优生优育，降低新生地中海贫血患儿出生率，是地中海贫血预防的根本措施。

国家十一五规划中把人口与健康列为重大计划，并指出医药卫生改革重点是面向基层、面向农村。为地中海贫血的防、治研究带来了历史的机遇。国家十分重视对地中海贫血的防治并加大对地方政府的支持，加大宣传力度，普及地中海贫血预防知识，鼓励新婚青年婚前或孕前主动到医院做地中海贫血相关项目检查。在广西，2005 年南宁市政府把免费为 5000 对农民做地中海贫血筛查作为年度为民办 20 件实事之一，广西区政府提出十一五规划要将广西出生缺陷率降到 134/万，并为此做出大量工作安排。

积极治疗，提高地中海贫血患者的生存质量，是地中海贫血防治的另一重要环节。

我国是地中海贫血高发国，仅广西、广东、海南三地，地中海贫血基因携带者近二千万人，每年有大量地中海贫血患儿出生；对已出生的地中海贫血患儿的治疗和如何提高这类人群的生活质量，是长期被忽视的，而又是急待解决的问题。因此，对该病的防治研究是关系 到人口与健康，尤其在我国它是关系到边远民族地区民族素质、社会稳定与繁荣的有重大社会效益和实际意义的大事，对此，国家应给予政策倾斜和支持力度。

坚持面向边远民族地区，发挥中医药治疗 β – 地中海贫血的优势，造福广大地中海贫血患者。

补肾益髓法治疗 β – 地中海贫血，是中医药治疗疑难病领先的优势项目研究。自国家七五攻关至今，依托多项国家相关基金资助，由中国中医科学院广安门医院牵头与中国人民解放军 303 医院、中国医学科学院血液学研究所合作，经过二十余年的联合攻关，已完成了四个阶段成果的鉴定。取得了领先的临床研究成果。课题组在高发区建立了面向广大患者的“中西医结合 β – 地中海贫血治疗中心”和“地中海贫血之家”，得到了当地政府

和广大患者的欢迎与支持。

我们将继续坚持深入高发区，发挥中央院所科技优势，支援老、少、边、穷地区医药卫生事业，用中药治疗β-地中海贫血，提高该项研究的科学性、创新性，为传统中医药走向世界，造福于人类作出新贡献。

# 有毒中药的研究进展

我国最早的一部本草是《神农本草经》，成书于东汉末年。它总结了远古直至汉代前几千年间，劳动人民在实践过程中逐渐创造和积累的医药经验。它的内容广泛、系统而真实。书中收载了药材 365 种，按其效用分为上、中、下三品，上品 120 种，能补养、无毒，可以长服、久服；中品 120 种，能治病补虚，无毒或有小毒，斟酌使用；下品 125 种，专主大病，多为有毒，不可多服、久服。下品记载的有毒中药数量约占全书的 1/3，说明古代劳动人民对一些急重症往往用有毒中药进行治疗。在汉代“医圣”张仲景的医药理论体系中体现更为突出，曾云：“药以治病，因毒为能”。当前人们对待有毒中药的应用有以下看法，第一种看法是凡有毒者一律禁用，另一种看法是不能都不用。如果从中医中药的特色和治则以及“药以治病，因毒为能”的基本思想去理解有毒中药的应用就可认为前一种看法是片面的。现在以及国内、外出现有毒中药发生的不良反应报道不是药物本身的问题，而主要是人们对有毒中药不当使用或是将药的品种弄混淆所致。给人们造成一提及用有毒中药治病就如同“谈虎色变”，这种状况不利于中医药研究与发展。现代虽然对一些有毒中药药理毒理与临床进行了一些研究，也取得了一定进展和成绩，但由于存在研究思路和方法滞后以及资金投入少等问题，到现在仍不能很好地解决有毒中药的安全性和临床应用等问题。近年来在这方面已有过一些研究，并取得一定进展。但由于篇幅所限，本文就近年来国内外和课题组对含马兜铃酸（AA）中药以及朱砂和雄黄的研究作一简要介绍。

## 一、含马兜铃酸中药研究

含 AA 植物种类很多，有马兜铃属、木防己属、木通属、细辛属、千金藤属、青藤属、蝙蝠葛属、铁线莲属和木香属部分种约70种等。

### （一）AA及其含AA中药的毒性研究

**1. AA对动物毒性** 马兜铃酸-I（AA-I）对交配大鼠和仓鼠的受孕力的影响：基本不影响上述动物的受孕率。但当给大鼠灌胃AA-I剂量达40mg/kg时，有90%的动物死亡；当剂量达12.5mg/kg时，有40%的仓鼠死亡。并报告，雄性大鼠灌胃AA-I的LD50为203.4mg/kg；雌性大鼠为183.9mg/kg；雄性小鼠为155.9mg/kg；雌性小鼠为106.1mg/kg；静脉注射的LD50则分别为82.5mg/kg、74.0mg/kg、38.4mg/kg和70.1mg/kg。病理学组织特征主要为胃贲门浅表性溃疡、肾小管坏死和淋巴器官萎缩。印度马兜铃根的氯仿提取物中的一个色层馏分可致小鼠肾组织细胞的变性，另一馏分则可使小鼠肝脏的血管扩张并产生出血点。具苞马兜铃（A. bractaeta，含AA-I）的叶，给山羊灌胃剂量为0.5g~5.0g/kg. d时，其中毒症状主要为弓背、呼吸困难、胃胀、腹泻、背部毛失去光泽和脱落。病理学检查，有粘液性胃炎和肠炎，腹部浆膜腔见稻草色液体，肝脏充血和脂肪变性，肺、心和肾脏出血。血清中天门冬氨酸转氨酶升高，尿素氮含量亦升高。而血清总蛋白和镁含量则下降。

**2. 含AA-I中药的毒性研究** 广防己肾毒研究：分别用广防提取物（RAFE）25.0，120.0，200.0 mg/kg·d和马兜铃总酸10.0 mg/（kg·d）给大鼠间断灌胃22周，停药4周。结果RAFE小、中、大剂量及总酸组于给药第4周镜下未见肾脏明显病理变化。于给药第8~13周后小、中、大和总酸剂量组可见部分肾近曲小管上皮细胞发生空泡变性及胞质内有嗜酸性颗粒，部分动物可见肾小管上皮轻微脱落，管腔内有大量蛋白，小剂量组肾脏病变程度评分“1”约占动物数的30%，大剂量组评分“1~2”共占100%；给药第13~22周大剂量和总酸大部分动物肾间质可见纤维化病变。给药第17、22周肾脏显微结构损伤逐渐严重，肾小管管腔变形，病理评分逐渐增高，且所占比例也逐渐增加。恢复期4周，肾脏病变程度无明显好转。通过采用积分法评定肾脏损伤程度，RAFE小、中、大剂量及总酸组于给药第13周起，分别与对照组比均有显著性差异。

肾脏采用 Masson 染色后，纤维化组织呈现绿色。给药第 13、17 周时，各给药组大鼠肾小管间质病变不明显；给药第 22 周时，大剂量组和总酸组大鼠肾小管上皮细胞灶状萎缩，管腔扩张，肾间质纤维化，呈局灶状分布；中、小剂量组纤维化不明显；恢复期时，各给药组病变与实验第 22 周类似。

RAFE 作用早期，大鼠肾功能改变为氮质血症、大量蛋白尿以及尿 NAG 酶升高。组织形态学病变：中、大剂量和总酸组给药早期主要表现以皮髓质交界为主的急性肾小管坏死，随着给药时间的延长逐渐发展为肾小管功能损害 – 慢性间质纤维化的病变过程，这些病理表现与马兜铃总酸所致肾损害极为相似。

致癌性：80 年代以来的研究，AA – I 是迄今为止对啮齿类动物最强的致癌物之一。试验观察，大鼠灌胃 AA – I 日剂量 10mg/kg，连续 3 个月后，可诱发全胃贲门窦部位的重度乳头状瘤，并偶见恶性病变。停药后 3 ~ 6 个月，35 只大鼠中有 14 只（40%）的胃贲门窦部病变发展为鳞状细胞癌，31%的大鼠可见微小癌灶，46%大鼠有区域或周围淋巴结、肠系膜、小肠和隔膜等处转移，肾脏、肾盂和膀胱等脏器偶见癌瘤。当给予大鼠日剂量为 0.1mg/kg，连续 3 个月后，脏器无异常变化，但 9 个月后，13 只大鼠中有 4 只（31%）胃贲门窦部诱发乳头状瘤，15%有微小癌灶或癌性肿块，偶见肾盂上皮增生。日剂量 0.1mg/kg，连续 12 个月后，停药观察 4 个月，9 只大鼠中有 5 只（56%）诱发胃窦部癌，其中 1 只有转移。AA – I 对小鼠也具有类似强度的致癌作用，并发现恶性淋巴瘤、肾腺癌、肺癌和子宫血管瘤。含 AA – I 中药其折合 AA – I 日剂量 10mg/kg，连续 3 个月后可诱发全胃贲门窦部位的重度乳头状瘤，并继发皮肤软组织部位肿瘤的发生。

## （二）含 AA – I 中药广防己（RAFE）毒代动力学研究

**1. RAFE 毒代动力学** 以往的毒代动力学研究只是从简单给予毒理剂量的药物并记录所观察的现象。现在看来仅观察动物毒性现象是不充分的，只考虑药物剂量 – 反应关系是不够的，更应当重视血药浓度 – 效应关系，即毒代 – 毒效关系。相伴毒代动力学（Concomitant Toxicokinetics，CTK）是一新兴的药代动力学和毒理学结合的学科，被人们认识时间极短，在国内目前属于空白。它是药代动力学（Pharmacokinetics，PK）与毒理学这两支相对独立学科的结合及互为拓展，是近年来国外正在发展的的一门边缘学科，亦是近年来国外关注的新动向。AA在CTK研究中使用高剂量会导致体内药物溶解性、稳定性、吸收、消除、蛋白结合率及代谢和毒性等均发生变化，开展RAFE的CTK对深入了解AA在体内随时间变化浓度和在靶器官中的可逆或不可逆对肾脏以及其他器官的毒性都具有重要意义。药物或代谢物的生物效应与它们的血浓度或组织浓度相关性比效应与给药剂量的相关性要好得多。开展这方面的研究将大大推动中药毒理学科的发展。

RAFE含AA－Ⅰ－Ⅰ（82%AA－Ⅰ，12%AA－Ⅱ），在毒性剂量下的广防己提取物单次给药后，AA－Ⅰ在大鼠体内的代谢呈二室开放模型，$t_{1/2}\alpha$1.03（h），$t_{1/2}\beta$6.10（h），CL3.02（ml/min），AUC为33.10（μg/ml）；其代谢规律呈非线性动力学模式，高、中剂量呈两次高峰，于第1和第4小时各出现一个高峰。给药各剂量的血浆中很难测到AL－Ⅰ，1/8 $LD_{50}$剂量的药时曲线未呈现高峰，且曲线变化比较平坦。由此可见在毒性剂量下的广防己提取物单次给药后的药－时曲线变化特征在一般药代动力学研究中是见不到的，24小时后检测大鼠血液生化发生明显变化，血中肌酐和尿素氮均增加。同时，毒性剂量下的广防己提取物单次给药后，AA－Ⅰ主要由肝脏代谢，代谢产物主要为马兜铃内酰胺（AL）。经过分布研究证明大部分AA－Ⅰ和AL－Ⅰ经由粪便排出体外，由尿液排出的较少。同时，发现AL－Ⅰ主要在肝、肾等实质性脏器内形成。给大鼠灌胃100 mg（kg·d）RAFE测定胆汁内的AA－Ⅰ和AL－Ⅰ浓度，结果AA－Ⅰ和AL－Ⅰ浓度都很高；AL－Ⅰ药时曲线有明显的双峰，且高峰出现于血浆AA－Ⅰ高峰的2小时之后，由此可推断AL－Ⅰ主要在肝脏代谢形成AL－Ⅰ；AA－Ⅰ和AL－Ⅰ在各种实质性器官均有分布，其中在脑也有分布，由此可见这两种物质均可通过血脑屏障。

**2. 组织分布研究** RAFE 12.5，50，100mg/kg灌胃大鼠组织中检测到的AA－Ⅰ的浓度较低，药后8天肾、脾、肺中AA－Ⅰ的浓度高于药后4天，一部分组织已经检测不到AA－Ⅰ。AL的情况则不同：所有组织中，给药后8天测定的AL－Ⅰ的浓度均比4天时要高，说明AA－Ⅰ主要以其代谢物AL－Ⅰ

的形式存在于心、脾、肺、脑、睾丸上升得尤为显著，肝、肾中 AL－I 上升得比较缓慢。

**3. RAFE 毒效学实验** 生存状态：药后第三天大剂量组和中剂量组各有一只大鼠死亡。大、中剂量组药后 4 天体重严重下降，药后 8 天中剂量组体重逐渐恢复；大剂量组体重则持续下降，与空白组相比体重减轻了 20%。肝、肾功能：给药后第 2 天，大剂量组大鼠血 BUN、Cre 和尿糖等指标与正常组相比均显著升高，第 8 天时仍未恢复正常水平。中剂量组则在给药后第 4 天时才有显著差异，BUN、Cre 和尿糖水平与血中 AA－I 和 AL－I 浓度呈正相关，肾脏病变程度出现剂量－毒效相关。

## （三）AA 及其含 AA－I 中药的毒性机制研究

**1. AA－I 引起肾病机制** 目前尚不能定论，近年初步研究认为，其发病机制可能涉及以下诸方面：①肾小管上皮细胞坏死或凋亡：用广防己提取物灌胃大鼠观察肾小管上皮细胞线粒体呼吸功能的影响：结果显示对线粒体态 3 的影响较线粒体态 4 更为显著，表明对肾小管上皮细胞线粒体呼吸抑制比生高，并引发活性氧增加，抑制线粒体电子呼吸链，导致能量代谢紊乱，进一步导致细胞坏死或凋亡。AA－I 可以直接损害肾小管上皮细胞，特别是近端小管上皮细胞。体内和体外研究均表明 AA－I 可以引起小管上皮细胞凋亡；②肾间质成纤维细胞增生或活性增高：AA－I 可以使间质成纤维细胞活性明显增高，间质细胞外基质增多，但细胞数无明显增加；③ AA－I 引起小管上皮细胞转分化：近年研究表明，肾小管上皮细胞转分化很可能是肾间质纤维化的重要机制之一，也是当前国内外研究较为活跃和深入的领域；④ AA－I 的 DNA 加成物：1996 年 Schmeiser 首先报告在 5 例慢性 AA－I 肾病患者肾标本中测到 AA－I 的 DNA 加成物，这种 DNA 加成物可以促进肾间质纤维化过程的发生；⑤肾小管血管壁缺血：AA－I 类药物包括含 AA－I 中药可以损伤肾小血管壁，表现管壁增生增厚管腔狭窄，引起缺血，特别是间质的慢性缺血，最终导致小管萎缩及间质纤维化。含马兜铃铃酸中药由于含兜铃铃酸类物质较为复杂，所引起的肾脏病变更为复杂；⑥其他因素：也有人认为近端肾小管刷状缘内中性多肽内切酶含量降低或内皮素增高可能与肾间质纤维化有关。

**2. AA－Ⅰ对人肾小管上皮细胞毒性作用研究** 取体外培养的人肾小管上皮细胞株（HK－C），80和160μg/ml AA－Ⅰ对HK－C有明显细胞毒作用，此作用可能与急性马兜铃酸肾病发病相关；而40μg/ml AA－Ⅰ可上调HK－C及hRIFs的TGF－β、PAI－1和TIMP－1mRNA表达，并能上调hRIFs的ColⅠ mRNA表达，可能与慢性马兜铃酸肾病发病相关。

**3. 对肾小管上皮－肌成纤维细胞转分化的影响** 肾间质纤维化是各种肾脏疾病进展到终末期肾衰的共同途径。近年有人报告，在某些细胞因子－生长因子的刺激下，体外培养的小鼠或大鼠肾小管上皮细胞可转变为MyoF，被称为“肾小管上皮－间充细胞转分化”（Epithelial－mesenchymal transdifferentiation，EMT）或称为“肾小管上皮－肌成纤维细胞转分化（Tubular epithelial mesenchymal transdifferentiation，TEMT），上述这种肾小管上皮细胞表型转化，很可能在肾间质纤维化中起重要作用。研究表明AA－Ⅰ和某些生长因子－细胞因子－原炎症因子共同作用，可引起人类肾小管上皮细胞转分化为MyoF。

通过对慢性AA肾病患者进行肾穿病理检查诊断为慢性肾间质纤维化（CAAN）的10例患者肾组织（血清肌酐值194.5～733.7μmol/L）进行分析。应用免疫组化染色观察抗人角蛋白、α－平滑肌肌动蛋白、波形蛋白、转化生长因子－β（Vim）；用苦味酸天狼星红染色在偏振光镜下观察肾间质胶原Ⅰ及Ⅲ和Masson染色观察肾间质纤维化程度：肾间质Masson绿染区面积与天狼星红染色区面积之间高度相关，相关系数r＝0.88，肾间质Masson绿染区面积及胶原着染区面积还分别与血清肌酐值高度相关，提示肾间质纤维化程度与肾功能损伤密切相关。

## 二、朱砂和含砷类药物的研究

一般认为，有机化学成分是决定中药药性及药效的主要因素。随着分析测试手段的进步，人们充分认识到某些重金属元素也有重要的药理作用，例如砒霜治疗白血病已得到国内、外的普遍承认。研究证明，机体内的许多酶、激素，许多生化反应都必须有金属离子参加，某些金属有着极其重要和极其特殊的生物活性。多价的阳离子是形成配位化合物的元素，在许多情况下，与生物体内金属产生竞争性结合并相互作用，损害正常的生理功能。但同时又必需看到，一些重金属元素，如汞、铅等毒性很大，应该避免过量摄入体内。在中医药中应用最多朱砂和雄黄含有汞和砷两种元素，朱砂主要成分为硫化汞（Hgs），雄黄主要含三氧化二砷（As2O3）。而朱砂和雄黄又入数十种中药成方，其中重金属的应用与毒性问题一直是学术界关注的问题。现就有关问题阐述如下：

### （一）朱砂

**1．现代药理学研究** 镇静、催眠、抗惊厥作用：动物实验研究表明，小鼠灌胃朱砂（0.01g/g）7d后，腹腔注射安纳咖，其产生惊厥的平均时间比生理盐水对照组推迟。观察发现口服朱砂组大鼠（0.05g/g）比对照组脑电图频率减慢，波幅增大，朱砂对中枢神经系统有抑制作用，有镇静安眠功效。亦有实验结果显示，朱砂混悬后给小鼠一次灌胃，相当于常人用量的20倍，不能使小鼠入睡，不能明显减少小鼠的活动，不能使阈下剂量的异戊巴比妥钠产生催眠协同作用，不能明显延长异戊巴比妥钠所致睡眠时间，也未观察到朱砂对戊四氮所致惊厥有对抗作用。但也有研究证明朱砂对中枢神经系统有一定的抑制作用，对注射苯丙胺后处于兴奋状态的小鼠有一定的对抗趋势，且有明显促进对水合氯醛催眠作用及对抗戊四氮所致惊厥的作用，但对戊巴比妥钠睡眠时间及士的宁所致惊厥未见有明显影响。抗心律失常作用：研究结果发现，家兔分别口服朱砂、朱砂安神丸及去朱砂之安神丸对氯仿－肾上腺素和草乌注射液所致心律失常具有明显的对抗作用，使用强度依次为朱砂安神丸 > 朱砂 > 去朱砂之安神丸，同时发现朱砂安神丸作用远强于去朱砂之安神丸，肯定了朱砂在方中君药的地位。并入为朱砂的抗心律失常作用是其镇静安神功效的主要基础之一。

**2．毒理学研究** 历代对朱砂毒性的认识经历了从“无毒”到“有毒”到目前的限量使用的过程。毒理学研究：朱砂是一种极难溶于水的化合物，其溶解度为 $1.4 \times 10^{-24}$ g/L。朱砂虽难溶于水，但仍有部分可溶性汞存在，同时还含有游离汞。不同炮制方法对朱砂中游离汞和可溶性汞含量有较大影响。对朱砂中可溶性汞及游离汞研究表明研磨朱砂游离汞含量为30～68μg/g，可溶性汞含量为18μg～38μg/g，水飞朱砂游离汞含量为27～35μg/g，可溶性汞含量为8～17μg/g，并且发现，水飞次数越多，朱砂中可溶性汞含量越低。朱砂无论产自何地，采用何种加工方法均含有大量的可溶性汞和游离汞，特别是研磨朱砂中可溶性汞和游离汞含量均高于水飞朱砂；同时还发现含朱砂中成药均有可溶性汞存在。朱砂的主成分为十分稳定的HgS，并含有极微量的HgO和其他形式的Hg。小鼠单次口服朱砂的吸收半衰期为0.2小时，清除半衰期为13.4小时，给药后1.1小时血液中达到最高浓度为2.6μg/mL。

朱砂中的汞在心、肾、肝、脾、肺、大小脑等组织中均有不同程度分布，尤以肾脏含量最高。汞进入体内后，部分HgS将会被体内的氧化酶系统氧化为易分解的$HgSO_4$；另外，有一部分在胃酸的作用下解离出二价汞离子。在厌氧、有硫、pH为7.4和遇有甲基物时，将会发生汞的甲基化过程，而体内肠道正符合这一条件。游离汞和甲基汞将进一步与体内含巯基、氨基、羧基、咪唑。嘌呤和嘧啶等生物大分子和小分子结合，另外还包括多种酶类谷胱甘肽转移酶、P450酶系、琥珀酸脱氢酶等。因此，汞在体内的可能存在两种状态：一种是无机（HgⅠ和$HgⅠ_2$），另一种为有机汞（$Hg^{2+}$，$MeHg^+$，$(Me)_2Hg$，Et$(Hg)^+$，$HgⅠ_2$或有机汞与生物小分子结合，$HgⅠ_2$或有机汞与生物大分子结合，$HgⅠ_2$与细胞膜结合）。

安宫牛黄丸中的汞与黄芩苷可形成稳定的配位络合物，但水飞朱砂的水溶液中游离汞极少，因此，安宫牛黄丸的水溶液中不存在黄芩苷汞。朱砂经人工胃液处理后，将溶出50μg/g左右的游离汞，与黄芩苷形成黄芩苷汞后被检出。游离态汞在安宫牛黄丸中基本上以黄芩苷汞的形式存在。汞在其他方剂以何种存在需进一步研究。

朱砂的急性毒性试验结果表明，小鼠静脉注射朱砂煎剂其LD50为12g/kg，动物中毒表现为少动、反应迟钝、肾缺血、肝脏肿大。亚急性毒性实验结果显示。小鼠经口给予朱砂9.5g/kg，连续给药10～30天，病理组织学检查发现，心、肝、肾等脏器均出现不同程度的病理学改变，心脏组织出现轻度浊肿，给药时间较长者，少数部位有嗜酸性变。肝脏出现明显浊肿，严重者出现局灶性坏死。随给药时间的延长，肾组织损害从轻度浊肿到肾小管的广泛浊肿，肾小管内出现颗粒管型，肾小管上皮细胞核消失呈局灶性坏死。朱砂中汞可在肾脏中诱发 8 - OH - dG 升高，认为汞可致肾细胞中 DNA 氧化性损伤。有人研究证实，血浆中的 $Hg^{2+}$ 主要与血清白蛋白结合，形成 Hg - 白蛋白复合物。复合物中的汞以 3 种形式进入肾细胞：①与血浆中 GSH、CyS 交换形成 Hg - GSH、Hg - CyS 复合物，这些小分子的复合物可以被转运到肾细胞内；②与肾细胞膜上的含巯基的蛋白交换进入细胞内；③含汞可滤过的白蛋白通过细胞的胞吞作用（endocytosis）进入肾细胞。朱砂可致小鼠受孕率降低，朱砂中的汞可通过胎盘屏障进入胎鼠体内。孕兔、幼兔、成年兔经口给予朱砂均能较快吸收，3 组动物对朱砂中汞的吸收程度依次为孕兔 > 幼兔 > 成年兔，同时发现新生兔血汞浓度高达 102.3μg/L，显著高于成年兔及幼兔。对各脏器汞含量测定发现，胎盘汞含量最高，认为朱砂中汞可透过胎盘进入胎儿体内。

### （二）含砷类中药

自古以来，人类一直在临床医学中应用含砷制剂治疗多种疾病。砷在欧洲曾被当作一种有巨大活性的强壮剂而应用。砷类中药以含砷化合物为主要成分，主要包括砒石或砒霜（$As_2S_3$）、雄黄（$As_2S_2$）、雌黄（$As_2S_3$）等，有些制剂中也含砷化物。此外 Fowler's 液（16% $K_2AsO_3$）是西药中常用的砷剂。上述含砷药物在哮喘、溃疡病、皮肤病、白血病、糖尿病、风湿病，梅毒和寄生虫等传染病治疗方面曾发挥了独特的功效。

**1. 三氧化砷（砒霜，White Arsenic，$As_2O_3$）** 1865 年 Lissauer 用亚砷酸钾（氧化砷的碱溶液）治疗慢性白血病。1931 年 Forkner 用其来治疗慢性粒细胞白血病（CML），9/10 有反应。20 世纪 70 年代起，韩太云据民间验方制成癌灵一号（内含砒石和轻粉，其中每毫升溶液中含的 $As_2O_3$ 1mg 和氯化亚汞 0.01 mg）治疗白血病和其他肿瘤。1984 年张亭栋等报道运用癌灵一号治疗急性粒细胞白血病（APL）81 例，完全缓解（CR）22 例，其中以 APL 效果最为显著，哈尔滨小组总结了 1973 年～1998 年以 As2O3 注射液为主共治疗初治者 APL 1247 例，CR 率为 76.4%，PR 率为 12.1%，5 年生存率达 49.8%；治疗复发性 APL 104 例，CR 率 54.9%，CR + PR 为 67.7%。

中医研究院西苑医院自 20 世纪 90 年代以来治疗 APL 62 例，亦取得良好疗效：19 例初发者中 18 例达 CR，占 94.7%；12 例复发者中 9 例达 CR，占 75.0%；31 例缓解期 APL 经 $As_2O_3$ 巩固治疗后现绝大多数获持续缓解。1999 年山西医大血液内科将 75 例 APL 患者分为 $As_2O_3$ 与 ATRA 治疗两组，CR 率分别为 86.4% 及 84.2%（$P > 0.05$），两组缓解期及无病生存期亦无显著差异，且 $As_2O_3$ 副作用小，均为可逆性。钟永根观察砷剂治疗维甲酸诱导缓解后复发的急性早幼粒细胞白血病（APL）的疗效。认为是一种较理想的治疗复发性 APL 的诱导分化剂。汤孝优等报道口服 $As_2O_3$ 治疗 APL，疗效良好，毒副反应不明显。

**2. 作用机制** 直接细胞毒作用：实验研究表明，砷化合物能与组织（蛋白质）中的巯基（－SH）结合，使含巯基酶失去活性，因而抑制了白血病细胞过多地增殖。此外，砷通过干扰线粒体的能量代谢抑制肿瘤细胞增殖甚至其死亡。动物实验结果表明癌灵一号注射液能抑制和杀伤 $G_1$ 期进入 S 期的细胞。体外检测癌灵一号的抗癌活性，证实该药对白血病细胞胞膜的破坏，使 DNA，RNA 的合成以及克隆增殖能力的丧失。提示 $As_2O_3$ 对白血病细胞有直接的细胞毒作用。另外，发现癌灵一号在癌细胞和正常细胞之间有选择性，即使长期用药对骨髓造血功能亦无抑制，反而刺激造血功能。另有学者认为，砷剂是否对正常细胞有毒性作用取决于其剂量，如 $As_2O_3$ 治疗 APL 有效血浓度及体外研究其对肿瘤细胞作用的浓度均在 0.1～2.0μmo1/L，实验表明 $As_2O_3$ 在此浓度下对造血干细胞影响甚小。

促进部分分化：临床实践发现 $As_2O_3$ 在治疗过程中，大多数患者出现白细胞上升，同时分类中早幼粒细胞比例逐渐减少，中晚幼粒细胞逐渐增加，这些变化与 ATRA 诱导的分化颇为相似，表明常规剂量 $As_2O_3$ 会诱导 APL 细胞成熟分化。细胞表面的分化抗原 CDllb 和 CD33 的表达分别上升和下降，虽然这些分化相关抗原的变化与 ATRA 诱导的终末分化一致，但其调变程度明显低于后者。

诱导凋亡：细胞凋亡亦称程序性细胞死亡，是细胞的一种不同于坏死的死亡方式。哈医大发现，大多数 $As_2O_3$ 治疗有效病例的骨髓细胞发生细胞凋亡时形态学改变，结合体外研究，提出 $As_2O_3$ 对 APL 细胞有诱导分化作用，并可能通过“原浆毒”作用同时诱导细胞凋亡，大剂量时有抑制细胞增殖作用，这种作用的依次出现与治疗的积累量有关。上海血液研究所发现 $As_2O_3$ 对 APL 细胞株 $NB_4$ 细胞有剂量依赖性双重效应。高浓度（0.5μmol～2.0μmol/L）$As_2O_3$ 诱导细胞凋亡；低浓度（0.1μmol～0.5μmol/L）$As_2O_3$ 长时间作用（10 天～14 天）诱导细胞部分分化。这一发现也在体外培养的原代 APL 细胞以及通过荧光原位杂交（FISH）和 TdT 标记反应在体内受药物作用后的 APL 细胞得到证实。亦发现 $As_2O_3$ 可诱导 CML 细胞株 $K_{562}$细胞、多发性骨髓瘤（MM）细胞（KM3，NOP－I），HTLV－I 转染的细胞（ATL）、B－细胞白血病细胞株 $KOCL_{44}$和 $LyH_7$ 细胞发生凋亡。1mmol/L $As_2O_3$ 可减少慢性淋巴细胞白血病、非霍奇金淋巴瘤细胞的存活；轻度抑制 HL60、淋巴瘤细胞株 Raji 和 Daudi 细胞的增殖，引起其 $G_1$ 阻滞；可抑制 $NB_4$，NOP－1、淋巴瘤细胞株 NOL－3 和髓系细胞株 NKM－1 的增殖存活。临床应用氧化砷治疗 ATRA 难治或复发病例有显效，说明维甲酸与 $As_2O_3$ 无交叉耐药。体外研究发现 1.0μmol/L $As_2O_3$ 可诱导维甲酸耐药的细胞株 MR－2 细胞凋亡，提示 $As_2O_3$ 以一种不依赖于维甲酸调节途径的方式发挥作用。

分子机制：PML－RARα 可能是 $As_2O_3$ 的靶之一，APL 的一个重要细胞遗传学特点是染色体（t15；17）（q22；q21）易位，该易位导致 PML 基因和维甲酸受体 a（RARα）基因融合，表达 PML－RARα 融合蛋白。新近的转基因小鼠已证实该蛋白是 APL 发病的主要分子基础。也有人报道 PML－RARα 融合蛋白可能为抑制细胞凋亡的癌蛋白。研究发现，$As_2O_3$ 对 MR－2，$NB_4$ 细胞作用时，PML－RARα 融合蛋白降解早于细胞凋亡，0.1mol/L $As_2O_3$ 即足以降解 PML－RARα。朱军等也证实 $As_2O_3$ 降解 PML－RARα 中的 PML 组分。经氧化砷治疗的患者骨髓细胞的 PML/PML－RARα 显著减少，多数获 CR 者其PML－RARαmRNA转阴。氧化砷治疗无效者经RT－PCR检测多无PML/RARα。提示PML－RARα可做为一个靶分子参与效应，$As_2O_3$可能通过降解PML－RARα融合蛋白而诱导细胞凋亡。$As_2O_3$明显下调bc1－2基因，其结果是bc1－2/bax比值减少，这可能是$As_2O_3$诱导$NB_4$细胞凋亡的机制之一。

半胱氨酸蛋白酶家族（Caspases）是细胞凋亡过程中的重要激酶。有实验发现砷诱导B－细胞白血病细胞株$KOCL_{44}$和$LyH_7$细胞凋亡与Caspases活化有关。在1.0μmol/L $As_2O_3$诱导$NB_4$细胞凋亡时，CPP32（Caspases 3）被激活和降解多聚ADP核糖多聚酶（PARP），同时Bcl－2下调；在2.0μmol/L $As_2O_3$诱导恶性淋巴瘤细胞凋亡时，同样可见CPP32酶切激活、PARP降解。Caspases酶抑制剂Z－VAD．frnk可阻断$As_2O_3$诱导的细胞凋亡。巯基基团可能是氧化砷的感受器（sensor）较多资料表明，线粒体内膜的通透性转变（Perme－ability transition，PT）、转运孔开放、跨膜电位（Δψm）下降是细胞凋亡发生的关键和不可逆性环节。氧化砷可消耗线粒体的巯基，诱导活性氧类（reactive oxygen species，ROS）产生，降低NAD（P）H水平，增加PT孔的通透，释放细胞色素C及凋亡诱导因子，使维持线粒体功能所必需的跨膜电位ΔΨm减低，随后引起级链式的凋亡反应。另外，$As_2O_3$通过与细胞内游离巯基结合，进而改变细胞内信号传导，选择性激活Caspases酶，导致细胞凋亡。巯基保护剂DTT、乙酰半胱氨酸能有效抑制氧化砷对APL细胞凋亡的诱导效应，同时也能抑制氧化砷诱导的PMI－RARα的降解，而GSH合成抑制剂二巯基硫氨（BSO）则显著加强这些效应。另外还与其他蛋白酶的活性有关，研究表明：$As_2O_3$诱导$K_{562}$。细胞凋亡的机制可能是通过降低细胞内某些蛋白尤其BCR/ABL蛋白的酪氨酸蛋白激酶（PTK）活性，减少蛋白酪氨酸磷酸化以及下调JAK2蛋白的表达，从而阻断BCR/ABL抗凋亡信号的传导，诱导$K_{562}$细胞凋亡；同时也可能通过影响Rb蛋白磷酸化干扰细胞周期$G_1$/S期的转换，延长细胞周期时间而抑制$K_{562}$细胞生长。

### （三）雄黄（$As_2S_2$）

**1．雄黄系硫化物类矿物** 雄黄味辛苦、温，有毒，有燥湿、祛风、杀虫、解毒功能，主要成分为 $As_4S_4$ 和 $As_2S_2$。近年来国内学者渐将其用于治疗血液病，取得可喜进展。临床应用：20 世纪 60 年代起，国内有人应用含雄黄复方制剂（牛黄解毒片、六神丸、抗白丹、慢粒片等）治疗白血病，有效率达 80%左右。80 年代进一步观察了青黄散对急性白血病的疗效，治疗 6 例急性非淋巴细胞白血病，剂量与治疗 CML 同，其中 2 例 APL 及 1 例急性单核细胞白血病获 CR。1995 年初，向阳等以复方青黛片（主要成分为雄黄、青黛）治疗 APL 60 例，CR 率高达 98.3%。其后又总结了 18 例 APL，CR 率达 100%。随后证实雄黄是复方青黛片治疗 APL 取得高缓解率的重要成分。有人应用复方白血宁 1 号（由雄黄、黄芪、当归、苦参等药组成）治疗恶性血液病，亦取得较好疗效。单味雄黄临床实践表明，雄黄对急性非淋巴细胞白血病（$M_{1,2,4,5,6}$）、慢性粒细胞白血病、骨髓增生异常综合征（MDS）均有一定疗效。1978 年，蚌埠医学院内科血液组报道，用单味雄黄治疗慢粒（CML）7 例，CR 4 例，PR 2 例，未见重要脏器明显毒性反应。用市售雄黄治疗 MDS，发现对难治性贫血伴原始细胞增多（REAB）型效果明显优于难治性贫血（RA）型，认为雄黄对恶性克隆增殖性疾病疗效较好。又以雄黄治疗 APL 9 例，7 例达 CR。1998 年底，陆道培等总结用雄黄或纯化雄黄治疗 APL 66 例，均获完全缓解，Kaplan Meier 统计 2a 和 3a 生存概率为 100%。纯化雄黄较原产雄黄毒副反应明显减少，认为单用雄黄治疗 M3 白血病对初治、耐药、复发和维持缓解都有确切疗效。

**2. 机制研究**　实验研究表明：青黄散对 $L_{615}$，$S_{180}$细胞的 DNA，RNA 合成有不同程度的抑制作用，且药物与细胞作用存在量效关系，提示青黄散治疗 CML 的可能机制之一是抑制 DNA，RNA 的合成。在治疗中无 1 例发生骨髓抑制。西苑医院研究发现青黄散对正常造血细胞无明显不良影响，而马利兰则呈明显的抑制作用，提示青黄散对白血病细胞可能有选择性抑制作用。西苑医院对 CML 病人治疗过程中的骨髓细胞作了动态超微结构观察，发现白血病细胞发生核溶解、固缩、破碎及混合性变性坏死。已证实雄黄对 $NB_4$，HL-60 细胞有促进凋亡的作用。张晨发现雄黄能诱导 $K_{562}$细胞凋亡，其线粒体膜 APO 2.7 蛋白明显表达；也能诱导多药耐药细胞 $K_{562}$/ADM

细胞凋亡，在48 h后P－gp的表达下调。进一步研究发现，低剂量雄黄作用于$NB_4$细胞的早期主要以诱导细胞凋亡为主，未见明显分化现象，并且没有伴随bcl－2的下调，而不同于高剂量时所表现的S期和$G_2$期细胞的分布减少和消失。因而不同剂量的雄黄可能通过不同的途径选择性地清除APL细胞，而其中的机制十分复杂，尚待进一步深入研究。雄黄还有致突变作用。给雄性小鼠灌胃不同剂量的雄黄共6周，测定骨髓嗜多红细胞微核发生率的变化。结果1.0g/kg诱发雄性小鼠的微核率显著高于阴性对照组，并随剂量的增加，骨髓嗜多红细胞微核率升高。雄黄的其他药理作用：明显抑制金黄色葡萄球菌，增强网状内皮系统的吞噬功能等。雄黄的药代动力学研究：雄黄中主要成分为$As_2O_3$，其进入人体后分布于各器官组织中而对人体产生毒害，服用含雄黄的复方制剂对家兔连续给药7天，实际测得$As_2O_3$在肝脏的蓄积量为0.632mg，进入人体内的$As_2O_3$主要分布在肝和脾，其吸收量也低。另外，有人给健康男性服用含雄黄的牛黄解毒片后进行尿中砷的测定，结果表明，服药后尿中砷含量明显增加，在2～3天出现高峰值，以后下降，至第7天恢复正常。用不同剂量的雄黄（50，150，450 mg/（kg·d））给Wistar大鼠持续灌胃5周，取血并取组织脏器，采用氢化物原子荧光法测定血液及各脏器中总砷含量。结果：大鼠雄黄后摄入的砷几乎在所有的组织器官中都有分布。其中砷在血液中的蓄积量最高，3组灌胃大鼠全血中总砷的浓度分别为（24.11±2.48）、（45.13±3.96）、（61.054.49）μg/ml。肝、肾、脾、肺、心脏和胫骨等砷含量可达3.35～12.98μg/g（湿重），是砷蓄积较多的器官组织，而脑、皮毛睾丸和肌肉等组织砷含量<1μg/g（湿重）是砷蓄积量较少的部位，详见表9。尤其是睾丸和肌肉中的含量<0.38μg/g（湿重），且不随雄黄服用量的增加而进一步升高。大鼠灌胃后血液中的总砷浓度是肝肾等器官的10余倍，可见吸收的砷主要滞留在血液中，这与其他可溶性无机砷情况相同。灌胃高剂量雄黄的大鼠肺中砷浓度达12.98μg/g（湿重），超过了肝、肾组织中砷的浓度。其中部分原因可能是由于灌胃时少量的雄黄通过气管进人大鼠肺脏。除血液和肺外，肝、肾、脾、心脏以及骨骼中也蓄积大量砷，且砷在这些组织器官中的蓄积呈现明显的剂量依

赖关系。砷在肝脏中的代谢对无机砷在体内的生物转化可能起中心作用。肝脏成为无机砷的主要靶器官，这可以由 AS（Ⅲ）与肝细胞质浆蛋白中富含的巯基有很强的亲和性得到解释。通过与巯基结合，砷可以发生甲基化而被解毒。肾脏既是 AS（V）蓄积和甲基化的主要器官，也是砷消除的重要途径。脾脏也是雄黄作用的重要靶器官之一。皮肤、毛发和指甲由于富含巯基而成为砷易于富集的部位。砷可以在皮肤和毛发中缓慢蓄积。

有报道少数 APL 患者长期服用含雄黄的复方青黛片后可出现皮肤瘙痒、粗糙、脱屑或角质化过度及四肢末梢神经炎等症状，此为慢性砷中毒的皮肤神经改变。脑组织中的砷含量与皮毛近似，随着雄黄服用量的加大，脑组织中砷的含量也随之升高，说明吸收入机体的砷能通过血脑屏障进入脑组织。尽管如此，未发现大鼠有明显的神经活动异常。睾丸和肌肉中砷的含量 $<0.38\mu g/g$ 相对其他组织器官要低得多，且不随雄黄服用量的增加而进一步升高，因而受雄黄的作用和影响相对较弱。

砷在生物体内可能存在的形式，有无机态，有机砷小分子，砷的有机化合物及含砷的生物大分子四种存在形态。用冷光原子吸收分光光度法检测大鼠血浆总汞，砷化氢发生分光光度法测定总砷；血中总汞和总砷的药-时曲线显示：30 分钟总汞达高峰（$0.61\mu g/ml$），1 小时后降低，总砷在 1 小时后达高峰（$2.9\mu g/ml$）2 小时后开始降低。研究表明正常大鼠服用安宫牛黄丸总汞在肾脏的含量最高，次之为血液，再次之为肝脏，脑组织的含量最低；总砷含量在血液中的浓度最高，其次为肝、肾组织。

众所周知，氧化砷和雄黄都是传统的有毒中药，历代医家对此应用慎之又慎，近年来，我国学者将其应用于治疗恶性血液病，并且结合现代科学技术在分子水平上对其机制进行研究，引起了国内外研究砷剂的热潮，这对于发展祖国医学，促进中药的现代化、国际化起了重要的推动作用。目前已发现，含砷类中药不仅可治疗血液病，还对肝癌、胃癌、食管癌、神经母细胞瘤等原发或转移性肿瘤有明显作用，对此国际肿瘤学界也给予了高度评价。而且，另外一种砷剂有机砷美拉胂醇（melarsoprol）治疗白血病也很有效，已渐引起人们注意。对砷剂治疗肿瘤机制的研究，发现其不仅诱导肿瘤细胞凋亡，而且抑制其增殖，但含砷类中药的肿瘤细胞反应谱与临床相应的治疗谱，以及含砷类中药诱导细胞凋亡信号传导途径、抑制增的靶分子仍待进一步探索和研究。

**3. 展望**　美国 FDA 称“植物成分所致肾损害”。这些叫法欠准确性和科学性，“Chnese herbs nephoropathy ”反应了一部分国外学者对一些中药理解及应用的片面性，事实上中药肾损害在目前阶段，对其产生的原因、机制、病理实质还不能定论，亦无明确的诊断标准。大多数情况下是在存在药物肾损害的基础上来定是否为中草药肾病，病情轻重尚需要肾穿刺来判断。在确定中草药肾病的过程中，除了将中药品种弄清楚外，还需要排除其他因素：肾外因素，如减肥过程中限制饮食所致的容量不足；进行性肾脏疾病本身出现的肾脏功能和结构损害；有无其他药物肾损害，如风湿性疾病病程中患者可能服用了非甾体类消炎药等。实际上造成含马兜铃酸肾损害的主要原因不是药物本身固有的毒性物质，而是使用这些药物的人对有毒药物未有全面深入的了解就乱用造成的。

应合理使用中药，消除“中药安全无毒”的错误观点。坚持辨证施治原则，避免中药的不合理使用，包括重复使用、剂量过大、疗程过长等。用药过程中注意肾功能的变化，尤其是小管功能的检测，对于早期发现肾损害十分必要。对于药物引起的急性肾功能衰竭，症状明显者易引起重视，但对于慢性小管间质损害，由于症状轻、非少尿型肾衰，往往误认为是原发性肾脏疾病的肾损害。随着现代医学近年来在肾脏病的基础研究的深入，认识到在进行性肾疾患过程中，肾小管 - 间质病变决定了预后，由于中药肾损害主要表现在小管 - 间质损害，这必然给中药在肾病领域的应用提出更高的要求。因此，必须对长期使用中药对肾小管 - 间质功能和结构的影响予以重视。现阶段中药治疗进行性肾疾病的临床研究中，国内主要是从中药对于肾脏的滤过功能减退方面的影响，缺少中药对于小管功能的影响的大宗临床资料，尤其缺少小管 - 间质形态学方面的资料。在临床应用研究有关含 AA - I 中药及复方制剂时，除了注意检查肾透过率方面的检查外，还应监测小管性蛋白 RBF、血和尿中的 β2 - 微球蛋白（β2 - M）以及 NEP。目前尚无中草药肾病的治疗方法，除停药一般按急慢性肾功能不全处理外，可以考虑使用冬虫夏草、糖皮质激素或钙拮抗剂等。

利水渗湿药和祛风胜湿药应是研究的重点：肾脏疾病和风湿性疾病大多病程较长，需要长期用药，且利水渗湿药在肾内科使用频率高、引起肾损害的临床报道最多，而且利水渗湿药既往的药理研究基础薄弱，过去的药理研究仅局限于药物的利尿作用及效价，而缺少长期使用对其作用的主要靶位（小管－间质）的影响的研究。利水渗湿药中的木通所致肾损害已经得到重视和深入研究，其他利水渗湿药可能也有类似的不良影响。美国FDA所关注的肾毒性单味药主要集中在含AA－I成分的利水渗湿药和可能含有或混杂有AA－I成分祛风胜湿药，如木防已、木通、细辛、威灵仙、追风藤等。值得注意的14种复方制剂中就有龙胆泻肝丸、导赤丸、八正丸和妇科分清丸等具有利水渗湿作用的中成药。

含砷类中药在血液病治疗上显示了很大的药用价值，此外含三氧化二砷的中药在治疗过敏性哮喘方面也收到良效。

在长期的医疗实践中，人类对这些有毒性的中药认识不断深入发展，发现了这些中药及重金属的毒性与其存在的化学形式有关。一般来说，西方人将中药不会辨证应用中药方剂和重金属制剂，全部禁止使用，实在是扩大化的做法。对有毒中药应当有选择的用、慎用以及辨证的用；应进一步加强有毒中药的安全性及机制方面的研究。

## 三、正确对待有毒中药

### （一）治疗难顽之症

《神农本草经》中下品有125种，专主大病，多为有毒，不可多服、久服。所以，在现代医学科学发达的今天，有毒中药仍不失其他应有的价值，对一些急重症、难顽之症仍能起到药到病除的效果。对待有毒中药或含有毒中药方剂首先要看它用于治疗哪种疾病，如果是用于“难顽之症”的就应当允许使用，当然要规定服用时间，注意可能出现的不良反应以及禁忌证等。

## （二）不能全按西方人要求对待有毒中药

汉代“医圣”张仲景曾云：“药以治病，因毒为能”。“以毒攻毒”是中医治疗疾病的治则之一，也是中医药的一大特色，在西方医学中也应用许多有毒药物治疗“难顽之症”的例子：用可待因（成瘾性）缓解“百日咳”的症状，吗啡用于癌症病人的止痛等，其实东西方医学理论各异，但对待难治病方面其手段有“异曲同工”之处。西医学中可以用有毒药物治疗一些“难顽之症”，为何中医用有毒中药治疗某些“难顽之症”就冒“天下大不讳”了呢？

## （三）应当正确对待和使用有毒中药

由于西药的毒副作用和化学合成新药的难度越来越大，且耗资巨大，世界上掀起了“回归大自然”的浪潮。中药、中成药受到世界各国的青睐，中药的疗效也得到了进一步的认可，但也出现了一些支流，为了某种目的而夸大其实地宣扬什么“中药是纯天然物质，无毒性，无副作用”因而出现中药及其各种制成品的滥用，同时，此，出现的毒副作用也与日俱增，这是对中医药认识上的一个误区，事实是因中药而引起的毒副作用甚至死亡者，自古以来就屡有所闻所见所论述。为了合理的、科学的使用有毒中药及制剂，应当采取措施：加快药典收载有关有毒药材的科学研究与相关成分的含量和限量，规定其使用的适应证；严格药物使用说明书，规定日服用量和疗程、可能出现的不良反应以及注意事项等；另外，含有毒中药和制剂不得进入 OTC，要求具有一定临床经验的医师才有资格使用等。

# 军 事 医 学

# 航空医学

## 一、基本情况

航空医学是研究航空活动和环境条件对机上乘员健康的影响，及其卫生保障规律，保障飞行人员和机上乘员身心健康的学科。主要包括航空生理学、航空卫生学、航空心理学、航空工效学、航空临床医学和航空卫生勤务学等。

航空医学的总体目标是解决人－机－环境相互适应的问题，研究人体生理、心理如何更好地适应飞行环境，以及飞机和相关武器装备如何更好地适应人体生理、心理活动规律的问题。主要是运用载人离心机、低压舱、空间定向障碍模拟器、弹射座椅等地面模拟设备和飞机，进行模拟飞行和实际飞行环境的实验研究和验证试验，研究飞行环境对人体的影响，以及预防和克服这些不良影响的方法，鉴定飞行员防护装备的防护效果。主要研究任务：①研究航空环境的各种条件，如气压、温度变化和缺氧、有害气体、空间辐射、加速度、震动、噪声及气象条件等因素，对人体的影响和人的代偿适应能力与耐受限度，为制订医学保障措施提供科学依据；②飞机座舱环境控制和个体防护救生装备生理卫生学要求，提出合理的装配方案，并对研制产品进行医学试验鉴定；③飞机座舱设备的布局，人机结合形式及其功能分配，以及信息显示器和操纵控制器的人机界面关系，提出适应人体功能的生理心理学要求，并参与试验鉴定样机的工作效能；④制定各类飞行人员身体合格的医学标准，提出身体检查和心理学检查以及医学选拔鉴定的方法；⑤飞行人员工作负荷的特点及测定负荷强度的技术方法，制定相应的生理心理训练方案，提出合理的作息制度、营养标准及各种卫生保健措施；⑥各种航空性病症、飞行失事与武器致伤的临床医学问题，提出相应的预防和诊疗措施，以及各种病症的飞行限制和飞行期间的合理用药问题；⑦飞行事故及人员伤亡的医学原因，从身心健康状况、飞行工作负荷和人机系统关系、防护救生装备等方面进行分析，提出相应的改进措施，并研究飞行人员救生的医学问题；⑧飞机乘客和空运伤病员的适航条件，飞行中的急救护理技术，以及防止空运传播疾病的措施；⑨模拟航空环境条件的地面实验设备和在地面实验和实际飞行活动中测试人体生理心理功能的信息获取、显示记录、数据处理等专用仪器；⑩航空卫勤保障的任务、组织、装备、制度、工作方法以及飞行员专项体能医学训练等。

航空医学研究将充分运用先进科学技术，系统深入地研究航空活动中日益严峻的各种环境因素对人体更长时间复合作用的影响及其机制，以及飞行工作负荷的新特点；改进测评飞行员身心健康和飞行能力的方法，寻求更有效地保持与提高飞行适应能力的措施，以适应新机种飞行任务的要求；并为发展新型飞机高效能的人机系统和生命保障系统，提出更加适宜的生理、心理及卫生学的工程设计参数和技术方案。

## 二、重要进展

### （一）航空生理学

**1．高过载对前庭功能和空间定向能力的影响及防护研究** 地面模拟航空飞行中高过载对动物耳石器系统的影响，发现给予的10Gx 10 min、10Gz 1 min和10Gy 1 min三种刺激中，只有10Gx 10 min暴露后出现了明显的前庭系统功能和结构的改变。实验观察了人体离心机高过载暴露后的前庭功能和空间定向能力变化特征，发现即使在一般过载（4～5Gz）下动头也可以诱发出前庭功能的改变，但若不动头，前庭系统于9Gz下暴露也是安全的。研究认为，实际过载环境下飞行应尽量避免动头动作，以防止诱发前庭功能紊乱，引起空间定向障碍。

**2．高压差座舱迅速减压肺损伤研究** 探讨军用飞机座舱意外减压时不同减压峰值对肺部损伤情况，为制定飞行员防护救生措施和研制防护装备提供生理学依据。通过大白兔动物实验模型进行不同减压峰值的迅速减压实验，在动物实验基础上，建立机体肺脏迅速减压模型，获得机体耐受范围。结果发现，地面对照组和慢减压对照组兔肺脏基本未造成损伤，迅速减压组兔随着减压峰值的升高，肺脏损伤程度逐渐加重。当减压峰值大于9.77 kPa（997 $mah_o ut$）时，大体解剖可见兔肺脏出现了不同程度肺表面出血、水肿、充血性和（或）出血性压痕、甚至肺脏发生破裂。在光镜下可见：肺泡管、肺泡囊结构破坏，肺泡腔有红细胞、巨噬细胞渗出，大量肺泡壁断裂，融合成大空泡，肺泡间隔增宽、充血水肿。在电镜下可见：Ⅰ型及Ⅱ型肺泡细胞膜结构不清，细胞间连接松散，Ⅱ型肺泡细胞内发现肿胀的线粒体及扩张的粗面内质网，板层小体不清楚，表面微绒毛有脱落。当迅速减压峰值达到9.77 kPa时，兔出现轻、中度的肺脏损伤，提示9.77 kPa的减压峰值可能是兔的损伤耐限。使用兔背心对兔的胸、腹壁提供防护，能够有效地减轻迅速减压峰值对肺脏的损伤，提高损伤耐限。

**3. 持续性高过载生理卫生特点及防护措施研究** 对高性能战斗机飞行员的+Gz耐力选拔训练方法、先进囊式抗荷系统、推拉效应防护措施三方面开展了研究，目的是提高飞行员的抗荷能力和抗荷装备的性能及提出推拉效应防护措施。共进行了9组73人的离心机人体试验。主要结果：①提出了HP与PHP新的抗荷动作。HP与PHP动作具有心脏负荷小、呼吸节律易控制、疲劳轻、易与装备结合等优点；②对飞行员的+Gz耐力选拔方法进行了改进。飞行员+Gz选拔时的双腿用力程度在10kg以下，呼吸方式采取HP动作；③飞行员离心机+Gz耐力训练方法，飞行员着抗荷装备和采用HP或PHP新的抗荷呼吸方式，3天内完成离心机训练；④飞行员抗荷体能训练方法。飞行员经8周训练后，HP动作抗荷效果平均达到了3.5G，较体能训练前平均提高了2G。采用抗荷服与HP动作结合，可对抗8G；采用抗荷服、PBG与PHP动作结合，可对抗9G；⑤先进囊式抗荷系统的研制及生理卫生学要求的研究。多囊式抗荷服的抗荷性能达到了2.60G，抗荷系统的抗荷性能达到了4.40±0.14G，再做适度用力的PHP动作能够对抗+9.0Gz；⑥推拉效应防护措施的研究。推拉效应引起抗荷服性能下降0.80G，HP动作可对抗推拉效应。受试者下体正压后 + Gz 耐力显著下降 0.70G，但采用 HP 动作仍提高耐力 3.40G；抗荷正压呼吸可对推拉效应进行防护，受试者在下体正压后穿抗荷服时的 + Gz 耐力降低，但是在 PBG 的防护下可保证受试者的 + Gz 耐力保持在原有水平。其抗荷性能应达到 4.0 ~ 4.5G 以上，飞行员不用力做抗荷动作或适度紧张就能够对抗 + 9Gz。

**4. + Gz 致脑损伤和学习记忆障碍的机制** 建立模拟加速度引起的意识丧失（G - LOC）的动物模型，以颈总动脉血流量降为 0 作为动物发生意识丧失的监测指标，离心机实验时以眼水平动脉血压降为 0 可代替颈总动脉血流量作为动物意识丧失的监测指标。结果显示，高 G 暴露致脑损伤和学习记忆损害的性质、时程及其恢复情况：+ 10 Gz/3 min 重复暴露 3 次可引起大鼠脑皮层神经元损害，这种改变是可逆性的；+ 10Gz/3 min 暴露可引起大鼠暂时性学习记忆功能障碍；+ 10 Gz/5 min 暴露可引起大鼠严重的持续性学习记忆功能障碍。结论认为，高 G 暴露引起的脑缺血是导致脑损伤和学习记忆障碍的主要原因，其生物化学及分子生物学机制涉及脑能量代谢降低、脑离子平衡紊乱、血脑屏障通透性增加、脑 - 氧化氮合酶和 c - fos 表达增加及 HSP70 的保护作用等；颅内压力剧烈变化和应力增加是高 G 致脑损伤的重要因素之一；血液流变学特性改变在高 G 致脑损伤中起一定作用。

**5. 战斗机飞行员脑应激疲劳与立位耐力的关系研究** 针对飞行员脑应激疲劳对脑认知功能、立位耐力可能产生的不良影响，通过测定脑应激条件下的立位耐力、脑血流、认知操作能力、心脑生物电变化规律来研究它们之间的相互关系，为战斗机飞行员健康鉴定及选拔提供实验方法和理论依据。观察了 45 名战斗机飞行员在从事连续 5 小时的“连续操作”认知活动中的认知操纵能力、立位耐力、脑血流、心 - 脑功能电生理指标的动态变化规律。结论：①操作认知任务对脑疲劳的影响明显大于非操作认知任务，且更易诱发脑应激疲劳和脑平均血流速度的改变。因为操作认知任务与飞行能力关系密切，有助于提高脑应激疲劳对飞行能力危害的认识。②脑极度认知疲劳诱发立位耐力下降与脑区（或部位）自身调节功能障碍继发导致供应该区（或部位）的脑血流下降有关，说明与心血管的抗 G - 负荷能力类似，脑血管也存在抗认知负荷能力，这为今后研究制定脑功能防护标准奠定了基础。③持续认知操作活动诱发脑应激疲劳对头部供血的影响是间接的，即通过自主神经调节引起心血管功能的抑制，使颈动脉供血不足，并造成大脑中动脉 Vm 大幅度的降低，这是导致立位耐力或 G－耐力不良的诱因之一。④发现飞行员认知操作能力、立位耐力、心－脑功能电生理参数呈近似正弦样曲线波动（24h）。脑应激疲劳状态下没有改变心－脑功能指标在各时间段的整体变化规律，但均偏离（升高或降低）基础水平。该曲线的建立有助于了解心－脑功能间的相互关系。模拟研究极端疲劳状态下飞行员的心－脑生物节律对认知能力、飞行耐力的影响，对平战时适合飞行心－脑功能的鉴定和防护有实际应用价值。⑤发现脑应激疲劳对不同时间段心－脑功能的影响存在差别。在 04:00～06:00 时段以影响立位耐力为主，而在 23:00～01:00 时段以影响认知操作能力为主，对这种差别的认识有助于帮助指挥员有针对性的制定飞行计划和进行飞行训练。

**6．既往运动病易感性对科里奥利加速度耐受性的影响** 研究目的是观察既往运动病易感性水平对科里奥利加速度耐受性是否有影响。用运动病易感量表筛选 58 名不同运动病易感的健康志愿者，通过垂直轴旋转刺激（每秒钟 60°顺时针旋转）使身体旋转，以恶心评定量表、恶心问卷和旋转耐受时间为指标观察不同易感者的症状程度和旋转耐受时间的差异。结果表明，既往运动病易感组童年期运动病易感得分、成年期运动病易感得分、运动病易感总分均高于非易感组（$P<0.01$）。运动病易感组和非易感组旋转耐受时间差异无显著性意义。易感组旋转前、旋转后即刻、旋转后 15 min、30 min 恶心评定量表得分均高于非易感组，差异有显著性意义。易感组恶心问卷总分、消化道不适得分、情绪困扰得分高于非易感组，差异有非常显著性意义（$P<0.01$）。既往运动病易感性与旋转耐受时间不相关；与旋转前、旋转后即刻、旋转后 15 min、30 min 恶心评定量表得分、恶心问卷总分、躯体不适得分、消化道不适得分和情绪困扰得分呈显著相关。结论认为，既往运动病易感性影响科里奥利加速度耐受性，可作为试验性运动病的预测指标。运动病易感性与科里奥利加速度耐受时间不相关；与旋转前、旋转后即刻、旋转后 15 min、30 min 恶心评定得分、恶心问卷总分、躯体不适得分、消化道不适得分和情绪困扰得分呈显著相关。以运动病易感量表

为标准筛选受试者，将高于常模分数的受试者定义为运动病易感者，将低于常模分数的受试者定义为非易感者。采用科里奥利加速度旋转作为刺激，以恶心评定量表和恶心问卷为指标评定受试者的恶心程度，以受试者在转椅上的旋转时间为旋转耐受性的指标。结果显示，两组受试者的恶心量表基础值、旋转后即刻值、旋转后 15 min 和 30 min 值均有显著性差异，提示易感组受试者在旋转前、后的恶心症状较非易感组受试者严重。用恶心问卷对两组受试者旋转后的恶心症状、躯体不适、消化道不适和情绪困扰进行测试发现，易感组受试者的总分、消化道症状分和情绪困扰得分高于非易感组，差异有显著性，而躯体症状得分两组间比较无显著差异。结果显示，科里奥利加速度刺激导致的症状更多地表现在消化道不适和情绪困扰方面。并且运动病易感者存在前庭自主神经的高活动性和明显的情绪反应，两者共同作用导致易感者对旋转刺激的耐受性较低。相关分析显示，运动病易感量表总分与不同测试时间的恶心评定得分、旋转后恶心问卷各指标均呈显著相关。提示，既往运动病易感性是导致受试者出现较为严重的运动病症状，进而导致不能耐受旋转刺激的主要因素。

**7．高空加速度生理学研究** 对意识丧失（G－LOC）与准意识丧失（A－LOC）、高＋Gz 暴露时对机体的影响、飞行员＋Gz 耐力选拔与抗荷生理训练、抗荷装备、后倾座椅、推拉效应与防护、颈部损伤与防护、G－LOC 监测与防撞系统的研究表明：①G－LOC 造成的一等事故率仍然很高，不良的抗荷动作是其主要原因，飞行时间短和年轻飞行员更易发生 G－LOC。A－LOC 在认知、身体、情绪等方面表现出各种症状；②重复高＋Gz 暴露对人心脏等器官或各系统可能产生不良影响，并应关注＋Gz 暴露引起的色觉变化；③飞行员＋Gz 耐力选拔与抗荷生理训练应采用动态飞行模拟器进行选拔和飞行任务训练；④抗荷装备发展应同一体化生命保障系统、后倾座椅与座舱设计应系统协调；⑤HP 动作及抗荷正压呼吸对推拉效应有显著防护作用，但对－Gz 的防护应在防护装备上加强研究；⑥颈部支撑系统是防止颈部损伤的根本出路；⑦研究空中失能预警和自动改出及防撞系统。

**8．脑应激疲劳时脑平均血流速度变化特征与立位耐力关系** 动态观察战斗机飞行员持续认知操作活动诱发脑应激疲劳时，不同脑功能区平均血流速度（Vm）变化特征与立位耐力的关系，为飞行员脑功能鉴定及防护提供试验方法和依据。测试了45名飞行员（平均年龄27.5±2.6岁）在完成5 h连续操作任务期间的Vm，同步分析Vm、立位耐力与心－脑功能指标间的变化关系，并对脑功能状态进行脑疲劳倾向性评定（SSS）。结果：在持续认知操作活动初期（1～2 h内），大脑中动脉Vm增快，前、后动脉Vm无显著变化；后期（出现应激疲劳的第4 h），大脑后动脉Vm先于中动脉下降，中动脉Vm直至出现PSS时才大幅度降低，降低幅度分别达40%～55%，前动脉Vm也下降27%，与基础状态比较差异有显著性意义（$P<0.05$）。在认知操作活动初期，立位耐力差异无显著性意义，发生脑应激疲劳时与Vm发生同步降低，脑电功率指数连续操作能力指数测试及SSS主观评定表明心－脑出现了严重抑制。结论认为，脑应激疲劳末期（>4 h），大脑中动脉Vm与立位耐力同步下降，“连续操作”活动极易诱发脑应激疲劳，有可能是导致立位耐力降低的因素之一。

**9．脑应激疲劳时不同认知任务对脑平均血流速度的影响特征** 动态观察战斗机飞行员持续认知操作活动时，不同脑功能区平均血流速度（Vm）变化特征，为飞行员脑功能鉴定及防护提供试验方法和依据。分别测试45名飞行员（平均年龄27.5±2.6岁）在完成5 h连续心算和连续操作任务期间的Vm，同步分析认知操作能力指数并对脑应激疲劳诱发的嗜睡倾向进行斯坦福嗜睡量表（SSS）的评定。结果显示，连续心算初期（1～2 h内）大脑前动脉（ACA）Vm增快，后期（第4～5 h内）减慢，中动脉（MCA）、后动脉（PCA）Vm无显著变化；连续操作后期（第4～5 h内），PCA的Vm先于MCA的Vm减慢，ACA、MCA、PCA的Vm直至第5 h才明显下降。反映连续操作能力的NAI指数在初期呈上升趋势，而后期明显下降。反映心算能力的失误率在后期明显上升。SSS主观评定表明脑功能在后期出现了抑制。结论认为，不同类型的认知活动对脑Vm的影响存在差异，较轻的脑应激负荷（连续心算）不会引起MCA的Vm显著变化，但连续操作任务（>4 h）极易诱发脑应激疲劳和MCA的Vm大幅度降低。

**10．莫达非尼对人体基础＋Gz耐力和科里奥利加速度耐力的影响** 观察了服用常规剂量的莫达非尼对人体基础＋Gz耐力和科里奥利加速度耐力的影响，为该药在高性能战斗机飞行员中的应用提供试验依据。结果：服用莫达非尼与安慰剂后 1 h，两组的基础 + Gz 耐力分别为 3.86 ± 0.24 和 3.79 ± 0.27、科里奥利加速度耐力分别为 25.57 ± 11.67 和 30.56 ± 10.25，莫达非尼与安慰剂间的观测指标均无明显差异。结论认为，服用莫达非尼 200 mg 起效后对人体基础 + Gz 耐力和抗运动病能力均无明显不良影响。

**11．新型抗荷系统抗荷性能的生理学研究** 9 名志愿者受试者，在离心机 + Gz 增长率为 3 G/s 条件下，测定 KH – x 抗荷服、DC – x 高空代偿服、FLH – x 高空海上联合救生服配 KT – x 抗调器、抗荷正压呼吸以及抗荷系统的抗荷性能，并测定受试者在 + 6.5 Gz、 + 9.0 Gz 下的持续时间。结果显示：KH – x 抗荷服、DC – x 高空代偿服和 FLH – x 高空海上联合救生服与抗调器配套的抗荷性能分别达到 2.11 ± 0.44、2.25 ± 0.40、2.11 ± 0.55 G；抗荷正压呼吸（PBG）的抗荷性能分别达到 2.13 ± 0.58、2.04 ± 0.09、2.10 ± 0.14 G；抗荷系统的抗荷性能分别达到 4.07 ± 0.12、3.75 ± 0.52、4.04 ± 0.09G；受试者采用本抗荷系统，并做 PHP 动作，均通过 + 6.5 Gz/45 s 和 + 9.0 Gz/15 s。结论认为：新型抗荷系统的抗荷性能明显提高，基本满足了飞机的高 + Gz 防护需要，而采用胸部无代偿抗荷正压呼吸仍可达到 + 9 Gz，受试者并无不适反映，是因胸廓受 + Gz 作用，视重增加起到一定代偿作用的结果。

**12．新型综合抗荷措施防护效果的生理学研究** 研究以新型囊式抗荷系统、无胸部代偿的抗荷加压呼吸及 PHP 动作组成的新型综合抗荷措施的防护效果，观察 + Gz 暴露对血中心肌损伤生化标志物、皮质醇及睾酮浓度的影响。8 名受试者使用 3 种配套方式的新型囊式抗荷系统按 5 种模式进行了共计 15 组 + Gz 暴露试验。在 + Gz 暴露前及结束后次日采取静脉血检测血清肌酸激酶、肌酸激酶同工酶、乳酸脱氢酶、心肌肌钙蛋白 I、T、皮质醇及睾酮浓度的变化。结果表明，新型囊式抗荷系统的抗荷效果可达 4.0 G 以上。进行较小强度的 + Gz 暴露时，血清皮质醇及睾酮水平无显著变化，大载荷 + Gz 暴露后二者均降低。根据血清睾酮/皮质醇浓度比值分析，新型囊式抗荷系统及综合防护措施可以减少 + Gz 暴露时机体的消耗，使机体保持良好的机能状态。与 + Gz 暴露前相比，血清 CK 及 CK – MB 活性在 + Gz 暴露结束后次日升高。结论认为，新型综合抗荷措施可以满足现代高性能战斗机的高 G 防护需要；Gz 暴露后血清 CK 及 CK - MB 活性升高，其主要原因是在高 + Gz 暴露并做抗荷动作时，机体内发生多种生理变化，导致肌细胞能量代谢紊乱，膜通透性升高，酶分子从胞内逸出增加。受试者的血清心肌肌钙蛋白浓度升高至确定心肌发生“轻微损伤”水平，提示 + Gz 暴露并非对人的心肌无不良影响。

## （二）航空心理学

飞行学员心理素质训练　具有健康体格和良好心理品质已成为评价飞行学员生源质量的重要指标。训练针对飞行特点，加强心理素质培养，增强心理卫生储备，增加机体对外界环境的反应能力。培养学员具有感知敏锐、思维敏捷、记忆力好、动作灵活协调和注意分配能力强等个性特征。提高自我调节能力和飞行训练效率，降低飞行训练淘汰率。

**1. 知觉质量对汉字心理旋转事件相关电位 P300 的影响**　通过观察知觉质量高低不同的刺激图片对心理旋转加工的认知加工波 P300 的影响，探讨心理旋转的认知加工波。反应时随着刺激图片从 0° ~ 180°增加而增加，加入视觉干扰，使得平均反应时延长 120 ms。不同旋转角度之间相比较，顶点 Pz 点 P300 的波幅和潜伏期均存在显著差异（$F = 7.669$，$P = 0.001$）。随着旋转角度增加，P300 波幅减小，0°时 13.9 ± 3.0 μV，180°时 10.8 ± 1.9 μV，向负向漂移，潜伏期延长。从刺激图片旋转 180°的 ERP 波形减去旋转 0°的 ERP 波形所得的差异波可以看到，P300 波幅的改变被推后了大约 100 ms 左右。因此，改变刺激图片的知觉质量，延长了心理旋转的知觉编码时间，使得心理旋转加工被推后，P300 的波幅的改变同样被推后，因而心理旋转与 P300 的波幅改变存在功能联系，可认为 P300 为心理旋转的认知加工波。

**2. 莫达非尼对军事飞行学员飞行工作能力和情感状态的影响**　跨时区、远距离及夜间飞行时，可引起飞行人员睡眠不足或疲劳，从而影响其工作能力和情绪情感状态，降低飞行工作能力和战斗力。以军事飞行学员为对象，观察莫达非尼对实际飞行工作能力和情感状态的影响。结果显示：与安慰剂相比，服用莫达非尼对飞行操作、生命体征、视反应时、临界闪光融合频率等指标均无明显影响，但使飞行中心率明显增加（平均增加15.7%，$P<0.01$）、飞行后 RPE 量表的疲劳感积分明显降低（平均降低10%，$P<0.05$）、POMS 量表的“有力好动”感积分明显升高（平均升高20%，$P<0.05$）。结论认为，服用常规单剂量莫达非尼（200 mg）对飞行工作能力无明显不良影响，并有明显提高机体应激反应能力、降低主观疲劳感的作用。研究进一步证实了常规单剂量服用莫达非尼对实际飞行工作能力无明显不良影响，并有明显提高机体应激反应能力和降低主观疲劳感的效果，为今后该药在航空卫生保障中的合理应用提供了重要的试验依据。

**3. 民航飞行人员心理健康状况调查分析** 采用随机抽样方法对中国国际航空公司的148名飞行人员进行 SCL－90 症状自评量表问卷调查。结果存在一定心理问题的飞行人员占16.22%。民航飞行人员 SCL－90 中阳性项目数、强迫因子得分高于全国常模，差异有显著性意义（$P<0.05$）；躯体化因子得分高于全国常模，差异有非常显著性意义（$P<0.01$）；阳性项目均分和人际关系得分低于全国常模，差异有非常显著性意义（$P<0.01$）；其他因子无显著差异。不同年龄段的飞行人员中，50～59岁组的心理健康水平好于其他年龄组，而30～39岁组和40～49岁组的飞行人员的心理健康水平较低；不同的婚姻状况的飞行人员中，已婚组心理健康水平好于未婚组；不同航线上远程航线的飞行人员心理健康水平好于短程航线；在飞行经历上超过20 000 h的飞行人员的心理健康水平好于小于20 000 h的飞行人员。因此，应重视飞行人员的心理健康问题，依据他们的年龄、飞行经历等特点，开展相应的心理健康工作。

## （三）航空工效学

**1. 新型歼击机平视显示仪速度、高度、航向不同显示方案的工效学研究** 比较平视显示仪（HUD）速度、高度和航向信息各自3种不同显示方案的认知使用效果，提出新型战机 HUD 的建议方案。采用3×2重复测量设计，以151名歼击机飞行员为参试对象，完成3种不同显示方案共18幅画面的认知测试，并获取对每种显示方案“优、良、中、差”的等级评定。结果：在 HUD 速度高度和航向信息显示格式中，飞行员对“模拟刻度带Ⅰ

加数字窗”的认知正确率显著高于另外两种显示格式下的认知正确率（P<0.01）。飞行员对各类信息 3 种显示格式“优、良、中、差”评定的人数比例分布有非常显著的差异（P<0.001）。结论认为，新型战机 HUD 速度、高度和航向信息的视觉显示优先采用“模拟刻度带Ⅰ加数字窗”格式。

**2．新型歼击机平视显示仪地空数传指令显示方案的工效学研究** 采用 2×2×2 的三因素重复测量设计，以 151 名空军现役歼击机飞行员为参试对象，完成 HUD 地空数传指令不同显示方案共 8 幅画面的测试，并在试验结束后对每种显示方案做出“优、良、中、差”的等级评定。结果：①飞行员对“单指令窗”的认知正确率显著低于“双指令窗”（P<0.01）。“显示时间”为 3 s 时，“双指令窗”的认知正确率明显高于“单指令窗”显示格式（P<0.05）。“显示时间”为 6 s 时，“单指令窗”、“双指令窗”格式的认知正确率无显著差异；②在正确反应时上，所有因素的主效应和交互作用不显著；③飞行员对“单指令窗”、“双指令窗”两种显示格式的评价无显著差异。结论认为，优先采用“双指令窗”显示格式，并尽可能适当延长数传指令在指令窗口内的停留时间；地空一次性数传指令数量有限时，可以采用“单指令窗”显示格式。

**3．夜视镜及其对视觉功能的影响** 夜视镜对视觉功能的影响研究夜视镜对视觉功能的影响导致佩戴夜视镜事故发生率明显增高。据报道，约 3% 的美国空军飞行员发生过由于使用夜视镜导致的事故或事件，直升机飞行员戴夜视镜飞行的事故率是不戴夜视镜飞行的两倍多。夜视镜对视觉功能的影响主要有视野缩小、视力下降、对比敏感度下降、距离判断和立体视觉障碍、暗适应功能下降、色觉障碍、易发生错觉等问题，此外，还有双目视觉问题、焦距转换带来的不便、外界光线的影响、人工信号对佩戴夜视镜后视觉的不良影响以及视性疲劳等。长时间戴夜视镜还可以引起横向隐斜程度改变，夜视镜在湿度较大环境下和雨中对光线穿透无明显影响，飞行员在进入云中或雾中时往往不能及时发现。

**4．带瞄准具头盔生理学要求研究** 头盔瞄准具系统增加了飞行员头部负担，加重了飞行员颈肌疲劳，增加飞行员弹射时的损伤概率和 +Gz 作用下头盔绕飞行员头部有向前向下转动或转动的趋势。试验获得了座椅、头盔、头、颈7和胸骨柄部位在脊柱向或胸背向的加速度数据和头颈部的角位移数据。头盔重心的变化有以下规律性：当护目镜放下时，重心向前向下偏移，X变化量在3.6～6.5 mm，Z变化量－3.8～－6.0 mm；当带瞄准具时，重心向前向上偏移，X变化量在7.0～12.0 mm，Z变化量12.6～15.8 mm。

## （四）航空卫生勤务学

**1．睡眠测评技术在航空卫生保障中的应用** 睡眠与健康、绩效息息相关，充分休息和恢复的睡眠更是飞行作业安全的重要保证。随着睡眠测评技术的发展和应用，将为飞行人员的医学保障、状态监测提供先进的科学手段。应用床垫式自然睡眠测评系统对近千名飞行人员进行了睡眠监测，获得了中国飞行人员的睡眠监测调查结果；监测了26例停飞体检飞行员的睡眠以及干预（漂浮）过程的全程睡眠测评，发现干预效果显著，尤其对于失眠、头痛、头晕者。结论认为，此睡眠测评技术是一项全新的睡眠检测方法，可对睡眠结构、睡眠心率变异性、睡眠呼吸、睡眠障碍相关事件进行分析。对促进睡眠医学的发展和航空卫勤保障水平的提高具有重要作用。

**2．模拟飞行前限制睡眠主客观评价睡眠状况的比较** 根据部队作息特点建立限制睡眠试验方法，对睡眠结构与主观评价睡眠状况和嗜睡度进行比较分析，为航空军医确定主观评价睡眠状况的可信度和嗜睡感觉程度提供试验依据。对6名健康男性志愿者进行每天4 h、5 h、6 h、8 h，连续2 d的限制睡眠试验，昼间进行上、下午各2 h模拟飞行，测量脑电图、主观评价睡眠状况和模拟飞行前后嗜睡感觉。结果表明，每天4 h、5 h、6 h、8 h睡眠时间的状况之间明显不同。限制睡眠首先减少快速眼动期（REM期）和NREM期的S0和S2期睡眠时间（$P<0.05$），S4期时间相对增加，睡眠效率明显提高（$P<0.05$）。睡眠结构时间与主观评价睡眠时间之间无明显差别，表明在正常人群中限制睡眠后，主观判断睡眠时间是基本可信的。模拟飞行前嗜睡感各组并没有显著性差异，但飞行后嗜睡感4 h、5 h明显大于6 h、8 h睡眠（$P<0.05$），并嗜睡感加重多发于第2天和下午。加重嗜睡感

的主要因素是模拟飞行所产生的累积性飞行疲劳。结论认为，控制限制睡眠试验条件符合要求，限制睡眠后睡眠效率提高，但并不能缓解飞行后嗜睡感，所出现的飞行疲劳具有累积效应。对健康飞行员可用主观评价睡眠时间和嗜睡感觉，监测飞行前睡眠状况和由限制睡眠所引起的飞行疲劳，为航空军医提供可信的睡眠状况和飞行疲劳监测方法。

**3. 舰载机随舰航空卫生保障** 舰载机随舰航行航空卫勤保障特点：①海上航行时间长，体力消耗大。飞行人员普遍感到疲乏；②饮食单调，体内营养失调，维生素摄入量减少而出现厌食、头晕等症状；③远海中飞机着舰飞行难度增大，飞行员长时间处于紧张应激状态，心理压力大；④地理及生活环境变化大，舰船生活空间小、噪声大、空气流通差、部分人吸烟等因素以致空气污染较重，时差变化对身体影响较大，部分飞行员因颠簸出现晕船反应。保障措施：做好卫生教育和文娱活动，提高身体适应能力；调剂伙食，监督飞行人员按时口服多种维生素丸，复合维生素 B 等药物，保持体内维生素含量；做好出海后检查，监督飞行员的休息、饮食、体育锻炼；对个别飞行员心理负荷重可进行心理治疗，把好飞行关。

**4. 直升机寒区雪地飞行的航空卫勤保障** 寒区雪地飞行时由于温度低，人员穿戴臃肿，活动不便，飞行人员的操纵动作受到了一定的影响。积雪反光和对大地的覆盖以及降雪或五边着陆时形成的白色屏障，影响了飞行人员的对外观察，易使飞行人员产生误高为低、误远为近的错觉；而雪地反射日光中的紫外线则易刺伤飞行人员的眼睛形成雪盲。保障措施：①天气寒冷要提高机舱内和休息室等场所的环境温度，为飞行创造适宜的环境温度以利于飞行人员的操纵；②教育飞行人员要相信仪表，相信仪表是克服各种错觉的最好办法；③配戴防护眼镜是防止紫外线刺伤眼睛，预防雪盲产生的必要措施；④直升机为双座机，要指导飞行人员学会疲惫后的交替休息方法；⑤进入冬季雪地飞行训练前，要进行雪地环境的适应性训练；⑥制订适应寒冷季节雪地飞行训练的作息制度和营养配餐食谱，并督促飞行人员按规定口服复合维生素丸。

**5. 直升机对飞行人员的影响及航空卫勤保障措施** 直升机对飞行人员的影响主要有：①噪声、震动、热负荷及腰肌负荷大；②飞行任务重、心理负荷重。航空卫勤保障措施：①结合飞行劳动负荷特点，开展卫生防病知识和心理卫生知识教育，以消除精神紧张和恐惧心理；②合理安排飞行强度和作息时间，消除疲劳，提高飞行耐力；③消除环境的影响，掌握防护措施，防止环境中的不良因素增加飞行劳动负荷等。

### （五）航空临床医学

**1. 飞行员颈动脉超声和动脉弹性功能应用研究** 采用颈动脉超声和动脉弹性功能检查技术，对350现役飞行员进行了检测，建立起飞行员心血管功能专项选拔方法及应用标准。采用美国HDI公司生产的CVD profilor DO－2020型动脉弹性功能测定仪记录桡动脉脉搏波形，计算大动脉弹性指数（C1）和小动脉弹性指数（C2）。结果：①飞行员动脉弹性功能的正常参考值为：大动脉弹性指数C1的正常值范围为$15.93 \pm 4.23$ml/mmHg×10；小动脉弹性指数C2的正常值范围为$8.21 \pm 2.92$ml/mmHg×100；②年龄和飞行小时是影响动脉弹性功能结果的主要因素，血压、心率水平和体重指数也对C1、C2值产生影响；③动脉弹性功能指标与心肌耗氧及心脏做功指标之间有一定的相关性。采用ACUSON－ASPEN全数字电脑多功能超声诊断仪和高频探头（频率7.5－10.0MHz），对两组飞行员颈动脉内径、内中膜厚度和血流速率进行测量与记录。结果：①颈动脉IMT的正常值范围为：左窦部为$0.54 \pm 0.10$mm，右窦部为$0.49 \pm 0.09$mm，左侧远端为$0.45 \pm 0.09$mm，右侧远端为$0.52 \pm 0.09$mm，左侧近端$0.49 \pm 0.09$mm，右侧近端$0.49 \pm 0.08$mm；②IMT增厚（≥0.90mm）检出率在组一为4%，在组二为14%；斑块检出率组一为0%，组二为1.5%；③IMT及增厚部位、血管硬度指标和血流速率指标在不同年龄组和不同部位存在明显差异，IMT值随年龄增加而增加，窦部IMT值明显厚于远端和近端，左侧窦部IMT明显大于右侧，组一飞行员IMT均值明显小于组二飞行员；④年龄和飞行小时是影响颈动脉超声检查结果的主要因素，血压、心率水平和体重指数是次要影响因素。

**2. 飞行员变压性眩晕分析** 对20例飞行员变压性眩晕资料进行综合分析。结果：①20例中有14例（70%）在飞行上升过程中产生短暂的眩晕症状，其余6例（30%）发生在下降时；②持续时间较短，多为几秒到几分钟；③飞行高度在100～4000 m之间，多在1000 m的飞行高度产生；④除眩晕症状外，可伴自主神经和耳蜗症状等；⑤有8例（40%）确定发病时或此前较短的时间内患上呼吸道感染；⑥5例（25%）查体有异常发现；⑦7例（35%）既往有明确的鼻部、咽部或中耳炎等病史；⑧12例（60%）停飞（其中1例因后来确诊为梅尼埃病，1例因双侧鼓膜穿孔长期不愈，1例因频发室性早搏和室性心动过速停飞），8例飞行合格。结论认为，变压性眩晕多产生于飞行上升或下降的关键时刻，对飞行安全尤其对高性能的战斗机飞行安全构成较大威胁。

**3. 歼击机飞行员脂肪肝患病率及危险因素研究** 对1999～2005年入院体检的男性歼击机飞行员进行肝脏B超检查，测身高、体重和清晨空腹血脂检查。结果，本组飞行员脂肪肝患病率为9.7%。根据多因素Logistic回归分析，脂肪肝的危险因素为：饮酒、体重指数、高甘油三酯血症、飞行总时间以及年龄，其优势比（OR）值以饮酒为最高（11.60）。结论认为，本组歼击机飞行员脂肪肝患病率高于一般人群和民航飞行人员，应加强对可控危险因素的干预。

**4. 飞行人员高血压病的多因素非药物性干预方法** 43例男性飞行人员，年龄27～52岁，血压波动在135～150/85～95mmHg之间的正常高值及高血压Ⅰ级者。干预方法：①合理膳食。盐摄入3～5g/d，瘦肉或鱼肉200g/d，蔬菜、豆制品不限；②适量运动。每天运动2～3个运动单位，每周5次；③养成良好的生活行为。戒烟（限烟）少酒，改变不良作息时间等。观察指标：血压、体重指数，血脂（甘油三酯、总胆固醇）、血糖、左心室收缩功能，吸烟数量。结果干预前后的血压为：收缩压135.5mmHg和126.4mmHg；舒张压92.7mmHg和80.6 mmHg。干预前后相关代谢指标：体重指数：25.0和24.1；血糖5.3mmHg和4.7 mmol/L；甘油三酯1.9mmol/L和1.7 mmol/L；总胆固醇5.3mmol/L和4.9 mmol/L；左室射血分数52.1%和56.8%；吸烟数量18支/天和6支/天。研究发现，对高血压及血压高限的飞行人员，通过饮食、运动及改变生活习惯等多因素治疗后，血压、血糖、血脂和体重指数等代谢指标均有明显改善。因此，高血压早期积极非药物治疗是有效的，对飞行人员心血管疾病预防是十分必要的。

**5．高空减压病研究**　实际飞行中，飞行人员因座舱意外减压暴露于高空低气压环境的情况仍可能发生，高空减压病仍始终潜在地威胁飞行安全和飞行人员健康。近10年来空军发生的5起19人次高空迅速减压病，暴露高度为8 300~10 000 m。结果：①5起高空迅速减压中有3起10人（A组）返航后未经休息吸氧和高压氧治疗，其中7人发生了Ⅱ型高空减压病，发病率为70%，另2起9人（B组）返航后及时休息吸氧并送就近医院作高压氧治疗，均未发生高空减压病，两组高空减压病发生率有显著性差异（$P<0.01$）；②两组对比分析发现，除了已明确的迅速减压时的高度外，在本组资料中个体敏感性、减压后高空缺氧以及空中和返航后的处置是否得当是影响发病的重要因素；③所有发病者经治疗均重返飞行岗位，但发病后治疗不适当或飞行员出现心理障碍会延长康复时间。结论认为：高空迅速减压可对飞行人员造成显著的心理和生理影响，并且发生高空减压病的危险很大，减压后空中及返航后处置是否得当是影响病情发展的重要因素。高空迅速减压后应立即下降飞行高度，立即供氧，尽快就近迫降和着陆后采取必要的医疗措施。在运送去高压氧治疗的过程中，也应先吸纯氧进行治疗，如果加压前症状已缓解则不必再进行高压氧治疗。在高压氧治疗时，一般先增压到2.8 ATA左右，使体内残存的氮气泡能充分地重新溶解，直到症状完全消失，再用阶段减压的方法回到地面常压环境。对于常规加压治疗无效或病情严重的Ⅱ型高空减压病，必要时可延长高压氧治疗时间。对于发病时病情较重、症状容易复发者，则建议其今后不要再从事座舱高度超过5 500 m以上的飞行。

**6．空间定向障碍研究**　各国SD事故率（一等飞行事故）一直保持在20%~30%，仍是飞行安全的主要威胁之一。在发生机制方面，近年发现飞行中各种加速度对前庭的刺激不但可以诱发多种前庭性错觉，还可以导致类似良性阵发性位置性眩晕的发作、昏睡综合征和视跟踪功能改变等；视动颈反射现象的发现和证实将会给主要空间定向信息——飞机姿态的显示设计带来较大影响；情景意识丧失和SD发生密切相关。空间定向信息的显示方面，飞机姿态的显示形式正在突破传统，多种新的更加直观的显示方式逐步被采用。此外，除视觉外，三维听觉、触觉等也被引入，这些给飞行人员的空间定向带来新的挑战。在预防方面，应重点加强座舱界面空间定向信息显示的改进和飞行错觉的模拟训练。

**7. 民航女乘务员腰椎间盘突出症发病分析** 对各年度体检结果中男、女乘务员、地勤女职工的发病人数及女乘务员不同年龄段、不同飞行时间的发病人数分别进行了统计分析。结果：与男乘务员相比，患腰椎间盘突出症者均为女乘务员，且发病率逐年提高，男乘务员无1例发病；从发病年龄来看，患者年龄都在25岁以上，并且年龄越大，发病率越高，各年龄段发病率逐年增加，患者初次发病年龄有逐年下降趋势；而女乘务员与地勤女职工发病率比较（$X^2 = 10.01$，$P < 0.05$），差异有显著性意义；不同飞行时间的发病率比较（$X^2 = 65.62$，$P < 0.05$），差异也有统计学意义。结论：女乘务员腰椎间盘突出症发病与其工作性质、年龄段和飞行时间密切相关。因此，女乘务员应在工作和日常生活中增强自我保护意识，避免外伤及过度劳累，平时多参加体育活动，加强腰背肌锻炼，注意避免突然的腰部受力。在安排航班时合理搭配乘务组中男女乘务员的比例，相应降低女乘务员的劳动强度，以降低女乘务员腰椎间盘突出症的发病率，延长飞行年限。

## 三、未来展望

1. 高空生理的防护除了采用工程技术手段外，也必须进行基因和分子水平的研究，才能从医学和生物学的角度为缺氧防护提供新的理论和方法。低氧预适应和低氧训练的研究在心肌、脑缺氧的防护和提高体能及运动员成绩方面已体现出愈来愈多的实用价值。此外，有关中枢化学敏感神经元和体液因素在调节缺氧时的机体反应或作为评定缺氧负荷指标，以及从生物进化的角度研究动物和人缺氧耐力的形成、差异和变化等都为进一步认识缺氧损伤的机制，及制定有效的防护方案提供了可能飞行器的高空、超高空持续飞行能力将日益受到重视，高空低压缺氧的防护仍具有现实的意义。供氧防护装备研究重点主要是攻破多人机组多机种应用机载分子筛与陶瓷制氧技术，高压差飞行座舱压力制度和自动调压、调温、调光座舱技术，提高个人防护装备的安全性、舒适性、通用性。发展趋势是，机载分子筛变压吸附技术和陶瓷薄膜制氧技术使空中乃至于太空稀薄气体中产氧成为可能，氧气呼吸调节将采用芯片控制技术，飞行员个体防护装备特别是防护服有望使用随压力和温度自动伸缩的高强度轻质材料，智能材料将用于飞机座舱玻璃和供氧面罩的设计。

2. 加速度生理要进一步开展先进囊式抗荷装备生理学研究，提出高性能抗荷装备的配套方案、生理卫生学要求及鉴定方法；开展加速度生理学研究，如高 + Gz 防护、 - Gz 防护、推拉效应，高 + Gz 及其他复合因素所致飞行员疲劳与恢复等问题的研究；开展与载荷有关的情景意识、空间定向障碍的研究与模拟训练方法研究；开展复合加速度生理学与工效学研究。抗荷、代偿、防化、抗浸、通风一体化防护装备将成为抗荷服的发展方向，用水给代偿抗荷服密闭囊加压，作用速度比空气加压快，所需流量小，既可代偿抗荷，又可降温，将成为理想的一体化抗荷服。

3. 新型战斗机性能的跨代提升使飞行员的生理耐受限度和操纵控制能力几乎接近人的极限，人 - 机 - 环境的兼容性与飞行员生命保障系统成为重要环节，为航空医学科研提出了新的研究方向。从显示符号、图形、文字、飞行员精力分配、语音控制等进行人机工效学研究，提出人机工效学设计标准，把复杂的座舱显示和飞行员的操作简单化，减少飞行员的工作负荷，提高飞行员工作效能；开展防护头盔、防核闪光护目镜、防生化帽套、激光护目镜、新型供氧面罩的系统配套及工效学研究；研究飞行头盔隔噪技术、舱室有源消声系统及超微孔吸声技术，消除舱内简正噪声、中、低频稳态噪声和瞬变噪声，提高舱内噪声工效环境；弹射座椅的研制必须考虑人体的生理弯曲、三维形态特点、力学承托需求和应急弹射时的姿势状态，研究弹射座椅的头靠、背靠和座垫人机工效学、后倾座椅和人椅系统动态重心稳定性；研究高速气流吹袭时人体各部位的应力分布和损伤规律，研制飞行员高速气流吹袭约束系统，减少飞行员遭受的开伞过载和甩打损伤；加强飞行员的生理心理选拔、专项航空医学与体能训练、航空环境所致的特殊病症等问题的研究。

4. 飞行员专项航空医学训练已成为解决人适应飞行环境、实现人 - 机界面优化以及提升飞机作战效能的重要手段。发展趋势是，缺氧耐力训练即由低压缺氧体验向间歇性低氧应激训练拓展。间歇性低氧应激适应训练可预防缺氧状态下的应激反应，增强对低氧应激的习服，提高飞行员高空缺氧耐力和高空突然缺氧应急情况下的处置能力；抗荷训练方法由抗荷动作训练向带有战术背景的载人离心机动态模拟飞行训练拓展。抗荷训练内容由正加速度向负加速度，特别是正负加速度交替训练方向拓展；空间定向障碍训练由简单的飞行错觉体验，向综合空间定向能力提高拓展，让飞行员在地面和空中真实体验、识别飞行错觉，在错觉状态下训练飞行员控制自身错误感知觉，并按仪表信息正确的操控飞机；飞行认知训练方法由仪表认知训练向综合大屏幕液晶显示认知训练拓展，飞行认知训练内容由单因素认知训练向多因素信息综合认知训练拓展；心理训练形式由心理疏导向模拟空战环境拓展，心理训练内容重点向心力训练拓展。载人离心机通过动态飞行模拟功能真实再现空中飞行环境，从而更有效地提高飞行员在地面专项航空医学训练能力。

5. 航空医学工程学科的核心技术，包括个体化心身状态检测和辨识技术，个体健康状态的调控技术，可穿戴传感器技术和床垫检测技术为主要内容的低生理心理负荷测量技术，生理心理状态信息的挖掘和融合技术，以及人工智能技术，形成了在低生理心理负荷条件下长时间动态地检测各种生理指标的技术和方法。采用这些技术和方法将信号处理和符号处理有机地结合起来，可从心动周期动态变化中获得过去我们未曾获得的健康状态信息。同样，动脉血压、呼吸运动波形、体温等信号也可能成为带有极为丰富的生理、病理状态信息的信号载体，同样有可能从中挖掘出诱人信息。并用于研究飞行员空中生理信号检测记录和实时发射、飞行员 G-LOC、瞌睡报警系统和空中失能自动改出系统，达到对飞行员生理信号实时空中监测，对空中危险状态进行快速报警、控制，并实现与座舱电子设备的交连。

# 航天医学

## 一、概述

载人航天是一个国家政治、军事、经济和科学技术发展的集中体现，也是综合国力的象征。航天医学是以载人航天任务为背景，适应我国载人航天领域研究和研制需要，形成和发展起来的一门综合性应用与应用基础学科，是医学学科的一个分支。它以系统论为指导，利用现代科学技术理论和方法，研究载人航天活动对人体的影响规律及其防护方法，确保航天活动中航天员的安全、健康和高效工作。围绕确保航天员健康这项最具载人航天特征的研究任务，在关键技术预先研究、国内外先进技术跟踪研究和医学技术工程化实施的实践中，航天医学逐步形成了以航天实施医学、航天环境医学、航天基础医学等学科组成的综合学科体系。

中国航天员科研训练中心是我国唯一专门从事航天医学研究的单位，成立于1968年4月。多年来中国航天员科研训练中心以载人航天为任务目标，注重型号任务与预先研究的层次配置、注重应用研究与基础研究的合理安排、注重不同专业的学习渗透和互补互动、强调科学求实的科研作风和严谨的治学态度，既促进了科研任务的完成，又为学科建设和研究所的后期发展拓展了道路。中国的载人航天计划牵引和推动了中心和航天医学学科的发展，对载人航天任务的完成起到极大地保障和促进作用，继中国首飞航天员杨利伟遨游太空之后，费俊龙、聂海胜成功飞行五天并安全返回就是最好的例证。本年度报告，限于篇幅，主要介绍航天实施医学、航天环境医学、航天基础医学的研究进展。

## 二、航天实施医学

### （一）基本情况

航天实施医学是基于预防医学、临床医学、心理医学和航空航天医学等多学科知识、原理和方法的应用医学学科，承担航天员医学选拔，飞行前、中、后保障航天员安全、健康相关医学措施的实施与研究。即以入选航天员为对象，全面实施不间断医学保障，预防和消除不良因素对航天员健康的影响，维护航天员身心健康，使之能适应于航天特殊环境因素的训练和航天飞行，顺利完成人航天任务。建立各类航天员（指令长、随船工程师、载荷专家）的医学选拔方法和标准，对预备航天员进行医学选拔；训练期间及航天前、中、后实施航天员医学监督与医学保障；航天飞行过程中的医学救援等。

我国航天实施医学的雏形诞生于1958年军事医学科学院宇宙医学研究所的医学保障室，1968年航天医学工程研究所的成立正式揭开了航天实施医学的序幕。20世纪90年代伴随国家载人航天工程的发展，航天实施医学进入快速发展期：根据我国载人航天任务特点，成立专门的航天实施医学研究队伍，建立了方向设置更加系统，责任分工更为明确的航天实施学科体系，涉及医学监督、医学保障、航天药物、消毒检疫等方向，配备了一定数量的实施医学装备，成为实现载人航天突破，确保航天员健康的重要组成部分。

### （二）重要进展

**1. 突破多天在轨的航天员医学健康保障技术，确保了多人多天飞行任务中的航天员健康**。继神舟五号首次“1人1天”载人飞行任务后，神舟六号载人飞行是我国首次实施的“多人多天”飞行任务，确保飞行乘组的健康在轨飞行是实现“多人多天”飞行技术突破的关键任务之一。航天实施医学明确了“汲取首次载人飞行任务医监医保工作经验，针对神六飞行任务技术状态变化特点，有效开展飞行各阶段航天员医学监督和医学保障工作，避免因医监医保措施不利导致载人航天任务推迟或提前中断，从而保障航天任务圆满完成”的指导思想，本着“预防性原则、实时性原则及预见性原则”的基本原则，按照分为飞行前、中、后三个阶段实施医监医保工作：在发射前进行医学检查与医学鉴定，对乘组梯队进行了有针对性的个体化保健，保障飞行乘组身体条件满足医学要求；实施飞行前的健康维护、预防伤病，确保乘员身体健康，按计划执行航天任务；飞行中实时监测乘员生理指标并与其通话，判断和预测乘员健康状况，为指挥决策提供依据，对乘组可能发生的不适症状或伤病，提出医学处置意见；对返回后的飞行乘组采取有效的医监医保措施。制定了针对航天员伤病，特别是空间运动病的对抗与防治的治疗预案；探索和总结出了在地面模拟失重环境下进行在轨生活照料、对抗空间运动病以及纠正失重定向错觉的训练方法，确保了神六飞行乘组健康、高效地完成飞行任务。神六飞行任务证明飞行乘组心理、生理状态良好，心率稳定，遥测心电正常，体温及血压正常，无医学病症发生，较快地适应了失重状态，行为表现正常，对航天环境具有良好的适应和耐受能力，医学保障措施科学有效。

**2．突破飞行后航天员健康康复技术，确保了航天员健康恢复**。针对在轨5天的短期飞行特点，以恢复体液平衡和重力再适应为重点，对返回后的飞行乘组采取有效的医监医保措施，确定了安全出舱方案，在着陆现场、后送途中维护其健康，实施返回后医学检查和后恢复措施。飞行乘组进入隔离，并进行了临床各科检查、实验室检查、心脏超声、主动立位耐力检查、被动立位耐力检查、人体成分检测、平衡功能检查和听力检查等。围绕隔离期间发现的生理问题，对飞行乘组实施了运动疗法、中药调理、推拿按摩等医学康复治疗，隔离期结束时航天员各项生理指标在正常范围之内，身体状况良好，转入康复疗养阶段。疗养后复查航天员各项生理、生化指标，已基本恢复至正常水平，表明所采取的康复措施较好的促进航天员再适应和健康恢复。

**3．创造性地将航天医学理论与中医药研究有机结合，初步建立了行之有效的中西医结合航天员健康保障体系**。以航天员训练、飞行和返回地面不同阶段身体各系统生理适应反应有关资料为依据，对我国航天员、锻炼员在模拟航天不同时期的机体反应态进行中医辨证分型。针对航天员在飞行前、中、后不同阶段机体面临的主要生理适应问题，特别是短期的失重飞行也可引起航天员心血管系统和血液系统的改变，如航天员入轨后即出现头晕、头胀、头痛等主观感觉，心脏的收缩功能和节律发生改变，血浆容量减少，心血管功能失调等医学问题，在中医理论指导下，结合中医辨证论治方法，拟定了中医防治原则和制定干预方药，初步构建了载人航天不同时期中医药防治理论框架，增强了航天员对航天特因环境的适应能力，保障了航天员的身心健康。通过近年的载人航天医学实践，初步构建了载人航天不同时期中医药防治的理论框架，将航天医学实践与中医药理论有机结合，充分发扬我国传统医学优势，建立了具有中国特色和自主知识产权的中西医结合的短期飞行航天员健康保障体系。

### （三）需要加强研究的几个问题

根据我国载人航天三步走战略规划，在实现了载人航天突破后将面临交会对接，出舱活动，建立空间实验室，形成长期在轨运行的载人空间应用和实验基地等更加艰巨的航天探索。航天实施医学也将面临新的挑战，其工作重点和难点是飞行过程和返回后的医监医保问题：

1. 由于在轨时间大大延长，航天环境对机体的影响更大，需要研究制定中长期飞行保障航天员在航天中的身心健康和良好的工作能力的防护方法和措施；

2. 空间实验室飞行时间相对较长，返回后的再恢复也与短期飞行不同，需要研究新的医学保障手段；

3. 面对未来的出舱活动等特殊空间工况，如出舱活动负荷大，空间运动病、减压病等医学问题将涉及航天员安全，需要制定新的医学检查程序和评价标准，提出更有效的监测和防护措施；

4. 在未来更长期的登陆火星或月球基地探索中，由于星际间的往返时间延长，出现严重健康医学问题时，无法及时返回地球，需要尽可能多的获得在轨飞行中航天员的健康信息，必须发展多系统、多参数在轨健康监测技术和在轨实时诊断处置技术；

5. 在载人航天的探索活动中，人类机体将面临各种特殊环境因素的挑战，导致身体的各种生理、病理变化，甚至严重影响身体健康。尽管航天任务中的防护措施多种多样，但大多数防护措施需要专门的沉重设备，代价昂贵，而中医药可以对人体的整体机能进行综合调节，充分调动机体的各方面的潜能，维持机体功能状态的稳定，具有特殊的优势。为此进行“运用中医药防治航天员不同时期的身体异常系统工程研究”将是弘扬我国传统医药优势，建立具有中国特色的航天医学体系的良好契机。

## 三、航天环境医学

### （一）基本情况

航天环境医学的主要任务是开展航天环境有害因素（低压缺氧、舱内污染物、高低温、振动、噪声、电离辐射和非电离辐射等）的人体效应及其防护研究，制定环境医学标准，提出舱内环境工程设计的医学要求，开展医学评价。伴随我国载人航天预研、“曙光号”任务、人－机－环研究、和国家载人航天工程任务的发展与实施，培养造就了一批航天环境医学和医工结合的专家和学科带头人，制定20余项国家标准和国家军用标准，建立了一定规模的各类环境医学专业实验室，成为实施载人航天工程相关任务必备的技术保证。

### （二）重要进展

建立了行之有效的飞船环境的医学评价体系，根据不同飞行任务特点实施针对性评价；建立了一系列满足医学要求的国标、军标，为后续飞行器的研制提供重要设计依据。神六任务“多人多天”、“两舱”等技术状态变化，对舱内环境考核更为严峻，因此制定科学合理、有效、符合工程实际的飞船工程设计的医学要求是飞船及火箭系统的重要设计依据，为确保神六任务的顺利实施，针对首次载人飞行试验的环境医学问题和神六飞行任务的新增项目，增加评价内容，实施进一步的评价工作，涉及舱内有害气体、振动和能量物质代谢等内容；充实发展了我国载人航天环境医学的相关内容和医学标准。

### （三）需要加强研究的几个问题

随着载人航天后续任务的不断扩展和深化，特别是涉及舱外活动，航天环境更加复杂，将不断对航天环境医学研究提出新任务、新要求；必须不断丰富、完善航天环境医学的内容以满足载人航天不断发展的需要：

1．针对出舱活动中舱外航天服、出舱程序设计的医学、卫生学问题，提出合理可行的医学要求；

2．对空间交会对接和空间实验室任务有关的医学、卫生学问题和有害环境的防护问题，并在工程研制和试验阶段适时进行评价；

3．建立适合的医学要求与评价体系，促进工程产品满足医学要求，保证航天员生存环境安全和健康；

4．科学论证航天环境作用参量与人类机体生理、病理效应间的量化关系，通过多因素复合效应的研究更合理严谨的提出载人航天器内航天员生活、工作的环境质量要求；

5．尽早开展与月球建基、火星探索相关的环境医学研究。

## 四、航天医学基础——航天重力生理学与航天细胞分子生物学

### （一）基本情况

航天重力生理学与航天细胞与分子生物学，属于航天医学的应用基础研究领域。针对航天环境（特别是微重力、辐射等）严重影响航天员的健康、安全和工作能力这一问题，利用当前生物医学领域先进的研究思路和技术手段，从生理、细胞和分子水平研究航天因素特别是中长期飞行对机体的影响，并探讨其发生、发展的内在机制，提出和制定有针对性的有效

防护措施。基于对空间环境导致的基因、细胞和组织水平损伤机理的认识不断深入，发展航天员健康的在线监测、在线诊断和在线治疗修复战略和关键技术。

我国的失重生理效应及对抗措施研究起步于20世纪60年代，90年代开始航天细胞与分子生物学研究。曾参与动物生物火箭实验，创建了人体卧床、秋千、转椅等失重相关实验室，建立了人体卧床、大鼠尾吊、视动刺激等模拟失重方法，构建了我国航天医学基础研究的特色技术平台。具备模拟航天特殊环境和实时空间飞行条件下进行人体、动物、细胞、分子生物学研究的实验条件和技术力量；建立了良好的国际合作关系，多次参与国际飞行搭载合作。

### （二）重要进展

**1. 首次在神舟六号飞行任务中开展航天医学实验，实现了我国航天医学从地基研究到空间实验的突破**。针对中长期空间飞行中严重影响航天员身体健康的心血管功能障碍和空间骨丢失发生机理这一重要航天医学问题，首次在神舟六号飞行任务中实施了医学细胞空间科学实验，聚焦细胞内重力感受及其信号途径这一科学问题，以细胞骨架系统为靶标，离体培养的心肌细胞和成骨细胞为对象，设计并实现了一系列具有我国自主知识产权的空间细胞学实验元件，建立了医学细胞学空间实验技术体系，在神舟6号飞行任务中借助航天员参与，成功进行了实时微重力条件下的航天医学细胞学空间实验，并获圆满成功。实验结果表明，实验体系科学合理，防护药物作用明显。设计的一系列具有我国自主知识产权的空间细胞学实验元件，软袋叠式结构和弹性固着操作，实现了利用小载荷资源实现多项目实验的设计目标；卡扣式软硬三层保护盒确保了航天员参与操作研究的安全可靠性。建立了适合于我国现有空间医学实验研究条件的工程化医学实验技术体系，为后续空间医学细胞学研究的规范化、工程化、标准化积累了经验，奠定坚实的技术基础。根据有人参与的特点，设计的具有特殊力学特性的细胞激活/固定胶囊，细胞支持管，即保证了存贮液体的无泄漏性，又实现了航天员手动操作的可实施性，同时还确保了操作过程中活细胞样本的安全性，实现了实时微重力条件下的细胞激活、细胞固定，最大限度的避免了发射和返回时的重力环境对细胞的影响，极大提高了空间搭载实验研究的科学严谨性，实现了我国航天医学从地基研究到空间实验的突破。针对心肌细胞要求高，体外培养难度大的特点，通过独特培养技术的建立，获得了较长时间保持搏动功能状态的心肌细胞样品，在国际上率先实现了空间飞行条件下心肌细胞实时研究，首次获得了微重力影响心肌细胞结构功能的科学数据；研究了微重力对心肌细胞和成骨细胞结构、功能的影响，证实微重力作用于心肌细胞和成骨细胞，抑制细胞功能，影响细胞骨架系统中力学信号与化学信号耦连分子——整合素分布，发现复合剂（DP）可有效对抗微重力环境保护心肌细胞功能；微重力条件下心肌细胞具有特殊的药物反应特点，为心血管功能的医学药物防护和空间药代动力学研究积累了重要的科学资料。从细胞增殖、微丝结构、微管结构、整合素分布、功能蛋白表达等 5 方面 10 余项指标，系统研究了微重力对心肌细胞、成骨细胞的影响，获得了空间环境导致的细胞学效应的新认识；充实了航天医学基础理论，为心血管功能障碍有效防护措施的制定提供了科学依据。

在失重生理效应整体机能研究方面，根据国外多次飞行的实验结果及国内地面研究成果，筛选出有重要意义的各项生理学指标，针对“神舟”六号的任务特点进行了细致周密的策划，完成了短期飞行对航天员免疫功能、内分泌及消化功能影响的初步研究，积累了我国航天员空间飞行的生理生化相关资料和数据，所获结果不仅为下一步开展相关任务提供了依据，而且为航天环境对人体的影响及防护研究打下基础，为保证航天员健康及开展中长期飞行研究提供有益的参考。

**2. 建立了具有我国自主知识产权的医学细胞学空间实验技术体系，实现了由基础医学研究到空间实验平台应用的延伸**。自 1998 年至今的中法空间飞行国际项目始终保持良好合作态势，具有我国自主知识产权的空间细胞培养装置受到国际同行专家的关注，主动提供合作空间，合作内容由空间环境的细胞学效应机制研究到细胞自动培养装置的研制和空间搭载实验，由基础医学研究延伸到空间实验平台应用。2005 年承担并实施的中法失重飞机搭载实验，完成了变重力条件下细胞学效应研究，实时考核了具有我国自主知识产权的空间细胞培养装置在微重力条件下的工作运行状态；该装备有望发展为国内（乃至国际）空间飞行器（如返回式科学卫星）中实施细胞学实验的公共搭载资源。通过国际空间飞行合作研究，建立了一整套空间医学细胞学研究及样品分析技术体系，实现了利用先进的细胞分子生物学技术对空间实施飞行样品的分析研究，为开展空间医学细胞生物学研究奠定了全新的技术基础。

**3. 针对中长期飞行造成的航天医学问题的机制与对抗防护研究不断深入**。有效的医学防护对抗措施是航天医学的主要任务，也是保障航天员健康，确保飞行任务完成的关键。如何在较长的空间飞行期间，针对空间环境因素进行有效的医学防护和对抗，将空间对人的影响降低到最小程度是航天医学面临的最大挑战，也是制约人类向更深、更远、更高的外层空间探索的瓶颈因素。针对空间飞行导致的医学问题，积极开展了地基模拟研究，探索失重/模拟失重条件下机体各系统适应变化过程，空间运动病、心血管脱适应、肌肉萎缩、空间骨丢失、免疫功能下降等生理病理变化的发生机制，开展了相关对抗防护措施的系统研究，提出多因素、多途径综合防护，协同对抗的总体构想，针对不同飞行时间、不同任务特点有针对性的研究制定效应对抗防护措施。如急性适应期以对抗由体液头向转移引起的急性适应期症状和空间运动病为主，在轨飞行期应用能保障工作效率，维持健康状态，确保完成出舱活动等空间任务的对抗措施，返回前以对抗立位耐力和运动能力下降等再适应障碍为目标的医学防护措施等。

## （三）需要加强研究的几个问题

**1. 强化基础理论研究，为载人航天的医学工程化应用提供坚实的理论基础**。40 多年的空间探索使人类对外层空间和生命现象有了更深刻、更本质的认识，正在从了解空间，认识空间，走向适应空间，利用空间的过程。以研究空间环境对人类身体健康的影响，保障人在空间探索中的安全、健康和有效工作为主要目标的航天医学，由于在空间探索中所具有的特殊支撑与保障作用，也伴随着探索空间、利用空间、适应空间的过程中逐步建立发展、走向成熟深入；其研究内容也从早期的空间环境对人体生理生化影响的现象观察，效应确定，发展到对空间环境影响有机体的细胞、分子乃至基因变化的机制研究和本质认识；从对空间环境的被动适应发展到采取主动的对抗防护措施，以保障航天员空间飞行期间的安全健康和有效工作。现代医学的诊断治疗是建立在基于细胞、分子认识上发展起来的。从基于肿瘤细胞表面特异基因、蛋白分子表达的肿瘤诊断、治疗，到细胞因子（如干扰素、白介素等）对免疫细胞的特征反应，无一不显示出细胞分子生物学技术发展对医学本质认识的贡献。没有对航天医学的本质认识，就不可能有针对性的防护对抗措施，航天员在轨飞行期间的健康就难以得到有效保障。目前人类对于空间效应的本质认识还远远不能满足航天医学的需要，美俄等航天大国在经历了40余年的载人航天医学研究与对抗防护措施实施应用后，认为必须在基于对空间环境导致的医学问题的细胞、分子损伤本质认识的基础上，才能发展针对性强的有效对抗防护措施，提出21世纪航天医学发展的重要目标是发展基于细胞分子知识的航天员健康监测、防护、诊断和治疗修复的战略和技术。我国在这方面的研究起步较晚，在载人航天工程实现载人技术突破后，着眼于未来更长期的飞行任务人的健康因素，需要进一步加强该领域的关注与投入，促进基础研究与医学工程化应用技术的协调发展，确保在未来飞行任务中航天员的健康安全。

**2．积极创造机会，开展空间实时航天医学研究**。由于航天医学研究的特殊针对性和空间医学实验的复杂性，需要根据不同研究目的、不同飞行时间和航天员（有机体）所表现出的不同生理、病理反应，进行不同实验设计（包括实验对象、实验周期、处理）；进行不同信息的采集和提取、样品预处理和保存等。研制空间医学实验技术平台并在系列载人航天任务中开展航天医学研究，不但能客观真实地反应中长期飞行对航天员机体结构功能的影响，而且使研究更具针对性，提高实验有效性，为科学制定中长期空间飞行有效的医学防护措施提供技术保证，有效医学防护措施的提出制定必需有赖于长期反复的空间实时探索、积累与验证。国际同行越来越深刻的认识到航天医学研究的复杂性、艰巨性和长期性和空间实时医学研究在解决航天医学问题中的重要性，高度重视空间实验平台的建设，致力于通过系列、系统的实时空间研究认识心血管功能障碍、骨丢失、免疫功能紊乱等航天医学问题的本质；开展了大量工作，其空间实验平台相对成熟和空间实时研究规划的具有系统性、长期性，并获得具有重要意义的研究成果。在我国在这方面的研究才刚刚起步，亟待加强。

**3. 发展在线技术，为后续航天任务提供坚实的技术支持**。未来人类进行更长期空间探索的追求对航天医学提出了更高的要求，同时现有困扰人类的航天医学问题得不到很好解决的关键问题是缺乏深刻认识这些问题的技术、手段。正在运行的国际空间站上，航天医学任务已经由“稳定－转运”的防守模式转变为现行的“坚持－进攻”模式，要求尽可能多的提供在轨条件下的实时医学处治，要达到这一目标，特别重要的是要在基于对空间环境导致的基因、细胞和组织水平损伤机制不断认识的基础上，建立发展航天员健康在线监测、在线诊断和在线治疗修复战略和技术。在后续任务中针对任务目标，必须发展明确具有我国自主知识产权的医学对抗措施，结合本学科现有优势和当今高新技术（如芯片技术、MEMS技术等），发展特色监测、检测技术已成为当务之急。

## 五、展望

神舟五号、六号飞行任务中飞行乘组身体状态良好，较好的适应了微重力等航天特因环境，出色地完成了飞行任务，航天医学研究获取了多人多天的载人飞行经验和宝贵的数据，充分展现了航天医学在保障航天员健康和高效工作中的重要贡献。毫无疑问，载人航天事业的发展必将促进航天医学研究的深度和广度，而航天医学的发展和进步也必将为载人航天工程提供更为必要、更为充分的医学支持和保障。空间特殊的微重力环境提供了认识、研究生命过程的新途径和新思路。也为解决地面相关问题提供了新视点。人类在对外层空间的探索中会面对许多不曾预料的机遇和挑战。我们必须保证，拥有足够的武器和知识应对这种挑战，创建适合自己发展的生存环境，开辟人类生存发展的新天地。

# 高新技术武器医学防护学

## 一、概述

海湾战争以来，高新技术武器在局部战争中的广泛应用，标志着以机械化军事形态向信息化军事形态转变为特征的新军事革命已经来临。新军事革命的核心是信息战，以信息战为目标的高新技术武器成为世界各国特别是军事大国在未来国际军事格局中确立主导地位的重要力量。作为信息战的载体和表现形式，全频段的电磁辐射正在被迅速武器化。其对武器装备和作战人员的软硬杀伤和远近效应对军事医学提出了严峻的挑战。

高新技术武器是采用新概念、新原理、新技术，具有新的作战效能、新的破坏机制、新的杀伤效应，且需要新的指挥艺术的武器。于20世纪70年代发展起来，并代表当今武器的发展趋势。高新技术武器包括高技术化常规武器和新概念武器。最成熟的新概念武器为激光武器，其次是微波武器。高新技术武器还有：电磁脉冲武器、离子束武器、云爆武器、非致命武器、动能武器等。

与传统常规武器相比，高新技术武器具有以下特点：一是致伤机制新。包括致伤机制、靶部位是新的。如失能类武器的靶标以神经系统为主，往往造成神经、精神系统紊乱，甚至意识障碍。二是作用强度大。高新技术武器常常伴有高能、高速、多靶点攻击和软硬杀伤的特性。三是损伤范围广。高新技术武器损伤往往累积多个脏器、多个系统和部位。四是远后效应强。许多受高新技术武器或致伤因素损害的战斗人员均产生明显的远后效应，如“海湾战争综合征”。另据我军一项流行病学调查表明，长期从事微波雷达或通讯工作者老年痴呆发病率高于正常人群3.22倍。实验证明，狗受到一定量电磁脉冲辐照，一年后出现脑萎缩、白内障、免疫功能低下等。五是防护难度大。高新技术武器致伤为多脏器、多部位和多因素复合致伤，使其防护难度大大增加。

据了解，西方发达国家特别是美、英、法等国和俄罗斯均十分重视高新技术武器医学防护研究。我军对高新技术武器的发展十分重视，在前三个“五年计划”中给予了较大的投入和支持，并取得令人鼓舞的成绩，有些高新技术武器已经装备部队，有些已完成原理样机研制，有些已取得突破性进展。与武器研制相应的生物效应与医学防护研究几乎同步开展。“九五”和“十五”期间，我国在高新技术武器生物效应和医学防护方面做了大量的工作，获得了许多有价值的研究结果。

本年度主要介绍电磁脉冲武器医学防护学、高功率微波武器医学防护学、激光武器医学防护学和云爆武器、动能武器、非致命武器、动能武器等医学防护学的研究进展。

## 二、电磁脉冲武器医学防护学

电磁脉冲武器（或称电磁脉冲弹）是高技术武器中近年来发展最为迅速的武器之一，美、英、法、俄均在加紧研制可用于实战的电磁脉冲弹，并已在海湾战争和北约空袭南斯拉夫战争中使用。可以预料，电磁脉冲武器必将是未来高科技战争中重要的战场武器之一。

国外已研制出诸多电磁武器，如电磁炮、电磁导弹、核电磁脉冲弹、战地低频导弹干扰源等，这些武器显然是针对电子武器和人的，有些则是直接利用人体的电磁生物效应而达到干扰人体正常生理机能的目的。

美军自20世纪80年代开始研究电磁脉冲武器，90年代初期进一步加强和深入，据称在1991年的海湾战争中进行了试用，对干扰和破坏伊拉克武器系统中的电子设备获得了预期结果。在1999年的科索沃战争中也进一步使用并发挥了重要作用。美国在近期公布的“军事关键技术清单”中，已将电磁脉冲武器及其损伤效应列为其与军事医学相关的20类“武器效应与对抗技术”项目之一。法国马特拉股份有限公司已研制成功一种口径大于250mm的电磁脉冲弹，其脉冲电流的上升速度为每秒兆安培量级。有报道已装备部队。俄、英、意等国也研制成功。

当今，全球信息化，全波段电磁辐射迅速被武器化，高新技术武器在未来战争中占有越来越重要的位置，电磁脉冲武器是最重要的高新技术武器之一，其新的致伤效应与机制，给军事医学提出新的挑战。开展电磁辐射生物效应及其医学防护研究，是未来高技术武器对军事医学提出的重大研究课题，对适应并“打得赢”未来战争，更好的地做好卫勤保障工作，保障战斗力，均具有十分重要的意义。

## （一）国内外研究现状

电磁脉冲不仅严重破坏、干扰各类军用电子装备，而且在一定条件下也能造成人员的损伤，其中对人员的损伤，不仅包括对敌方人员的“杀伤效应”，也包括已方人员（发射场、电子对抗、雷达通讯等人员）的“致伤效应”，因此，电磁脉冲对人员的可能危害已日益受到各国军方部门关注。

电磁辐射生物效应研究，国外始于20世纪50年代。目前一些发达国家如美国、英国、法国、俄国等正加紧研究电磁辐射生物效应。世界卫生组织、国际非电离辐射委员会、国际电子工程学会等组织在电磁辐射污染与环境保护、卫生标准和相关基础研究等诸多方面给予高度重视，并制定相关规划，支持国际间合作，联合攻关，取得了可喜进展。各国学者在此领域已作了大量工作，制定了卫生防护标准，其对人类的危害和防治研究均在加紧进行。

发达国家高度重视电磁脉冲武器的医学防护研究。据了解，西方发达国家特别是美、英、法等国和俄罗斯均十分重视电磁脉冲武器医学防护研究，起步时间早、规模化程度高、研究工作深入系统、与武器型号工程结合紧密；除建有专门的研究机构、组织相当规模的研究队伍外，在许多方面已取得突破性进展。如美海军医学研究所和布鲁克空军基地对高功率脉冲和低能量电磁辐射长期暴露的综合效应进行系统深入的研究。从目前掌握的情况看，美军在电磁辐射损伤与防护研究方面已走在世界前列，且与武器装备同步发展。

国内诸多单位先后亦进行了此方面的研究，在电磁辐射对人体损伤的流行病学、生理、生化、神经系统、心血管及免疫、生殖及内分泌等方面均有所报道。但迄今尚未解决电磁辐射生物剂量学问题，其损伤效应、靶部位、特点、规律和机理等方面尚远未阐明，特别是由于辐射源设备及其测试条件、所用实验动物和观察内容等方面的差异，结果也不尽一致。

### （二）重要进展

有关电磁脉冲武器损伤的流行病学调查已证实，电磁辐射对人体的损伤和健康影响较为广泛，能引起神经、行为、生殖、心血管、免疫、造血等系统和眼睛（主要是晶状体）等器官系统的损伤。目前的生物效应试验研究也已证实，高场强电磁脉冲照射后，猕猴、狗和大鼠可出现神经行为异常，学习和记忆能力下降、脑电图异常（先后出现超限抑制波和过度兴奋波等），同时出现心律失调、传导阻滞、激素分泌异常，继之出现造血、免疫和生育功能障碍、晶体混浊。推论到人，必将会出现类似的损伤。

主要进展有：一定强度的电磁脉冲辐射可引起：

1．行为障碍，学习记忆能力下降；脑电图异常、LTP抑制。

2．海马兴奋性氨基酸含量升高、兴奋性/抑制性氨基酸比值增高，NMDA受体亲和力增高、受体密度下降，提示兴奋性氨基酸的毒性作用及其NMDA受体功能的改变参与电磁脉冲致脑学习和记忆功能及认知行为障碍的发生机制。

3．脑组织病理变化　早期主要为急性血液循环障碍、神经细胞变质性改变和突触结构破坏（突触膜融合、突触小泡大量堆积），其病变以海马区为明显。晚期脑重量减轻，呈脑萎缩状。病变累及各脑区。突触结构参数发生改变（突触后致密物质厚度增加、突触间隙宽度增大、活性区长度增加），并认为海马突触可塑性变化是电磁脉冲辐照影响学习和记忆功能的病理基础之一。

4．内分泌系统　内分泌激素异常，内分泌器官组织学和超微结构损伤；腺细胞增殖率下降、膜流动性增加、耗氧率增加及代谢、化学反应率降，微弱发光降低。

5．心血管　心脏功能损伤，心率紊乱，心电图波形异常，心肌酶谱异常，并与场强呈正相关；心肌纤维、传导纤维、窦房结和离体心肌细胞组织结构损伤（变性、坏死和凋亡），其中传导纤维病变最明显。

6．生殖系统 血清雄激素水平明显下降，睾丸生精细胞和间质细胞组织学和超微结构损伤，最敏感的靶细胞是精子、精子细胞和精原细胞，且与场强的大小呈正相关；睾丸组织雄激素受体蛋白及mRNA表达显著降低。

7．视觉系统 长期暴露电磁场的雷达作业人员视力下降，晶体混浊；3种实验动物眼角膜、晶状体和视网膜均发生损伤，其中晶状体损伤最严重。敏感性为晶体>角膜>视网膜。且上述改变具有一定的量效关系。

8．外周血白细胞减少，淋巴细胞凋亡率升高，并呈场强-效应关系。

9．损伤机制 认为细胞膜电穿孔是电磁脉冲非热效应所致各敏感靶器官靶细胞损伤的共有的主要机制之一。细胞膜是电磁脉冲损伤的主要靶部位；细胞凋亡是电磁脉冲辐射后各敏感器官实质细胞的共同的主要死亡方式和损伤的主要机制之一；多种相关蛋白基因和细胞因子表达异常，均参与电磁脉冲辐射后敏感靶器官的损伤过程，是电磁脉冲损伤的重要机制之一。

### （三）展望

总之，在电磁脉冲武器医学防护学研究方面，虽然已取得一定的进展，但仍知之甚少，主要是因为辐射条件不同、物理参数不一，实验对象和观察指标各异，研究结果和所得结论亦各不相同，特别是非热效应的量效关系及其机制、敏感而特异的诊段指标和标准、有效的防护和治疗措施等的研究将是今后研究的重点。

## 三、高功率微波武器医学防护学

高功率微波是指峰值功率超过1GW，频率在300MHz~300GHz之间，跨越分米波、厘米波和毫米波的波段的微波，是微波发生技术的一大突破。高功率微波武器是利用定向发射的高功率微波束去毁坏敌方电子设备和杀伤敌方作战人员的一种定向能武器。它不仅毁坏敌方的电子元件、干扰敌方的电子设备来瓦解敌方武器的作战能力，破坏敌方的通信、指挥与控制系统，而且能直接造成人员的伤亡。目前，依据其对设备和人员的损害特点，美、俄等发达国家正加紧研制高功率微波武器。高功率微波损伤后具有广泛的生物效应，特别是对神经、内分泌、心血管、造血、免疫、生殖和视觉系统的损伤尤为明显。

## （一）国内外研究现状

有关高功率微波辐射损伤效应规律、致伤机制等研究国外于20世纪80年代，已取得一些进展。目前一些发达国家如美、英、法、俄等国家正加紧研究高功率微波生物效应。我国自20世纪90年代中期均已启动。我国在高功率微波生物效应与医学防护方面做了许多工作，取得明显进展。

**1. 对脑的影响** 对中枢神经系统最显著的影响是对学习和记忆功能的损害。一些流行病学调查显示，微波辐射可以引起疲劳、头痛、激动、多梦、记忆力下降等症状。长期受到微波辐射的人群，老年性痴呆的发生率也明显增高。当人体受到高功率微波辐射时，甚至会发生神经混乱、行为错误等现象。动物受到微波辐射后表现出紧张、呆滞以及学习和记忆功能的损害。微波辐射可阻碍海马齿状回LTP的产生，并使LTP的幅度减小，从而影响学习记忆功能。微波辐射还可引起脑电图慢波增多。微波辐射后脑组织结构发生改变，表现为神经细胞肿胀，胞质空泡变性和染色体溶解。神经细胞粗面内质网及核糖体明显减少，小神经胶质细胞出现增生反应等。

**2. 微波辐射生物效应及量效关系** 微波辐射的生物效应可大致分为热效应和非热效应。其热效应有明确的量效关系，致死、致伤效应与功率密度大小、辐射时间、被辐射组织的温度呈正比，与照射距离呈反比。非热效应的量效关系仍不明确，有学者认为，微波辐射存在窗效应，包括频率窗、功率窗等。

**3. 微波辐射脑损伤的发生机制** 微波辐射使大鼠脑组织中热休克蛋白（heat shock protein，HSP）和c－fos等基因表达增加，也可能引起血脑屏障通透性增加；海马组织中乙酰胆碱释放减少，M型胆碱能受体功能活性下降，而在大脑皮层受体数量增加；海马δ阿片受体蛋白和mRNA表达的增加，并且这种作用呈剂量和时效依赖关系；NMDA 受体通道活动降低，表现为通道电导，开放时程和开放概率的下降，还可以调整 Ca2 + 在钙通道的流动。NF − κB 的 DNA 结合活性明显增加。

**4．微波辐射与脑肿瘤** 微波辐射与脑肿瘤的发生有关。但有学者持相反态度。微波辐射可通过影响 DNA 的修复机制促进肿瘤的发生，并认为微波辐射引起的 DNA 断裂增加与自由基有关，而自由基和 DNA 损伤和包括肿瘤在内的许多疾病有关。微波辐射是脑肿瘤发生的危险因素这一观点仍未被完全认同，其关系有待进一步研究。

**5．微波辐射损伤的诊断及防治** 由于微波辐射的生物效应未完全阐明，因此对其及时有效的诊断仍无法实现，对于微波辐射引起的损害，目前只能对症治疗。对于微波辐射的防护，建议人们尽量避免接受微波辐射，远离电视发射塔、雷达站等辐射强烈的区域。对于经常受到微波辐射的人员，我国已研制出具有一定性能的防护服。

## （二）重要进展

采用 HPM 模拟源，以平均功率密度为 2 ~ 100mW/cm$^2$ HPM 辐射多种实验动物（Wistar 大鼠，BALB/C 和昆明小鼠，家兔）和体外培养的细胞（海马、皮层和下丘脑神经元，心肌细胞，垂体细胞），通过生理（行为学实验、心率、血压、视网膜电图、裂隙灯、眼底镜）、生化（血清电解质、AST，ALT，BUN）、代谢酶（总 ATP 酶活性、钙镁 ATP 酶活性和钠钾 ATP 酶等）、病理（光镜、电镜、免疫组化、原位末端标记、原位杂交、定量病理）和分子生物学（Western Blot，RT − PCR，放射免疫法，基因芯片）及多种仪器设备（FCM，Conforcal，原子力显微镜，微弱发光仪）等手段，对 S 波段 HPM 生物效应中的生理生化功能、病理特点和规律、能量代谢、剂量效应关系以及致癌效应等进行系统研究，并探讨其分子机制和防治措施。主要进展有以下 6 方面的内容：

**1．高功率微波辐射的生物氧化应激效应及实时监测** 观察了高功率脉冲微波辐射对生物氧化应激的影响。从小鼠整体水平观察了脉冲微波辐射对小鼠机体多个脏器氧化应激相关指标的影响。结果发现：微波辐射后，脑、脾 MDA 含量明显降低；脑、肝 SOD 活性显著降低；脑组织 SH 含量明显降低；脑、肝、脾组织 GSH 含量明显降低；血常规发现，红细胞的数量明显降低。对 ECV304 和小鼠离体红细胞的研究发现：微波辐射后，细胞 CAT 活性明显降低，细胞 GSH 含量也呈降低趋势。红细胞 SOD、CAT 活性明显增加。对纯化的 CAT 和 SOD 的研究发现：微波辐射后，CAT 活性明显增加。通过 ESR 技术测定细胞膜流动性及呼吸爆发研究发现：微波辐射后，ECV304 细胞膜脂的运动性降低；巨噬细胞正常生理性呼吸作用增强。

进一步对实时监测微波辐射生物效应进行了探索。将微波信号通过调制和功率放大导入超微弱发光仪的样品舱，建立了微波辐射实时生物效应的实验装置。H2O2 是生物体内产生的 ROS 之一，本文利用超微弱发光仪建立了一种敏感的 H2O2 检测方法。通过对微波辐射实时作用下大鼠腹腔巨噬细胞生物发光的观察，发现一定条件的微波辐射可引起巨噬细胞生物发光增强，并与调制频率和脉宽有一定的强度依赖性。随后又观察到一定条件的微波辐射可引起 $H_2O_2$、$O^{2\cdot-}$ 及·OH 等自由基体系化学发光增强。

**2. HPM 辐射生物效应的特点与规律** HPM 辐射：①可损害大鼠的学习和记忆能力，引起脑、内分泌、心脏和睾丸等组织结构的损伤和功能障碍，且其损伤存在剂量效应和时间效应关系；②细胞凋亡是 HPM 引起神经元等细胞死亡的主要方式；③行为学、脑神经递质、线粒体及突触结构改变是 HPM 辐射损伤敏感的指标；④脑组织中 NSE、GFAP、Caspase－3、β－内啡肽、NMDAR、nNOS 和 c－fos 表达增加，参与脑结构和功能损伤的病理生理过程；⑤心肌细胞 β1－AR、M2－AchR 和 Caspase－3 表达增强，参与了 HPM 辐射致心脏损伤的病理生理过程；⑥神经元、细胞膜穿孔，细胞内［$Ca^{2+}$］升高，线粒体膜电位下降等为 S 波段 HPM 对海马损伤的重要机制。

**3. 高功率微波对眼损伤效应及机制** HPM 照射后，角膜表面粗糙，一周内恢复；晶状体后皮质出现点状混浊斑，逐渐发展为片状；视网膜组织病理切片观察到弥漫性视网膜损伤，视乳头下方视敏感区损伤重，其他部位较轻，感光细胞的内外节层以及外核层均有不同程度的病理改变；视网膜电图 b 波幅值降低说明视网膜功能下降。FT－IR 谱图显示视网膜出现了脂质过氧化反应的早期表现，HPM 使蛋白质构象发生了改变。表明 HPM 照射可导致角膜、晶状体和视网膜等部位不同程度的损伤，其中生物膜结构是 HPM 眼损伤的主要靶点。FT－IR 是显示视网膜膜脂质和蛋白质分子结构有改变，脂质过氧化反应是 HPM 视网膜损伤的机制之一。

**4. 高功率微波对动物学习记忆能力及神经细胞活性的影响** 系统研究了 HPM 对神经系统的影响及机制。结果表明，25mW/cm$^2$ HPM 辐射 20min 可显著降低小鼠的方形水迷宫任务学习成绩。在 50mW/cm$^2$ 平均功率密度条件下，HPM 辐射小鼠 20min 也可引起动物情绪记忆获得能力以及保持能力障碍。在微波辐射前给予腺苷受体非特异拮抗剂茶碱（12.5、25mg/kg）则可减轻和阻断微波对记忆的损害效应，而给予腺苷受体 A1 激动剂 CHA（0.5mg/kg）可引起动物记忆障碍，毒扁豆碱（80$\mu$g/kg）则可阻断 CHA 的损害效应。使用阿托品（0.5mg/kg）可协同 CHA 的损害。在细胞水平，原代培养神经元经 HPM 平均功率密度 50mW/cm$^2$，不同时间（15min，30min，45min）辐射后，检测细胞总 ATP 酶活性、钙镁 ATP 酶活性和钠钾 ATP 酶活性，结果发现随着辐射时间的增加，细胞内钙镁酶活性也同步出现先升后降的趋势，提示 HPM 辐射对细胞功能具有一定影响。同时，原代培养神经元经 50mW/ cm$^2$ HPM 辐射后，MTT 法检测细胞活性结果显示，随着 HPM 辐射时间的增加，神经细胞活性出现一过性增强、随后持续降低的变化过程。利用 RT－PCR 的方法，对参与能量生成过程的脑红蛋白（NGB）基因的表达水平进行检测，结果发现神经元经 HPM 平均功率密度 50mW/ cm$^2$ 辐射 30min 时 NGB 的表达与对照组相比显著上升。提示平均功率密度为 50mW/cm$^2$ 以上 HPM 辐射可引起脑能量代谢障碍，从而可能刺激腺苷分泌，参与调节微波的损伤效应，而腺苷通过激活受体 A1 进一步抑制胆碱能神经元活性来改变动物的学习记忆活动，则可能是微波所致记忆损害效应的深层机制。在细胞水平则表现为 ATP 酶活性尤其是钙镁 ATP 酶的活性受到一定程度影响。同时，能量代谢相关基因在 HPM 作用后表达发生变化则为此提供了分子水平的证据。

**5. 高功率微波对免疫系统影响** 5mW/cm$^2$ 的 HPM 辐照后人 AHH－1 T 细胞活存率即出现降低，15mW/cm$^2$ 照后降至最低，且显示出较好的剂量效应和时间效应关系；10～30mW/cm$^2$ 的 HPM 辐照后，C57BL/6 小鼠外周血

WBC降低，而淋巴细胞凋亡率升高，与WBC的变化呈较好的对应关系；细胞凋亡率和细胞内活性氧水平的升高及线粒体跨膜电位的降低；淋巴结和脾脏差异表达基因的数目明显多于胸腺和骨髓，推测淋巴结对HPM的辐照可能更敏感一些；差异表达基因的生物学功能涉及免疫反应及免疫防御、信号转导、细胞凋亡、细胞粘附、细胞生长及周期、DNA修复与复制、应激反应、组织器官发生、物质代谢、细胞增殖等多个方面；淋巴细胞的凋亡指数可作为检测淋巴细胞中期损伤的诊断指标；T淋巴细胞内活性氧水平的升高和线粒体跨膜电位的降低，有可能作为检测淋巴细胞早期损伤的敏感指标；T、B淋巴细胞亚群数量和功能的变化以及CD4和CD8 T细胞亚群及其比值的改变，可以作为检测和评价HPM辐照后机体免疫功能损伤和重建的诊断指标。

**6．HPM致癌效应**　从动物实验和分子水平观察了HPM是否具有致癌效应。以DNA分子（水溶液中）为观察对象，证实50mW/ $cm^2$ 平均表面功率密度辐射DNA 5～10min以上，可以造成DNA单链断裂损伤，但损伤程度很轻，显示HPM对DNA产生微弱损伤。50mW/ $cm^2$ 辐射10～20min即刻，能显著诱导细胞应激反应等相关的MAPK信号转导分子p38和JNK的磷酸化激活。20mW/ $cm^2$ 照射小鼠15min后6h，骨髓细胞增殖抑制、有丝分裂指数（MI）下降了43.7%，24h后有所恢复（为对照的87.3%），同时观察到少量的染色单体畸变（0～4%）。采用昆明小鼠为实验对象，10和30mW/ $cm^2$ HPM辐射动物15min，每周1次，连续10次或20次，1年后观察是否发生肿瘤。结果表明10mW/ $cm^2$ 辐射组动物未见肿瘤发生，但发现明显抑制小鼠的生长速度，一旦停止照射，小鼠的生长速度可得到恢复。30mW/ $cm^2$ 辐射组动物胸腺肿大、巨脾、肺部肿块、肝脏肿块、淋巴结肿大等病变，雌性鼠病变率为35.7%（15/42），雄性鼠病变率为40.6%（13/32）。病理诊断结果显示：雌性鼠发生的肿瘤有肝细胞肿瘤、淋巴瘤（1只鼠并发多脏器转移）、原发性肺腺癌，肿瘤发生率9.5%（4/42）；雄性鼠发生的肿瘤有原发肝细胞肿瘤3只（1只并发多处转移）、原发性肺腺癌1只、甲状腺瘤1只，肿瘤发生率15.6%（5/32）。

### （三）展望

高功率微波武器对人尤其是中枢神经系统的危害，尤其是对行为、认知的损害，已被人们认识，并基本得到广泛承认，但这一领域的研究仍存在以下问题：（1）对其生物效应的产生机制目前仍不清楚。尽管学者们作了大量有益的研究，但这些实验结果还难以完全解释其生物效应，并且一些实验重复性不好，结果不能得到认可。（2）脉冲微波的非热效应及其作用机制尚未揭示。（3）微波辐射的量效关系未得到解决，需要对其进行系统研究。（4）微波辐射损伤的诊断和治疗是亟待解决的问题。总之，这一领域的研究还有很长的路要走，需要学者们共同努力探索。

## 四、激光武器医学防护学

激光武器是利用波长小于1mm的电磁辐射束（即激光束）摧毁目标或使目标失效及人员致伤（主要是对眼睛致伤致盲）的高技术武器，也是起步最早、发展最迅速、技术最成熟的一种定向能武器。

主要引起视网膜的损伤，可使人眼致盲。宜重点开展眼损伤的防诊治工作。

### （一）国内外研究现状

1960年，世界上第一台激光器出现，1978年以来，美、英、俄在局部战争中已多次成功使用激光致盲武器。美军已有10余种型号的激光致盲武器，并向着波长可调、超短脉冲、高重复频率和强功率方向发展。俄、英、法等西方发达国家和部分发展中国家均已研制成功并装备部队，我国也已研制成功第三代激光武器。

国内外关于激光武器对人员致伤效应及其防护治疗措施的研究几乎与武器研制同步进行，我军自20世纪70年代中期已开展了相应生物效应研究，已基本阐明不同类型激光致眼损伤规律、量效关系及防诊治措施，并进行了某些分子机制探讨，取得丰硕成果，并研制出多功能单兵防护眼镜。

### （二）主要进展

1. **激光生物效应研究**　建立7种激光照射装置，完成11种波长激光眼和皮肤损伤效应研究，制订6项国家和军用激光标准；完成三代5种型号激光致盲武器野外生物效应试验，获得80米到10公里致盲参数，实现了装备定型。

2. **激光安全防护研究**　已研制出双波段激光防护镜；建立3项全军最高医用激光计量标准装置；完成12种型号军用激光器材和20种激光防护镜性能测试评价。

3. **激光眼损伤治疗研究**　建立2种激光的眼损伤实验动物模型；建立视网膜激光损伤和角膜激光损伤后治疗效果评价的8项测试技术；完成5种药物的激光眼损伤治疗研究；初步探索基因治疗及干细胞治疗激光致盲的试验技术条件的可行性。

## 五、其他高新技术武器医学防护学

### （一）云爆武器

云爆武器是以具有挥发性的普通碳氢化合物作为燃料，分散后能与空气中氧以适当比例均匀混合并形成可燃性云团，引爆后形成云雾爆轰（二次爆炸），通过爆震波（冲击波）、高温及局部缺氧窒息杀伤人员和摧毁硬目标的新型武器。主要引起冲击伤、烧伤和破片伤，宜重点解决伤情伤类特点和规律、诊断、救治问题。

国外20世纪60年代研制，目前已有三代。西方国家已装备，科索沃战争中曾使用。我国已引进，正研制中，待定型装备。其生物效应研究资料未见公开报道，我国近5年已开展相关研究，对其损伤特点、防护有一定的认识。国内进行了初步的野外生物效应实验，明确其伤情伤类特点为冲击伤、烧伤和破片伤，并研究其防护措施。

建议应深入研究其损伤特点、规律、机制和防治措施，明确诊断指标，提出合理有效的救治原则和措施。

### （二）非致命武器（失能性武器）

其概念和分类目前尚不统一。对此类武器的要求是：可致伤但不致残和致死，能趋散和捕获肇事人群。主要有强刺激剂、强水柱、强光弹、强声弹、强电弹、强麻弹、强痛弹；超粘弹、超网弹、超臭弹、超滑弹。主要引起神经系统、感觉系统和运动系统等功能障碍或丧失。宜重点解决对神经和行为障碍的影响。

国外20世纪30年代开始研制，以催泪弹武器为主，20世纪50年代后加紧研制，生物效应实验少见。我国1990年开始研制，装备。通过研究，已明确多种橡皮弹、催泪弹、榴弹、非致命动能武器等的生物效应特点、判据标准、丧失战斗力概率估算等。

建议应针对神经行为、视觉和运动障碍，开展相应的基础和应用研究，如行为异常，形态与功能变化、机制和有效的防诊治等，以提高作战人员的作战性能，保障战斗力。

### （三）动能武器

高技术动能武器包括新型动力的动能武器和新型投射物的动能武器。前者以电能为动力、采用电磁能发射技术推动弹丸达到高初速的装置，如电磁炮、电热炮和电热化学炮；后者以新型材料或结构制成的弹头、玻片作为投射物来产生更大的杀伤破坏力，如集束弹。可对目标造成灾难性的破坏，广泛杀伤敌方人员等软目标。主要引起多器官复合伤，宜重点解决伤情判断及其救治。

此类武器主要是电磁炮和电热炮。美、俄、英、法、德、日、意、澳大利亚等国均先后开展研制，尚处于早期阶段，远未达到可使用的武器系统。其损伤效应研究资料公开报道较少，国内尚未开展相关研究。

此类武器伤情伤类特点主要为火器伤，建议重点研究内容和目标是解决伤情判断、现场和临床救治问题。

# 军事输血学

## 一、概述

血液是人体的重要组成部分，担负着运输气体和营养、维持渗透压和酸碱平衡及防卫保护功能，是挽救伤病员生命不可或缺的一种有限的珍贵资源，同时更因其能够携带艾滋病病毒（HIV）、乙型及丙型肝炎病毒（HBV、HCV）、梅毒螺旋体等传染性致病病原体导致在人群间传播疾病而受到世人的格外关注。

输血学是围绕将献血者血液输给患者进行救治这一中心，进行其物资属性及药物属性的开发、应用、研究，从而保证临床输血的安全性和治疗效果的科学。自1900年发现ABO血型，1916年创立血液抗凝保存液以来，输血医学发展很快，特别是近十余年来，由于各种高新技术不断向输血领域渗透，已使输血医学发展成为一门独立的学科。

国家卫生部公布的有关资料显示，近几年我国的血液需求量大约为每年50亿毫升，但实际血液采集量仅为13亿毫升，缺口达34亿毫升，且血液报废率高达10%。根据这组数据可以看出，我国现行的由设置在省会城市（直辖市、自治区首府）的血液中心、设置在计划单列市或省辖地级市的中心血站、设置在偏远地区县及县级市的中心血库三级采供血机构组成的保障体系，在没有国家血液战略储备的前提下，就目前的情况来看，还不能完全满足各种情况下（包括平时、突发公共卫生事件、恐怖袭击、灾害、战争等）临床用血的需要。尽管国家正在实施一次献血200毫升向400毫升的转变，但随着医疗技术的发展与扩大，原来一些小医院不能开展的手术现在也都相继开展，导致临床用血量整体上在不断增加。因此，在今后相当长的一段时期内，血液的这种供需矛盾还会一直存在，寻求多途径解决血液保障问题的工作将长期而又艰巨。

目前，我国仍有15%的临床用血来自于有偿供血。有些地区依然存在有偿供血、频繁采血、组织非法卖血现象，血源性传播艾滋病、肝炎等重大传染病直接威胁着供血者和用血者的身体健康。一些省份的临床用血的70%以上依靠政府行政指令性计划。一些单位为完成献血指标，采用长休假、高补贴等物质刺激手段组织献血，甚至用有偿供血者冒名顶替完成计划献血指标，并孳生出非法组织他人卖血的“血头”、“血霸”，严重危害人民群众的身体健康和生命安全。我国现在对血液检测使用的是ELISA检测方法，虽然多年来ELISA检测技术方法和灵敏度在不断提高，但由于该技术的局限性，使得血源性传染病病原体被检测出来有一个“窗口期”时间，给把住血液质量关的工作造成了一段“真空”地带，如在这个期间使用血液，则血液的安全系数最小。新近发现和确证能够经血传播的传染病病毒如西尼罗病毒、疯牛病病毒、SEN病毒等目前还没有检测技术，这无疑给输血安全性带来新的挑战。

## 一、基本情况

军事输血医学（military transfusion medicine）重点是研究野战条件下，从血源组织到血液输注全过程中有关输血医学问题的综合性学科，目的是为部队平战时伤员救治及时提供安全、有效的血液、血液制品与代用品以及有关输血治疗的技术与装备。随着现代战争中高科技武器的广泛使用，伤员特别是重伤员需要输血的比例大大增加。在伤后1小时内通过有效输血来进行救治失血性休克可以挽救25%的伤员免遭死亡。加之由于输血、吸毒、性乱等导致经血传播疾病如艾滋病、乙型肝炎、丙型肝炎等的蔓延形势日益严峻，世界各国尤其是发达国家都十分重视输血医学研究。第二次世界大战以后，美军分别在路特曼医学研究所、诺克斯堡陆军医学研究所、华尔特里德陆军研究所和海军血液研究所等建立了专门的军事输血研究机构，并依借全美的科研力量，以招标的形式在全国范围内开展研究，其中主要课题由国立卫生研究院（NIH）、哈佛大学医学院和美国血液中心（ABC）承担。此外，对于军方血液供给体制和有关组织管理工作，美军直接在参谋长联席会议下设有三军血液规划办公室（ASBPO），与美国输血协会（AABB）联合制定军事输血研究指南。20 世纪 90 年代，美军就血液保存和具有携氧功能的血液代用品研究向海外发布招标指南。俄罗斯军事输血医学研究主要由中央输血研究所等单位承担，在血液冷冻保存和血液代用品研究方面具有较高的水平，取得许多成果。法国输血中心设有三个研究所，分别从事输血免疫、临床治疗和血液制品的生产。德国国防军事医学研究所是德军输血医学研究和血液供应中心，主要从事血型和输血相关免疫学研究。

我国军事输血医学的发展大致经历了三个阶段：

第一阶段（1949 年以前）：新中国成立以前，随着国外现代医学知识和技术传入我国，人们开始对输血治疗有了一定的认识，并开始探索战伤救治中采用输血治疗的方法。但那时，由于受到理论和技术的限制，输血医学尚未形成体系，对于战伤伤员的输血治疗，也只在少数几个大城市中有过记载。野战输血医学的发展处于萌芽状态。

第二阶段（1949～1979 年）：新中国成立以后，我国已重视到输血在战伤救治中的作用，1953 年为保障朝鲜战争前线供血，在沈阳建立了我国第一所大型中心血库。战争结束后，我国总结战场救治的经验，将野战输血医学提到新的高度。在这个阶段研制成功了低分子右旋糖酐等血浆代用品和部分输血器材及装置，在临床上开始进行成分输血的研究。

第三阶段（1979 年～至今）：1979 年对越自卫反击战时我军首次有了战前对用血量的估算和血源的组织，并成立了专门负责血液采供和协调的工作机构，在“两山”作战期间，血液已能供应到团卫生队，使伤员死亡率下降了 20%以上，大大提高了伤员救治水平。在此阶段研制成功第一代氟碳类化合物血细胞代用品，并在临床试用。

海湾战争后，现代战争对血液的需求以及发达国家输血医学在战争中的应用，使我国再一次认识到军事输血医学的重要性。

## 三、重要进展

### （一）强调输血勤务指导作用，开始了有关准备工作

为使军队血液保障能够需求准、接口实、任务清、责任明，上下衔接，综合配套。通过调阅有关资料、回顾分析我军历次作战行动的输血保障经验及教训，文献调研外军的有关做法和参考其成功经验，结合我军目前的卫生勤务实际情况，逐步开展了我军战时血液保障体制、战时血液动员、战备血液储备、战时血液储运、战时血液供应标准等研究的准备工作，拟在战时血液保障体系、战时血液组织管理体系、战时血液保障相关法规、战时总体血液需求、军地协调的血液动员模式与机制、战备血液储备体系、战备血液储备模式、战备血液储备管理、战时血液储运模式、战时血液储运技术规范、各级各类救治机构血液消耗标准、各级各类救治机构血液携运标准等方面提出相应标准、方案、法规，旨在为组织实施战时血液保障提供依据。

### （二）重视血液全程技术研究，取得了全面重要进展

“开源”——新型血液来源研究

血液的来源除通过健康献血者捐献途径外，还可以通过血型转变、细胞的物理化学修饰、干细胞诱导分化培养等途径获得通用型红细胞，以解决战争、灾害、反恐及其他应急突发事件救援对通用型血的需求。

国外仅美国 ZymeQuest 公司研制出 B→O 血型改造自动化装置的样机，拟装备到美军作战部队，但正式产品尚未上市。我国完成了 B→O 血型改造的研究，可在国内率先、国际第二研制出 B→O 型改造自动化装置。同时，借鉴成功完成 B→O 血型改造制备通用 O 型红细胞的研究，已着手准备进行 A→O 血型改造制备通用 O 型红细胞的研究。与此同时，国内在造血干/祖细胞、间充质干细胞扩增和定向诱导分化，以及相关的细胞治疗和基因治疗等方面均取得了较突出的成果，与临床医院开展合作开展了人类胚胎干细

胞的分离培养和初步分化的研究，建立了若干人类胚胎干细胞系。已建立了多种干细胞分离纯化技术、体外培养与扩增技术、定向诱导分化技术、干细胞治疗操作规程与安全性评价模型、细胞保存等技术平台。

“节流”——系列止血药物研究

战伤止血是拯救伤员生命的关键措施。美国军队在越南战争中休克者占伤员总数的54%，死于失血的伤员达23.9%；防止战伤休克，尤其是伤员战伤自救的最有效手段是及时止血，研制高效、简便、快速的野战止血剂是军队实战救治保障的迫切要求。战伤出血有着复杂的病因和多样的伤情（包括止血后的灌注再出血），不可能使用一两种药械和装备就能解决止血的全部问题。只有研制适于各种伤情下伤员自救、互救和院前止血的系列药品与装备，才能满足止血救治的要求，提高伤员的救治能力和效率，减少对血液的需求量。目前用于外科手术和创伤救治的止血剂有多种。以纤维蛋白等生物材料制成的止血剂具有生物相容性、生物降解性、止血效果好、促进血管生长和组织修复功能等特点。传统的纤维蛋白止血剂主要有粉末、液态、海绵等制剂，止血绷带是美国军队研制的新一代止血器材，已在伊拉克战争中使用。国内有关纤维蛋白止血剂的液体剂型已经获得批准，主要用于院内手术止血。纤维蛋白止血绷带等的研究尚未见报道。

针对战伤救治的不同伤情和救治阶梯，采用将局部止血剂和整体止血剂密切配合，效能互相补充的研究思路，以提高战伤救治水平和效率、减少血液的用量、避免因输血引发病毒感染为目的，研制成功“速凝1号”和“速凝2号”，这是一种经灭菌消毒的有机材料，无毒副作用，能直接撒于伤口上，覆盖整个伤口表面，可在2min内控制包括动脉的大血管出血，其效果较美军的QuickClot止血速度更快、用量更少；正在研制生物止血绷带、吸水材料止血剂、整体止血剂、速凝止血粉等系列止血药物及材料。该研究的特色与创新之处在于，具有生物相容性、易于吸收、止血效果好、能促进血管生长和组织修复等，可用于野战条件下的穿孔伤、内脏伤、肢体伤、躯体伤等的止血。其中，生物止血绷带与国外同处于研究阶段，尚未装备；选择吸水材料用于止血研究属于应用创新，已申报专利，国内未见同类报道；整体止血剂国外虽已有产品上市，但对于战伤止血仍处于研究阶段，国内未见同类研究；植物有效成分和重组蛇毒类凝血酶研究在国内处于领先地位。

经多次深入雪域高原、边防一线调查研究，已掌握了数千个关键数据，经反复实验，研制出具有止血、镇痛及创伤愈合特殊疗效的“止血1号”和“止血11号”，有效解决了失血性创伤的治疗难题。

“替代”——血液成分替代品研究

野战条件下卫勤保障需要的药品器材要求具有体积小、重量轻、效能高、便操作等特点。对于野战输血而言，就要求能够用血液成分替代品（红细胞、血浆、血小板）进行救治，以克服血源不足、输血安全性不够、储运不便、救治效果不高等问题，最大限度地提高救治保障能力。

通过研究，国内已研制出替代血浆功能的高渗氯化钠右旋糖酐70（HSD）注射液，HSD作为对创伤失血性休克进行早期救治的血浆扩容剂，其优势包括以下三个方面：一是体积小（用量仅为等渗盐水的1/10左右）、重量轻、易储存和携带。与我军现有装备中等渗的血浆扩容剂（706代血浆）相比，在功能相同的情况下，可以节省更多的重量用于携带其他需用物品；二是使用方便快捷，起效快。在输注大量液体有困难的时候，HSD可以在短时间内迅速增加有效循环血量，保护重要脏器免受缺血损伤；三是与等渗溶液相比，HSD能改善代谢、减轻水肿，调节免疫功能。该药品现已获国家食品药品监督管理局新药临床研究批文，积累了相关研究工作所需的文献资料、设备、技术和模型。

我国在通过聚合人胎盘血红蛋白制备高效复苏液的研究方向上，已先后完成和解决了人胎盘血采集，血红蛋白分离、纯化、修饰、聚合和色谱纯化等关键工艺技术，获得了3项专利，试品质量已能连续达到国际文献报道水平（目前尚无统一标准）。动物换血实验显示，换血量达90%以上，24h动物存活率达75%；另一种主效药羟乙基淀粉采用的是美国Northfield公司创新工艺所得的。该产品质量与国际同类制品比较，在主要理化指标及抗休克药效学试验方面均达到或优于国外产品。同时，他们还开展了第二代氟碳化合物红细胞代用品的研究，目前正在与国外和国内企业洽谈联合进行第二代氟碳化合物纳米乳剂血液代用品的研究和国内报批。

"储运"——血液储运关键技术研究

近年来，随着人们对血液的研究愈来愈深入，临床输血的观念也随之发生了一些改变，认为输注保存血比新鲜血更安全。因为一是某些病原体如梅毒螺旋体、疟原虫等在保存血中不能存活；二是输保存血可以有充分时间来对血液进行仔细检测；三是可以长期储备以达到"有备无患"，能够在任何突发事件调出使用。

在红细胞保存方面，我国研制的红细胞4℃保护液可延长红细胞4℃保存时间至75天（国外红细胞4℃有效保存期为42天，国内为35天），对保存后的红细胞进行的质量评价、体外实验表明，细胞质量达到国家标准。该保护液组方已获得了中国发明专利。

在冰冻干燥血小板方面，初步建立了冰冻干燥血小板的方法，确定了冻干程序和保护液体系，申请了专利。开展了冻干血小板损伤机制的前期探索工作，在血小板固定液、抑制剂的筛选，血小板冻干保护液的优化，血小板再水化液的选择以及冻干血小板形态与功能的观察等方面也进行了研究，发表了"冻干血小板超微结构的改变"论文报道。

在血液战略储备关键技术方面，在原有研制的红细胞洗涤机基础上进行了相关改进、提高和标准化工作，用已掌握的可较好延长洗涤后红细胞保存期的保护液组方，筛选了减轻震荡性溶血的方法。用研制的新型自动、密闭冰冻红细胞洗涤机处理后的冰冻红细胞，其血红蛋白回收率、红细胞体外溶血实验、甘油残留量及游离血红蛋白残留量等指标均达到国家相关标准要求。动物实验也证明未发生过敏反应或/和其他不良毒性反应。该机器现已进入临床试验阶段。

"安全"——血液安全与质量控制研究

针对血液安全面临的严峻形势，为保证军队平战时输血安全，在输血相关传染病病原体检测新技术研究、血液中病原体灭活研究方面进行了卓有成效的工作。一是建立了胶体硒标记免疫层析技术平台，完成了艾滋病病毒抗体（HIV抗体）快速检测卡的研制，乙型肝炎病毒表面抗原（HBsAg）、丙型肝炎病毒抗体（HCV抗体）、梅毒抗体快速检测的灵敏度和特异性达到要求。完成了不同O型血人群中抗-A、抗-B效价的调查，建立了系列双特异分子的构建与自体全血凝集试验全血凝集试验技术平台；二是在“九五”、“十五”期间相继完成血浆中病毒灭活研究（研制出小型血浆病毒灭活装置，获得了国家医疗器械产品注册证和生产许可证，参加了国家“十五”重大科技成就展）基础上，研制大型血浆病毒灭活装置，现已对关键技术有了初步优选数据；三是相继开展了军队采供血机构血液检验实验室室间质评、血液检验能力现场验证、“合格”血液抽检、血液检验室内质量控制考评等监督检查和部分研究工作，发现了一些值得关注和进一步深入研究的问题。

在输血传播的新病原微生物系列研究方面，证明抗体阴性并不能完全排除丙型肝炎病毒感染者；明确了丙型肝炎病毒和输血传播病毒的流行率和危害性；成功构建了庚型肝炎病毒全基因组；建立了转基因动物模型与恒河猴转染模型和细胞转染模型，分析了庚型肝炎病毒在动物体内的表达特性、病理作用及其在子代动物体内的复制、表达和传递性；构建了庚型肝炎病毒噬菌体肽库，并筛选出该病毒的抗原表位；获得了输血传播病毒亚基因组克隆，并进行了进化分析。

“治疗”——用血液制品进行相关疾病治疗的研究

在研究血液制品治疗抗凝血酶－Ⅲ缺陷、DIC、脓毒症、再发性凝血、各种血栓病及A型血友病患者的出血预防和出血治疗方面，我国已成功在酵母中表达了人AT－Ⅲ，在基因水平经过创新设计（正在申请国际专利），已经确立纯化工艺，完成了实验室研究。目前正在中试水平上进行发酵参数的优化和纯化工艺的线性放大。纯化后的重组人抗凝血酶纯度可达99%，同时已建立体外活性测定方法；二是完成了人蛋白C在酵母和哺乳动物细胞中表达、纯化工艺的设计，正在进行蛋白C检测试剂盒的研制；三是获得了凝血因子Ⅷ的cDNA基因并构建了表达载体，尝试了凝血因子Ⅷ在酵母细胞中的表达，成功建立了凝血因子Ⅷ活性检测方法。

在用于造血支持治疗的血液产品研究发面，我国已经建立了脐带血有核细胞的采集、分离及体外操作标准；脐带血红系、巨核系造血细胞工程产品制备的质控及制检规程；完善了脐带血红系、巨核系造血细胞工程产品制备过程及工艺；完成了脐带血红系、巨核系造血细胞工程产品临床前的有效性及安全性评价；制定了脐带血红系、巨核系造血细胞工程产品临床研究方案，已通过了国家食品药品监督管理局（SFDA）组织的专家评审会，准备进入临床试验研究。

### （三）加强军事输血装备研究，形成了系列配套成果

国内数家单位研制出了涉及伤员急救止血器材、血液运输车辆、血液采集加工处理装置等3个类别的止血急救敷贴、吸收性胶原海绵、卡式止血带、安全型止血带、抗休克裤、气压止血器、充气加压止血带、加压输血器、野战运血车、野战采血箱、野战运血箱、电子定量采血仪、小型激光采血仪、血浆病毒灭活仪、新型冰冻红细胞洗涤机、便携式自体血回输机等16种装备，其中部分装备随我军赴国外参加联合国维和任务的部队走出了国门。

## 四、主要问题及建议

1．进一步加强对血液保障与安全研究的重视，从体制上全面筑牢疾病预防控制体系，建立国家血液战略储备库，把血液安全纳入疾病预防控制体系之中。

血液保障与安全包括“量”和“质”两个方面，血液安全也就是说两个方面都要安全。一方面，血液的“量”对于每个国家和每个城市来说是确保生命的基础，突发事件、灾难、恐怖事件和战争都会对血液供应的“量”有很高的要求。如当年北京大学生运动会期间，一名白人运动员因血型是RH阴性导致整个北京的血液供应系统出现应急问题。此问题如在2008年北京奥运会出现将是一个非常大的问题。2003年北京SARS期间也出现过血液供应问题，虽然总用血量低于平时，但由于血源受到限制，街头献血已停止，血库保有量持续下降，虽然对医院用血量进行了严格控制，但依然导致了“血荒”。另一方面，从血液的“质”来说，就是输血有可能感染各种类型肝炎甚至艾滋病。输血若救了一个生命却染了其他疾病，其产生的影响是相当大的，如果再因此造成疾病的传播，则会导致民众对于国家

整个医疗体系的质疑危机。

我国的血液风险预测水平已较过去有了很大提高，尤其是在《献血法》出台之后，从国家卫生部到军队的卫生管理部门都有专门的机构进行血液管理，但是科学地进行风险评估的体制还不很健全。如发生一个重大事故，怎样规划血液的应用、调配、采集、供给？如何评估事故导致输血传播传染病的危险？目前还无此应急机制。这与发达国家相比还存在相当差距。血液管理在国家应急预案里处于什么样的位置，什么样的突发事件、什么样的战争、什么样的公共卫生事件、什么样的灾难应当有什么样的血液规划、量的供应、血型的比例，可能的风险会是什么样的、动员血液采集志愿者人群的选择等等一系列的评估和应急预案，在我国还欠缺。血液风险评估体系应与国家血液战略储备相配合，并成为国家血液战略储备应对各种可能出现需求情况的指导。如：针对2008年北京奥运会，RH阴性血的储备量就要明显增加；针对突发事件，O型血的储备量就应当多一些；在少数民族区域和一些特殊地区（如艾滋病高危地区），血液就地动员、就地采集的风险很大，就要考虑其他血液供应对策。

为此，建议中央政府在已形成的国家战略物资储备体系和国家疾病预防控制体系的基础上，高度重视血液保障与安全问题对于国计民生、国家安全、社会稳定、军事行动保障能力的意义，整体谋划，顶层设计，将血液保障与安全研究分别纳入国家战略物资储备和国家疾病预防控制体系，视血液为与粮食、能源、药品、重要金属矿藏等同的战略物资来进行研究、开发、管理（如同建立粮食储备库和战略油库一样建立战略血库）视血液安全问题为国家疾病预防控制体系中重要的一个部分来进行部署、研究、控制。

（1）建立国家血液战略储备库：目前的血库主要是保证我们平时（即在没有突发事件、没有重大灾难发生的情况下）的用血需要，它在日常的储备和流通的情况下可以保证7天的供应量。而如果一旦有突发的事件发生，它的需要量肯定会有增加，如果血源再受到限制，那么它就不能保证7天的供应。在发生重大自然灾害、突发公共卫生事件、恐怖袭击或战争的情况下，肯定是无法保证血液供应的。那时再动员整个民众进行大规模的献血，恐怕受当时环境限制未必能够允许，血源的风险或者说不安全因素随之增大。按国际上的输血风险评估，例如美国“9·11”事件后，比平时的危险度高了25倍，从这一点可以看出，当血液“量”发生改变之后，它的“质”也会大打折扣。如果发生这样的事例，要么是血液供不上，大量伤员无法救治；要么是虽获救治，但却传播了疾病，又会引发新一轮的社会问题。从国家安全来讲，我们已有了国家粮食储备库、国家石油战略储备库，同样，也应建立国家血液战略储备库，作为国家应急体系的一部分为突发事件、战争、公共卫生事件、灾难条件下实施救援提供基本保障。

（2）把血液安全纳入国家疾病预防控制体系之中：按照《中国预防与控制艾滋病中长期规划（1998－2010年）》，全国所有的采供血机构和血液制品生产单位要达到艾滋病病毒抗体检测工作规范化管理的要求，建立起有效的质量保证系统和监控机制。切实落实对供血者、供血浆者和血液、血液制品的检测及监测措施。加强质量控制，使其能及时准确地反映疫情变化动态。

要实现上述目标，若不进行血液“检测”、“质控”方面的重大关键技术及相关应用基础研究，以朝着“什么病原体都能被立即发现”、“什么病原体都能被及时灭活”的目标迈进，那么血液中病原体被“漏检”、“误判”等严重影响血液安全的问题就不可能得以解决，国家预防与控制艾滋病的整体规划也将因血液系统的“局部坍塌”而成为失守的“马其诺防线”，最终难以实现目标。

因此，应当把血液安全纳入国家疾病预防控制体系之中，“不留死角”地做好血液安全各环节的管理及与疾病防控的配合工作，形成国家疾病预防体系“统筹规划，整体布控，相对独立，有机衔接”。

2．把血液保障与安全重大关键技术研究列为国家重大专项，加大对其的投入，达到重点研发、统一检测、全面监控的局面，从技术上为国家实现预防与控制艾滋病计划提供有力支撑。

由于输血学是一个新兴的学科，因此在目前的科研格局里，输血相关研究尚没有自己的“领地”，被分散在基础医学、临床医学的边角旮旯里，研究的问题也是星星点点，并没有围绕血液需求与安全形势进行全面、系统地考虑血液的物资属性和药物属性问题，取得的也“单点”式的研究成果，没有形成“合力”，也没有带动血液保障能力和安全水平的整体提升。倒是一发生紧急事件就“捉襟见肘”闹“血荒”，过一段时间就发生经血传播重大传染病事件。为保障血液供应而进行的“输血系统研究”就是采取以实现战时输血保障系统整体最优为总目标，以解决血液的物资属性问题和药物属性问题为重点，将系统分解为“勤务”、“开源”、“节流”、“替代”、“储运”、“安全”和“治疗”7个既相互独立、又紧密相关且与总目标保持高度一致的分系统（项目），包括了战时输血保障涉及的“全程”（采、供、储、运、用）、“全态”（液态、冰冻、干粉）、“全效”（止血效果、治疗效果、安全效果）等所有方面，达到了系统的完整性。同时，采取“紧扣主题，同步展开”的办法，对每个子系统都以“点”为突破来带动整体，并极少量开展一些具有重要应用前景的探索性关键技术课题，为今后的研究和整体升级做好铺垫和技术储备。与此相同，国家也应聚合军地输血领域具有实力的科研机构、高等院校、大型采供血机构和有关血液制品企业，按照国家社会发展的需要、国防动员的需要、公共卫生安全的需要、血液技术产业市场的需要进行统一规划，设立重大专项来解决血液的保障与安全问题，配合新颁布的《血站管理办法》要求的各省份进行血液集中检测要求，重点研究大量、快速、灵敏、特异病原体筛查检测技术和能够实时跟踪识别献血者信息及血液加工处理信息的技术。

3．加强跨学科交叉融合，借助高性能计算机技术平台，深入研究血型与疾病关系、输血有效性等输血重大基础问题，从血液研究层面揭示生命科学的奥秘。

尽管从1900年发现ABO血型至今已百年有余，但血液的许多基础问题至今还未得到解决，如血型与健康、疾病的关系怎样，为什么有的人输血以后并无效果等等。因此，应充分利用其他非生命科学领域学科的已有技术和能力，如借助高性能计算机技术平台，建立起相应的数学分析模型，开展对各种血型与疾病关系以及输血对改变机体系统环境影响的“海量”病例数据运算分析，从中发现和判断相关规律，在百年前发现ABO血型的基础上，进一步揭开血液的奥秘。

## 五、展望

目前，尽管国家血液安全体系和血液保障体系还没有完全适应形势的需要，但各级、各部门的职能、作用还相对较为明确。此外，国家一些大的血液中心（如北京、上海、浙江、广州等血液中心）的内设输血研究机构，在血型血清学、临床输血与成分输血技术的推广、输血传染病的控制研究、细胞工程和血浆蛋白制品、输血材料与器具、血液保存、造血干细胞移植研究等方面也都各有特色和专长。一旦国家能够统一部署、系统整合，输血医学、军事输血学和逐渐发展的再生医学将会发生较大的变化，血液资源将得到充分利用，不同途径制备通用型红细胞将得以实现，各种伤情下大、中动脉出血的止血及整体止血问题将进一步解决，用血液成分替代品分别行使红细胞、血浆和血小板的生理功能的能力将大幅度跃升，血液的保存储备和运输中质量保证技术将稳步发展，血液中已知和未知病原体的检测与灭活技术将大大提高，用血液制品进行相关疾病的治疗和防控输血反应及并发症的研究将会更加广泛深入。此外，由于输血医学涉及病毒学、流行病学、微生物学、生物化学与分子生物学、免疫学、低温生物学、病理生理学、干细胞与再生医学、药学、生物信息学等众多学科，因此其发展受这些学科发展的影响很大。由于输血的过程本身就是一个“细胞移植”的过程，探索输血的机制也就为组织器官移植和整个再生医学奠定了发展的基础，随着干细胞领域研究的逐步深入，输血医学向再生医学拓展、两者相互促进发展的趋势也日益增加。可以这样预测，未来的输血医学将会与临床医学、再生医学交叉融合，对血液作为支持机体生命活动这一能源命脉的研究发展将会越来越受到人们的关注。

# 军队疾病预防控制体系建设

## 一、概述

军队疾病预防控制体系是在2003年之后，借鉴国外、外军和国家疾病预防控制体系的成功经验，在既往的三级卫生防疫体系的基础上，调整资源，优化组合而建立起来的。近三年来，军队疾病预防控制体系经历了体系建立、机构转型和工作机制转换等重要阶段，主体建设已经基本完成，已具备了较强的疾病防控综合实力，并在核化生事件医学应急救援、军队疫情处置、参与国家和地方重大疫情等突发公共卫生事件的应急支援中发挥了积极作用，已经成为了国家公共卫生体系的重要组成部分。

## 二、历史沿革

### （一）既往的三级卫生防疫体系

2003年以前，军队卫生防疫体系经过几十年的建设和发展，形成了以全军预防医学中心为“龙头”、全军各大单位一级卫生防疫队为骨干、军师防疫所为基础的三级卫生防疫体系和监督监测网络，始终坚持为部队服务的工作方向，主要组织实施疾病监控、卫生监督监测、媒介生物防治、卫生防护和健康教育等卫生防疫与防护工作，在促进部队官兵身体健康、巩固和提高部队战斗力方面作出了重要贡献。

### （二）新三级疾病预防控制体系

“非典”过后，党中央、国务院果断做出了建立国家突发公共卫生事件应急处理机制、加强公共卫生体系建设的重大决策。根据这一决策，决定以军队原有的卫生防疫机构为基础，调整资源配置，优化结构组合，构建新的三级疾病预防控制体系。使学科专业配套完整，加强了疾病预防控制、卫生监督、人畜共患病防治和应急处置等职能。将各军区的军事医学研究所和卫生防疫队合并，成立战区疾病预防控制中心，增强了区域疾病预防控制力量。同时，防疫所（队）的基本建设，进一步增强了基层部队的疾病预防控制能力。

## 三、重要进展

### （一）建立并完善了新的疾控机构

近两年来，根据国家、军队公共卫生安全形势的需求，按照总体部署，军队新的三级疾控机构逐步建立了起来，并在履行使命、执行任务中逐步得到了完善。

组建了全军疾控中心。2003 年，成立全军疾病预防控制中心，标志着军队层次最高、实力最强和最富有权威的疾病预防控制机构的诞生，拉开了组建军队疾控机构的序幕，对军队的疾控体系建设起到了重要的推动作用。同时，根据新的编制体制调整意见，全军疾控中心成立了具体办事机构“中心办公室”，抽组了专职人员，从组织和人员上保证了全军疾控中心工作的顺利实施。近两年多来，全军疾控中心按照军队总体部署，根据承担的任务，着重在疾控体系、疾病防控能力建设和疾控队伍培养上下功夫，并在多次重大疫情的应急处置和重大的活动保障中增强了实践经验，形成了较强的核化生医学应急救援、突发公共卫生事件的应急处置能力。

二级疾控机构完成编制和任务调整。各军区的军事医学研究所和军区卫生防疫队，在资源调整和优化组合的基础上，重组合并，突出疾病防控职能，成立了军区疾控中心。同时，新疆和西藏军区在原防疫队的基础上，强化了疾病防控能力，组建了各自军区的疾控中心，与军区疾控中心一起加强了区域疾病防控力量；海军、空军、二炮和总装备部结合军兵种任务特点，在加强各自防疫队全面建设的基础上，重点加强了疾病防控方面的建设，与上述军区疾控中心一起组成了二级疾控机构，为区域性疫情的有效、快捷处置打下了坚实的基础。

与此同时，基层部队防疫机构的建设也得到了很大的加强，与全军疾控中心、二级疾控机构一起，形成了上下贯通、覆盖全军、系统配套的军队疾病预防控制体系。

## （二）纳入了国家公共卫生体系

为了实现军队和国家疾控体系的优势互补，切实加强我国公共卫生体系建设，建立良好的国家和军队的协调和联动机制，更好地应对重大疫情等突发公共卫生事件和核化生事件，决定将军队疾控机构纳入国家公共卫生体系。标志着军队疾控机构从此正式成为国家公共卫生体系的一个重要组成部分，并按照国家统一部署，进行统一规划、统一建设和统一使用。

军队疾控机构顺利纳入国家公共卫生体系，是军队疾病预防控制体系建设中的一个重要的里程碑，也是国家公共卫生体系建设中的一件大事。在规划中各项目顺利建成后，将大大提高国家公共卫生安全的防范能力，大大提高国家和军队联防联控和应急处置的水平和能力。

## （三）内涵建设得到加强

**1. 基本理顺了关系** 目前，各疾控机构内部、机构与机构之间的关系已基本理顺，并与国家、地方疾控机构建立了较好的合作关系和协调机制，为提高疾病防控和应急处置能力奠定了基础。

**(1) 理顺了内部关系：**各疾控机构成立后，以任务需求为牵引，积极采取各种有效措施加快理顺内部关系和运行机制，在优化组合、调整结构的基础上，成立了相应的科室，配置了相应的人员，建立健全了各项管理制度，明确了各组成单位的任务分工，基本形成了一个良好的工作局面，为圆满完成各项任务打下了坚实的基础。

**(2) 理顺了各机构之间的关系：**通过研究论证了各级疾病预防控制机构的功能定位、职责任务、机构设置、运行机制，加强了横向联合和上下联系，形成了整体统一、团结协作的疾控体系网络，建立了良好的协调机制，保证了以疾病预防控制任务为主的各项任务的顺利完成。

**(3) 建立了良好的军地联动机制：**将军队疾病预防控制机构纳入国家公共卫生体系，并承担着重要的任务。为更好完成国家赋予的任务，军队疾控机构特别是全军疾控中心，主动协调，和国家卫生部、国家 CDC 等部门建立了良好的协调机制和联动机制，在重大疾控任务上相互协调，互相补充，互相支援，锻炼了队伍，提高了应急能力。

**(4) 积极探索科研与疾控有效的协调机制：**全军疾控中心作为军队疾病预防控制体系中的主要和核心机构，都不同程度地存在着科研主导向科研与疾控并重或疾控主导转变的问题，也不同程度地存在着科研与疾控如何协调的问题。如何顺利引导职能的转变，如何使科研和疾病防控有效地结合起来，如何使其相辅相成发挥作用，如何使科研和疾病防控形成有效的协调和联动机制，是很值得思考和探索的问题，也是摆在军队面前不可回避的问题，尚需要很长一段时间的探索。

**2. 建设标准和评价体系基本形成** 在全面调研、系统论证的基础上，结合军队疾病预防控制体系的建设现状，初步制定了建设标准和评价体系，有力地促进了体系的建设与发展。

**(1) 制定了建设标准：**为在疾控体系建设上做到科学规划，合理建设，使军队疾病预防控制体系协调发展，满足疾病防控需求，有效发挥疾病防控职能，并使疾控体系建设有法可依，拟制了《军队疾病预防控制机构工作规定》和《军队疾病预防控制机构建设和工作标准》，对军队疾控机构运转、建设和发展中的若干重大问题作出了明确的规定，提出了一系列以强化疾病防控和应急能力建设为主旨的建设与工作原则，并提出了建设和发展目标，为加强军队疾病预防控制机构建设和管理提供了有力依据。

**(2) 制定了评价体系：**为科学、客观、公正和合理地衡量军队疾病预防控制体系的建设与发展是否符合疾病防控的需求，是否切实履行了应承担的任务，是否有效发挥了应急处置能力；同时为了调动疾控工作人员的主观能动性，发挥其积极参与各项任务的自觉性，制定了系列评价体系，深入研究并论证了各项评价指标，力争做到科学、可行，从定性和量化两方面对疾控体系建设和工作人员进行评价，有力地促进了军队疾病预防控制体系的建设和发展。

**3. 制定应急预案，应急机制得到完善** 为加强军队处理突发公共卫生事件的应急能力储备，做到预有队伍准备、预有物质储备、预有应对方案、处置原则和拉动程序，提高应急处置能力和效率，制定了《军队突发公共卫生事件应急预案》，明确了突发公共卫生事件的应急处置原则、程序，应急救援力量的组成和职责任务，应急救援物质的储备和调拨等重大事项，有力地保证了突发公共卫生事件的有效、快捷处置。

为做好应对流感大流行的准备工作，有效控制人禽流感对军队的危害，制定了《部队禽流感防治指南》、《部队流感大流行防控方案（草案)》、《××部流感大流行准备计划和应急预案》和相应的技术方案，提出了流感大流行各响应阶段的应对措施、实施方案和具体可行、可具操作性的技术防护、防控和处理方法与规范。

同时，针对基层部队官兵，尤其是新入伍士兵，经常发生群发性的心理问题，制定了《部队群体心理应急干预卫勤预案》和《部队群体心理应急干预技术方案》，在减缓部队的心理压力方面起到了很好的作用，有效地提高了官兵的心理应激能力，有效阻断了安全隐患的发生，也有助于部队的战斗力的提高。

以制定整体应急预案和针对性的应急方案为契机，大力强化了应急能力储备，完善了应急机制，建立了军队突发公共卫生事件应急协调联络机制，研究了军队疫情信息报告系统建设的设想及实施方案，并通过及时启动全军各级疾病防控指挥机制和疫情监测报告系统，整体提高疾病防控和应急能力。

## （四）综合能力得到提高

在总部的领导下，各级疾控机构在基本设施、应急装备、实验室和应急队伍建设上狠下功夫，并加强了队伍培训和应急演练，提高了疾病防控综合能力。

**1. 基本设施建设得到加强** 尽管军队疾控机构在重大疫情应急处置和

核化生应急救援的技术能力上具有长期基础和较强实力，但总体建设与国家疾控机构相比，明显滞后，与其在国家公共卫生体系中承担的任务要求相比，还有较大差距，在基本设施建设上尤为明显，并已经成为了制约军队疾病预防控制体系建设与发展和疾病防控能力发挥的“瓶颈”。

为了扭转这种局面，切实完成承担的各项疾控任务，以军队疾病预防控制体系纳入国家公共卫生体系建设为契机，下拨专项经费，加强了各级疾控机构的基本设施建设，尤其是重点加强了全军疾控中心的疾控所的业务大楼和公共卫生应急处置大队驻地、全军“三防”医学救援队训练基地的软、硬件建设，加强了战区疾控中心业务配套设施建设。以上设施大部分已经投入使用，基本解决了制约发展的“瓶颈”问题，并形成了一定的硬件保障和支撑能力。

**2. 应急装备得到补充** 军队疾控机构在国家历次重大疫情应急处置和核化生应急救援方面都发挥了重要的作用，但其装备建设，尤其是应急机动装备和现场侦检、处置装备缺项较多，现有装备陈旧、落后，灵敏度、准确性和机动性差，大大制约了应急机动和现场处置能力的发挥。为提高应急机动和现场快速侦检、处置以及核化生应急处置能力，以军队疾控机构纳入国家公共卫生体系为契机，重点加强了全军疾控中心和军区疾控中心的应急机动装备和现场快速处置装备建设，范围覆盖病原体高通量筛选、传染病预防控制、食品和环境卫生、微生物检测、染色体智能识别生物剂量测定、媒介昆虫鉴定、质谱分析鉴定、动植植物源性疫病检测、血液冷链储运等领域，同时加强了核化生的侦检、消杀、防护和病原生物感染救治装备等。部分仪器设备已经投入使用，并在2005年的几次疫情检测确认和应急处置中发挥了一定的作用，形成了较强的保障力。

**3. 实验室建设得到加强** 实验室检测在事件性质的确认方面起着关键性的作用，在事件的整个应急处置过程中也起着至关重要的作用。为确保在第一时间内准确确认事件的性质，以及时采取有针对性的防控措施，重点加强了全军疾控中心的实验室建设，尤其是针对频发的群发性传染病事件，重点加强了病原微生物检测确认实验室的建设，在装备配置、人员培训、检测方案、意外应对方案和监督管理方面狠下功夫，并积极采取措施以确保任务的顺利完成和保证生物安全。

同时，针对频发的禽流感和人禽流感疫情，明确了部队一旦爆发禽流感和人禽流感疫情，人流感病毒检测确认由全军疾控中心的微生物检测中心担任，禽流感病毒检测确认由全军疾控中心的人兽共患病研究中心担任，并要求在承担军队检测工作的同时要做好支援国家和地方的技术准备。

经过多方面的努力，全军疾控中心圆满完成了河北送检的炭疽和四川猪链球菌标本的检测确认，并积极承担了安徽人禽流感病毒的参比检测任务，在实践中大大提高了实验室的应急检测能力。

**4. 队伍建设得到加强** 建立一支装备精良、技术过硬、素质全面的应急处置队伍和知识渊博、经验丰富的专家库，成为提高应急处置能力和确保快捷、有效处置的基石和关键点。

**(1) 成立应急处置队伍：**为提高核化生医学应急救援能力和救治水平，抽编专业知识渊博、现场处置经验丰富、综合素质较高的中青年专家，组建了全军“三防”医学救援队和分队，配备了先进的应急装备，制定了系统、配套的应急预案，并进行了多次应急拉动和演练，其中“全军三防医学救援队”于2003年成建制参加了国家长城2003反恐怖综合演习，在实践中提高了应急和实战能力。目前，三防医学救援队和分队已经具备了较强的核化生事件的快捷、有效的应急处置能力和救治水平，在历次重大核化生事件的医学救援中发挥了重要的作用，已经成为军队重要的战略应急机动力量和国家的一支不可缺少的应急救援力量。

为提高突发公共卫生事件的应急处置能力和处置效率，在全军疾控中心组建了全军公共卫生应急处置大队，这是国家和军队目前唯一一支成建制的公共卫生应急处置力量。目前，大队驻地和训练场地建设已经初步完成，主要负责人员和业务骨干已经配齐，编配了亟需的应急机动装备，并进行数次模拟演练，并参与了多次疫情的应急处置和重大活动的卫生防疫保障，已经具备了较强的突发公共卫生事件的应急处置能力。

同时，为积极应对频发的动物疫情，成立了全军重大动物疫病应急处置队，以全军疾控中心的军事兽医研究所为依托预编抽组，并明确了处置队的性质、职责、装备标准、定额和抽组方式等重要事宜。目前处置队的人员组成、应急方案和拉动方式等已经顺利完成建设，装备建设、应急演练和技术培训等内容正在进一步的建设之中，该处置队的组建将在动物源性疾病的有效防控中发挥强有力的作用。

**(2) 建立应急专家库：** 为及时、准确判断突发公共卫生事件的性质，预测事件的危害程度，为应急处置队伍采取有效、快捷处置措施提供技术支援和智囊保障，为现场处置指挥人员提供决策咨询，建立了军队突发公共卫生事件应急专家库，部队专家同时成为国家级卫生应急专家库的重要组成部分。专家库的建成，将为突发公共卫生事件的应急处置提供科学、全面、系统和实用的决策咨询建议，有利于大大提高应急处置的准确性和快捷性。

**5. 加强了技术培训和应急演练。**

**(1) 加强了专业人员的技术培训：** 先后组织了十余次、数百人参加的"三防"医学骨干培训班，从"三防"医学救治的基本原理、救治技术进行了系统培训，并加强了实际操作能力的培训，进一步提高了"三防"医学救治能力和水平。针对疾控机构在组建和优化组合过程中，人员流动比较大，许多专业人员都不同程度地缺乏相应的疾病防控知识的现状，有针对性和选择性地组织了基层防疫机构的防疫骨干的基本疾控理论和技术培训，对驻京防疫机构开展了放射防护、传染病防治等技术培训，组织了全军生物防护技术和艾滋病防治骨干培训班。通过开展类似的培训活动，大大提高了疾控专业人员的基本素质。

**(2) 加强了疾控业务管理人员综合素质培训：** 疾病防控是一个业务性很强的工作，从事疾病防控的组织与协调必须要熟悉相应的业务知识，才能实现高效应对、准确处置。为提高疾病防控协调能力，积极倡导各级疾控机构，采取多种手段对业务管理人员进行培训，针对性地组织专家采取集中授课和咨询的形式进行业务培训和辅导；此外，全军疾控中心还组织了相关人员参加了北京市和国家卫生部组织的应对突发公共卫生事件、应对流感和高致病性禽流感的相关技术和管理理论培训办，在学习与培训中增强了业务素质，提高了疾病防控的综合协调能力。

**(3) 组织了应急演练：** 为客观衡量应急队伍的应急处置能力，验证制定的应急预案和技术方案是否可行、科学与实用，检查应急装备和应急物质是否能够及时到位，能否确保预有准备、确保“拉得出、打得赢”，各级疾控机构根据各自的实际情况组织了多次应急演练，增强了应急意识，锻炼了队伍，完善了预案和技术方案，强化了应急条件下的联动机制，为疫情的有效处置打下了坚实的基础。

## （五）做好了疾病综合防控

军队疾控机构在加强内涵和能力建设的同时，通过采取有效措施，在重点传染病的防治方面也取得了一定的成绩。

**1. 强化了重点传染病防治** 继续抓好霍乱、肝炎、结核、痢疾、出血热等传染病防治的同时，加强了对重点疫区、重点部队、重点病种的重点监控，研究分析流感和高致病性禽流感等重大疫病态势及防控对策，组织召开了两次流感和禽流感等重大疫病疫情分析与防控会议；组织全军200余个艾滋病初筛实验室的质量控制检查，总结了“十五”期间全军血防工作，研究部署了“十一五”期间血防任务，组织疫区部队开展了血吸虫病普查普治。

**2. 加强了群体发病防控** 群发性疾病是疾病防控的重点工作之一。仅2005年，全军共处置群体发病12起，重点调查处理了某部两起副伤寒暴发疫情、某部霍乱疫情、某单位集体食物中毒事件。通过综合防治，部队群发性疾病平稳，没有造成负面影响。

**3. 加强了其他疾病的防控** 针对基层部队官兵特别是新入伍士兵频发、群发的心理疾病，积极采取措施进行心理疏导、心理干预等健康教育，建立了群体心理应急干预试点，深化了基层部队的心理卫生服务。加强了训练伤病治工作指导，加大了军事训练健康保护的宣传力度。加强部队兽医卫生工作，以防治对高致病性禽流感疫情，进一步规范了全军兽医卫生工作，研讨了动物疫病防治对策。

**4. 加大了卫生执法力度** 全面加强了部队的卫生监督工作，圆满完成了人大、政协及军委扩大会议、神州六号载人航天、抢险救灾和中俄联合军事演习等重大任务的卫生监督保障任务，在实践中提高了应急处置和卫生防疫保障能力。

## 四、存在的问题

军队疾病预防控制体系建设已初见成效，并取得了一定的成绩，但还存在一些不可回避、亟需解决的问题。主要有，一是由于各方面的原因，军队疾病预防控制体系的建设经费明显不足，严重制约着体系的建设与发展；二是军队疾病预防控制体系的上下协调、横向联合的网络化的协调机制还需完善和加强；三是军队疾控机构的建制保障能力还不能完全适应战时和应急保障需要，在某些机构还比较薄弱，需要重点关注和重点建设；四是传染病和群发性疾病的监控还比较薄弱，特别是疾病监测信息系统建设，与国家相比，明显滞后。

## 五、对策和建议

当前，与国家公共卫生安全和国防现代化建设需求相比，军队疾病预防控制体系在整体建设方面有待于进一步加强。

### （一）加强领导，做好顶层设计

加强和加快军队疾病预防控制体系建设，是事关军事斗争卫勤准备和国家公共卫生安全的一项大事，既是一项现实而紧迫的政治任务，又是一项事关全局、事关长远、事关国家安全的战略措施，需要多个相关单位的密切协同，必需建立上下步调一致、横向密切配合的强有力的领导组织体系，就疾控体系的建设与发展做好系统统筹和总体部署，搞好顶层设计，加强宏观调控，引导并积极采取有力措施确保疾控工作的顺利开展。

### （二）突出重点，瞄准能力建设

在现有条件基础上，本着统筹规划、系统配套、突出重点、军民结合的原则，在全面加强建设的同时，坚持“有所为，有所不为”，立足解决关键、重大、疑难问题，重点解决好疾控体系建设的“瓶颈”问题和影响军队战斗力的重大疾病与不明原因的群体性疾病的防控；要突出重点，集中财力，注重内涵，着重加强相关技术储备，着重提高应急能力建设，全面提升疾病防控能力。

### （三）加强合作，建立协调机制

要切实发挥全军疾控中心在军队疾控机构体系中的“龙头”地位，充分发挥其技术、人才、信息等方面优势的基础上，加强与军队各级疾控机构之间的合作，建立良好的合作关系和上下联动机制；发挥全军疾控中心的优势与特色，加强军队疾控机构与国家疾控机构和有关部门的交流，建立良好的信息共享、资源共用的国家与军队的联合协调与行动机制。同时争取同国外或外军的疾控机构加强合作，借鉴先进经验，引进先进技术，提高军队疾控机构的疾控工作水平。

### （四）抓住机遇，拓宽经费渠道

目前，党和国家对疾控体系建设的重视程度空前提高，各级财政对疾恐工作的支持力度空前加大，疾控和公共卫生工作受到社会和公众前所未有的关注，疾控工作处于历时上最好的发展机遇期，军队疾控机构要抓住这个“大机遇”，统一观念，理清思路，明确方向，积极作为，拓宽经费来源渠道，做好各项疾控工作。同时，军队疾控机构已经顺利纳入国家体系，这对其建设而言是个极其有利的机会，要抓住这个“小机遇”，突出现有优势，加强横向交流，积极争取经费支持，积极推进军队疾控能力的整体提升。

### （五）加强监督，确保建设质量

对军队疾病预防控制体系建设，实行分级负责，专项管理，进一步优化项目筛选，严格控制规模，合理列支经费，加强项目管理，确保严格标准，规范运作，提高资金使用效率，对军队疾病预防控制体系建设项目进行监督和评估，及时解决建设过程中存在的问题，保证建设质量。

## （六）展望

近年来，军队疾病预防控制体系建设已初见成效，并在核化生医学应急救援、参与国家突发公共卫生事件应急处置、重大活动卫生安全保障等方面发挥了重要的作用，在疾病防控综合能力和技术储备方面也取得了一定的成绩，但与国家、军队的要求相比还有很大差距，还不能适应严峻的疾病防控形势需求，还需加大力度，加快建设。

总体而言，军队疾病预防控制体系建设是机遇与挑战并存，要抓住机遇，迎接挑战，全面落实科学发展观，加快军队疾病预防控制体系建设，突出系统集成和能力储备，为保障部队官兵身体健康、提高部队战斗力、维护国家公共卫生安全服务。